Guide
DES SCIENCES
EXPÉRIMENTALES

3e édition

Guide
DES SCIENCES
EXPÉRIMENTALES

3e édition

Observations

Mesures

Rédaction du rapport de laboratoire

Gilles Boisclair
Professeur de physique
Centre d'études collégiales de Montmagny

Jocelyne Pagé
Professeure de chimie
Cégep François-Xavier-Garneau

avec la collaboration de
Anne-Marie Guay
Programmeure

Daniel Morin
Professeur de mathématiques
et d'informatique
Cité collégiale d'Ottawa

ERPi
ÉDITIONS DU RENOUVEAU PÉDAGOGIQUE INC.

5757, RUE CYPIHOT, SAINT-LAURENT (QUÉBEC) H4S 1R3
TÉLÉPHONE: (514) 334-2690   TÉLÉCOPIEUR: (514) 334-4720
COURRIEL: erpidlm@erpi.com   w w w . e r p i . c o m

La rédaction de la 1ʳᵉ édition de cet ouvrage a été rendue possible grâce à la collaboration du cégep François-Xavier-Garneau.

Supervision éditoriale :
Jacqueline Leroux

Révision linguistique :
Véra Pollak

Correction d'épreuves :
Odile Dallaserra

Recherche iconographique :
Chantal Bordeleau

Supervision de la production :
Muriel Normand

Conception graphique et couverture :
Frédérique Bouvier

Dessins humoristiques :
Stéphane Archambault

Photographies :
Pierre Gignac (p. 21, 22, 23, 29, 34) ; Richard Mathieu (p. 111) ;
Carolina Biological Supply Co/Phototake (p. 115)

Édition électronique :
Info GL

Dépôt légal : 1ᵉʳ trimestre 2004
Bibliothèque nationale du Québec
Bibliothèque nationale du Canada

Imprimé au Canada

ISBN 978-2-7613-1461-9   567890   IG   098
                                20297 ABCD   OF10

Avant-propos

Le *Guide des sciences expérimentales* a déjà une longue histoire : plus de dix ans ! Sa première édition est née de la volonté de décloisonner la biologie, la chimie et la physique, et d'adopter des règles et un langage communs aux trois disciplines. La deuxième édition justifiait le choix de ces règles et réagissait à certains changements apportés à l'enseignement des sciences au Québec, particulièrement en ce qui concerne la méthode scientifique et l'usage de plus en plus fréquent de l'ordinateur. On y approfondissait également la réflexion sur la stratégie expérimentale.

Les sciences expérimentales et la technologie ont toujours été interdépendantes. Cependant, on note de nos jours une présence de plus en plus fréquente de systèmes d'acquisition de données dans nos laboratoires, ce qui engendre des changements dans la manière de recueillir des données et de les traiter. C'est précisément pour rendre compte de ces changements technologiques et pour tenter de répondre aux préoccupations des professeurs de sciences expérimentales que nous avons conçu cette troisième édition du *Guide*.

Le traitement des grands nombres de données que les systèmes informatisés permettent d'acquérir conduit effectivement à aborder plusieurs notions : la confection de tableaux de fréquences et d'histogrammes ; la distinction entre incertitudes systématiques et incertitudes aléatoires, qu'il s'agisse de leur nature ou de leur mode de propagation ; la régression linéaire ; et l'utilisation des outils statistiques de la distribution normale. Nous avons développé plus en profondeur certains tests de vérification d'hypothèses, tels que les tests d'ajustement, d'homogénéité et d'indépendance du khi-deux et les tests d'hypothèses sur deux moyennes.

Afin d'intégrer toutes ces nouveautés sans alourdir le manuel, nous lui avons adjoint un disque compact. Le pictogramme ![cd] que vous trouverez en marge du manuel vous renvoie justement à des activités, à des figures, à des compléments d'information, etc., proposés dans le disque. Celui-ci comprend une cinquantaine de fichiers classés selon les catégories suivantes : figures animées ; exemples et compléments au manuel ; explications de procédures avec Excel ; modèles facilitant la production d'un rapport de laboratoire ; et exercices accompagnés de leurs réponses. Le disque compact est un outil précieux aussi bien pour l'étudiant qui doit produire des rapports de laboratoire que pour l'enseignant qui souhaite faire des animations. Les nombreux atouts du disque sont expliqués en annexe au *Guide*.

Parmi les autres changements qui caractérisent cette réédition, mentionnons le rapport de laboratoire, dont la partie «cadre théorique et méthodologie» a été modifiée et s'harmonise avec les chapitres 5 et 6. La partie consacrée à la stratégie expérimentale a été approfondie:

- On y explique concrètement comment obtenir les résultats expérimentaux nécessaires pour atteindre le but de l'expérimentation: les paramètres à observer, la méthode à appliquer pour obtenir les observations, la façon d'interpréter les observations.

- On y traite des éléments de comparaison.

Remerciements

Nous remercions Mme Hélène Giguère et M. Normand Fournier, professeurs de biologie au collège François-Xavier-Garneau, qui nous ont aidés à concevoir des règles communes à la chimie, à la biologie et à la physique; M. Richard Mathieu, professeur de biologie au cégep de Drummondville, qui a enrichi la deuxième édition de nombreux exemples que nous avons conservés; M. Bernard Drouin, professeur de physique au collège François-Xavier-Garneau, qui a toujours soutenu notre travail et qui a partagé généreusement son expertise avec nous, entre autres, sur la question de l'acquisition de données; M. Charles Latour, professeur de mathématiques au collège François-Xavier-Garneau, pour son soutien dans l'écriture des sections sur les tests de vérification d'hypothèses; et Mme Geneviève Martineau, professeure de biologie au centre d'études collégiales de Montmagny, qui nous a aimablement fourni son modèle de rapport de laboratoire.

 Le disque compact a été réalisé grâce à la précieuse collaboration des personnes suivantes: M. Daniel Morin, professeur de mathématiques et d'informatique à la Cité collégiale d'Ottawa, Mme Anne-Marie Guay, programmeure, et M. Michel Bosset, professeur de biologie au cégep de Saint-Jérôme, que nous remercions vivement.

Un chaleureux merci aux enseignants qui nous communiquent leurs commentaires et leurs préoccupations. Ainsi, les questions de MM. Serge Caron et Alain Lachapelle du collège André-Grasset nous ont permis d'enrichir le *Guide* en nous amenant à traiter de l'incertitude sur l'interpolation d'une valeur tirée d'une courbe de titrage, sujet qui intéressait de nombreux professeurs de chimie. Pour répondre à d'autres demandes, nous avons intégré plusieurs procédures d'Excel, principalement dans la construction des graphiques.

Gilles Boisclair

Jocelyne Pagé

Table DES MATIÈRES

Chapitre (2) **CALCUL DE L'INCERTITUDE** 49

Chapitre (3)

PRÉSENTATION DES OBSERVATIONS
OU DES RÉSULTATS 79

Chapitre (4)   **UTILISATIONS D'UN GRAPHIQUE** 119

Chapitre (5)

**COMPARAISONS, ANALYSE DES RÉSULTATS
ET STRATÉGIE EXPÉRIMENTALE**. 167

Chapitre 1

Observer,
PLUS QUE REGARDER

1.1 MÉTHODE SCIENTIFIQUE

Le mot «science» vient du latin *scientia* qui signifie «connaissance». Les sciences de la nature s'intéressent aux connaissances sur la réalité physique du monde dans lequel nous vivons. L'activité scientifique présuppose, d'une part, l'existence d'une réalité accessible et, d'autre part, la capacité de la comprendre, du moins en partie.

Nous savons que les sciences ne sont pas omnipotentes. Cependant, elles ont permis d'accroître considérablement les connaissances humaines et devraient continuer à le faire. C'est pourquoi on essaie de comprendre les mécanismes du fonctionnement des sciences. Certains penseurs ont cherché à établir une méthode pour construire la science, une suite de règles qui permettrait d'aboutir à de nouvelles découvertes.

Descartes, dans le *Discours de la méthode*, supposait qu'il existait une méthode pour construire la science, basée sur le doute et sur la prééminence de la raison. Aujourd'hui, on ne croit plus à l'existence d'une telle méthode ; il n'y a pas de recette à suivre pour produire infailliblement de nouvelles connaissances. Dans son livre *Contre la méthode*, Feyerabend* montre bien que la science est une œuvre de création qui ne se laisse pas emprisonner dans une série d'étapes.

S'il n'y a pas de méthode pour construire la science, il en existe une pour la juger, une fois qu'elle a été construite, c'est-à-dire une méthode permettant de déterminer si une représentation scientifique est conforme à la réalité. Dans ce livre, nous adoptons le point de vue de Roland Omnès lorsque nous parlons de méthode scientifique :

> On peut affirmer qu'il existe une méthode bien définie qui fait ressortir la spécificité de la science. On va l'appeler la méthode à quatre temps, ce nom venant de ce qu'elle met en jeu quatre activités différentes de l'expérience et de la pensée, correspondant parfois, mais non nécessairement, à quatre stades de l'histoire d'une science**.

On peut représenter ces quatre temps de façon cyclique (voir la figure 1.1●).

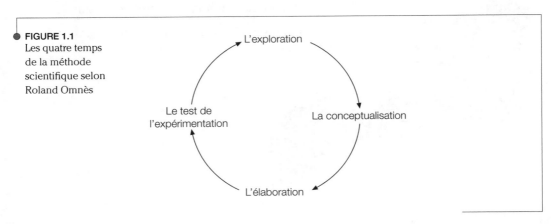

● **FIGURE 1.1**
Les quatre temps
de la méthode
scientifique selon
Roland Omnès

L'exploration

Le test de
l'expérimentation

La conceptualisation

L'élaboration

* FEYERABEND, 1979.
** OMNÈS, 1994, p. 364.

Examinons chacun de ces quatre temps de la méthode scientifique.

1. **L'exploration.** L'exploration consiste à observer des phénomènes avant que l'on ait avancé une hypothèse qu'il va falloir vérifier. Par exemple, l'écologiste qui observe la distribution des zones de végétation sur le terrain ou l'astronome qui note la position des astres sur la voûte céleste font tous deux de l'exploration. Celle-ci permet d'obtenir une série de données qui conduira éventuellement à la formulation de règles empiriques.

2. **La conceptualisation.** Lors de ce deuxième temps, on invente des concepts conduisant à des modèles qui pourraient régir la représentation du réel. L'intuition et la créativité jouent un rôle important dans cette activité, ce qui démontre clairement qu'il ne saurait exister de méthode pour construire la science. À ce stade, les idées ou la théorie sont à l'état d'hypothèses.

3. **L'élaboration.** Il s'agit ici d'élaborer les conséquences logiques qui découlent des hypothèses envisagées. Au cours de cette élaboration, on peut faire des liens entre des faits déjà connus et la nouvelle théorie ; on peut aussi faire des prévisions. Ces prévisions s'insèrent dans des raisonnements comme le suivant : si cette hypothèse est correcte, alors, dans telles conditions, on devrait observer tel phénomène.

4. **Le test de l'expérimentation.** C'est ici que le terme de « science expérimentale » prend tout son sens. Comme Karl Popper* l'a bien montré, pour être valable, une théorie doit pouvoir être réfutée. On doit pouvoir tester les prévisions qu'on peut faire à partir d'un modèle.

La démarche utilisée pendant une expérimentation doit répondre à des critères de clarté et de cohérence. Elle doit être suffisamment claire pour permettre à l'expérimentateur d'obtenir des résultats reproductibles. L'expérimentateur doit être en mesure d'expliquer sa démarche de manière à ce que ses conclusions soient vérifiables par d'autres personnes. Une théorie n'est jamais prouvée de façon absolue, elle est seulement vérifiée, et ce, tant qu'une expérience ou un fait nouveau ne vient pas la contredire. Quand c'est le cas, il faut soit la rejeter, soit en reconnaître les limites.

Il nous faudrait plus que ces quelques paragraphes pour nuancer et approfondir ces idées. Il faudrait aussi souligner l'importance des facteurs socioéconomiques en science, et étudier les leçons de l'histoire (les succès mais aussi les erreurs). Malheureusement, nous nous écarterions du propos de ce livre.

Dans ce chapitre, nous abordons des notions reliées surtout aux premier et quatrième temps de la méthode scientifique, temps où l'on observe et où l'on questionne le réel. Quand on fait de l'observation, on recueille plusieurs sortes de données – qualitatives, semi-quantitatives et quantitatives –, que nous allons présenter dans les prochaines sections.

* POPPER, 1973.

1.2 DONNÉES QUALITATIVES

Une donnée est dite *qualitative* lorsqu'elle décrit des variables comme la forme, la disposition, la séquence, la couleur, etc. Une donnée est dite *quantitative* lorsqu'elle implique une mesure (nous reviendrons sur cette notion à la section 1.4, p. 10).

L'observation permet d'obtenir des données qualitatives et des données quantitatives sur un phénomène. L'observation doit être objective ; elle doit permettre de décrire la réalité qualitativement et de la mesurer quantitativement. Une description purement qualitative ou purement quantitative d'un phénomène a une certaine valeur, mais elle limite considérablement la possibilité d'émettre et de vérifier des hypothèses.

1.2.1 Comment recueillir des données qualitatives

Pour effectuer une observation, on doit s'appuyer sur certains critères et utiliser un vocabulaire spécifique. Lors de la collecte de données qualitatives, on doit se montrer objectif, ce qui n'est pas facile dans la mesure où l'interprétation de l'observation diffère d'une personne à l'autre et où l'observateur tend à projeter les données qu'il s'attend à recueillir sur la réalité observée. Voici quelques suggestions pour surmonter ces entraves à l'objectivité.

Tout d'abord, il est important de choisir un vocabulaire neutre, exempt d'impressions et d'imprécisions. Il est préférable, par exemple, d'utiliser le terme « gros » plutôt qu'« énorme », de décrire une texture à l'aide du qualificatif « gélatineuse » plutôt que « répugnante », ou encore de qualifier une odeur de « malodorante » plutôt que de « puante », et il vaut encore mieux préciser le type de celle-ci : odeur de soufre, d'urine, d'ammoniac, etc.

Pour préciser des caractères continus comme la couleur ou une dimension non chiffrée, on établit une relation avec l'objet même. Ainsi, « bec plus long que la tête » est plus précis que « bec long », tout comme « feuille d'un vert plus pâle sur face inférieure que sur face supérieure » par rapport à « feuille d'un vert pâle sur face inférieure ». (En effet, qu'est-ce qui est *long* ou *vert pâle* pour l'observateur ?) De même, la comparaison avec un témoin diminue généralement la subjectivité (voir la section suivante).

Il est préférable, dans certaines expériences où plusieurs montages sont nécessaires, que l'observateur ne connaisse pas le contenu de chacun. Il lui sera ainsi impossible de noter ce qu'il voudrait bien voir. Ne connaissant pas la composition exacte des montages, il ne risquera pas d'interpréter sans s'en rendre compte les résultats en fonction de l'hypothèse. Illustrons cela par un exemple. Lors d'une expérience, on doit noter les changements de couleur du contenu d'une série d'éprouvettes, dont un seul réactif est différent. Dans une équipe de deux personnes, l'une peut faire les montages tandis que l'autre peut noter les observations. La personne qui réalise le montage identifie les éprouvettes par un code. L'observateur peut alors noter la couleur du contenu des éprouvettes sans se laisser influencer par sa subjectivité, car il est incapable d'en reconnaître le contenu.

Dans une équipe de travail formée de plusieurs personnes, les données qualitatives de même type devraient toujours être notées par une seule et même personne, de façon à ce que le « jugement » sur cette observation soit toujours le même. Si cela s'avère impossible, tous les observateurs devraient adopter au préalable un vocabulaire commun. Par exemple, pour une expérience portant sur une culture de levures, on peut déterminer à l'avance ce qu'on appellera « mousse légère » et « mousse dense ». De plus, si on s'attend à observer des changements de couleur du bleu au vert, on peut établir un diagramme de couleurs (bleu, vert et teintes intermédiaires). En principe, on devrait comparer les données de tous les observateurs pour un même montage au moins une fois au cours de l'expérimentation et faire les rectifications nécessaires s'il y a trop d'écart entre ces données.

Comme on étudie souvent des phénomènes en évolution, il est important de noter des observations qui soient caractéristiques de cette évolution. Ainsi, lorsqu'on observe une réaction qui comporte un dégagement gazeux, on note l'apparition de bulles. Si on désire caractériser une substance par un test chimique, on note les caractéristiques initiales de cette substance (souvent la coloration du réactif que l'on ajoute) et les caractéristiques finales du mélange, après la réaction.

Après avoir recueilli les données, on peut présenter les observations sous forme de dessins, de tableaux, de diagrammes, de photographies ou d'un court texte dans lequel on décrit le phénomène observé de façon chronologique ou séquentielle.

1.2.2 Le rôle du témoin

Dans les expérimentations où l'on recueille des données qualitatives, il est souvent essentiel d'utiliser un témoin. En effet, pour qu'une donnée qualitative soit fiable, il faut conduire l'expérimentation auprès d'un groupe témoin et d'un groupe expérimental, maintenus dans des conditions identiques, de telle sorte que seule la variable que l'on veut vérifier (c'est-à-dire la variable énoncée dans l'hypothèse) diffère dans les deux groupes. La présence d'un témoin peut aussi contribuer à diminuer les problèmes de subjectivité. En effet, un observateur a généralement tendance (de façon consciente ou non) à observer ce qui confirme l'hypothèse. Lorsqu'il s'agit de données qualitatives, donc subjectives, le problème se pose avec plus d'acuité que dans le cas de données quantitatives. Voici un exemple où la présence de levures dans une solution est déterminée par un changement de couleur.

EXEMPLE (**1**)

Coloration de solutions en fonction du temps

	Au départ	Après 6 h
Montage témoin	bleu	bleu
Montage expérimental	bleu	bleu-vert

Montage témoin : eau, sucrose, indicateur de pH.
Montage expérimental : eau, sucrose, indicateur de pH, levures.

Tout d'abord, on remarque que les montages témoin et expérimental ne diffèrent que par la présence ou l'absence de levures. Comme ces deux montages sont maintenus dans des conditions identiques (température, humidité, lumière, etc.), les transformations sont dues aux levures. D'autre part, le montage témoin permet à l'observateur de percevoir le changement subtil de couleur qui s'opère. En effet, sans montage témoin, l'observateur aurait dû se fier à sa mémoire pour comparer les couleurs.

Dans certains cas, on prépare deux sortes de témoins : un témoin positif, qui réagit, et un témoin négatif, qui ne réagit pas. En comparant l'échantillon analysé avec ces deux témoins, on obtient le résultat du test.

EXEMPLE (**2**)

On veut vérifier la présence d'ions calcium dans l'eau. Un réactif qui forme un complexe avec le calcium engendrera un précipité blanc. On prépare trois éprouvettes : l'inconnu, le témoin positif (solution de calcium) et le témoin négatif (eau distillée). On ajoute dans chacune l'agent complexant. En comparant les résultats obtenus, on déterminera la présence ou l'absence de calcium dans l'eau.

Certaines stratégies expérimentales basées sur l'utilisation d'une clé d'identification nécessitent des témoins positif et négatif à chaque étape.

EXEMPLE (**3**)

On veut savoir si un aliment contient des glucides simples ou de l'amidon, un glucide complexe. L'épreuve de Molish permet de déceler la présence de glucides dans un aliment. L'épreuve à l'iode permet de déterminer si un glucide est de l'amidon. Le diagramme suivant schématise la clé d'identification utilisée pour cette expérience.

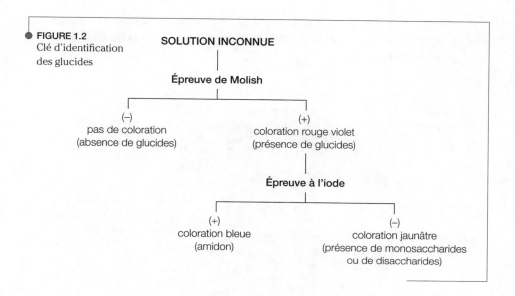

● FIGURE 1.2
Clé d'identification
des glucides

Cette clé nécessite un témoin négatif et un témoin positif pour chaque épreuve.

1.3 DONNÉES SEMI-QUANTITATIVES

Les données semi-quantitatives sont des mesures obtenues au cours d'une expérimentation ou d'une observation, et dont la signification réelle ne se rattache pas aux valeurs mais plutôt à l'ordre de grandeur dans lequel ces valeurs se situent. Si cet ordre de grandeur est déterminé par des données qualitatives, comme la couleur, il faut utiliser des témoins : par exemple, un diagramme de couleurs fourni par le fabricant, comme les trousses servant à vérifier la teneur en chlore de l'eau des piscines.

Voici d'autres exemples qui illustrent le concept de données semi-quantitatives.

EXEMPLE **4**

Antibiogramme de l'action de quatre antibiotiques sur les staphylocoques

Lorsqu'on effectue un antibiogramme, on dépose différents disques d'antibiotique sur une gélose (milieu de culture gélatineux) ensemencée au préalable avec des cellules bactériennes. Chaque disque est imbibé d'un antibiotique particulier et contient une dose précise de cet antibiotique. Le but de l'expérimentation est de savoir si l'espèce bactérienne ensemencée sur la gélose est sensible ou résistante à un ou à plusieurs antibiotiques. Pour cela, on mesure le diamètre de la zone d'inhibition située autour de chaque disque d'antibiotique. Une zone d'inhibition est une zone où il n'y a aucune croissance bactérienne.

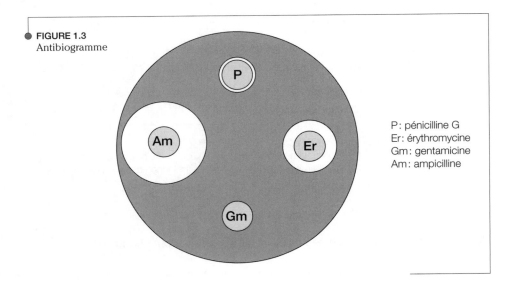

FIGURE 1.3
Antibiogramme

P: pénicilline G
Er: érythromycine
Gm: gentamicine
Am: ampicilline

Le laboratoire pharmaceutique doit interpréter les données recueillies sur les zones d'inhibition de chacun de ces antibiotiques. Prenons l'exemple d'un disque d'érythromycine à 15 microgrammes.

- *Zone d'inhibition de 13 mm ou moins*: la bactérie est résistante à l'érythromycine (l'antibiotique est inefficace).

- *Zone d'inhibition de 14 à 17 mm*: nous sommes dans une zone intermédiaire (l'antibiotique est plus ou moins efficace).

- *Zone d'inhibition de 18 mm et plus*: la bactérie est sensible à l'érythromycine (l'antibiotique est efficace).

Cet exemple montre qu'il ne faut pas interpréter les chiffres en fonction de leurs valeurs proprement dites, mais plutôt en fonction des domaines où se situent ces valeurs. Un antibiotique qui produit une zone d'inhibition de 25 mm n'est pas nécessairement plus efficace que celui qui en produit une de 20 mm, car des facteurs autres que l'efficacité de l'antibiotique peuvent influer sur la taille de la zone d'inhibition. Ce qui est vraiment significatif dans cette expérience, c'est l'ordre de grandeur des données.

EXEMPLE (5)

Peuplement de deux terrains par des mousses et des lichens

Nous comparons la couverture végétale de deux terrains. Le premier est situé près d'un ruisseau, le second est éloigné de tout plan d'eau. Sur chaque terrain, nous observons la flore située au niveau du sol sur une surface de un mètre carré et nous évaluons les pourcentages des surfaces peuplées par les lichens et par les mousses. Étant donné la nature des pousses de lichens et de mousses, il nous est impossible de mesurer avec précision les superficies de terrain qu'elles couvrent. Nous devons donc faire des évaluations approximatives. La comparaison des résultats nous permettra d'étudier l'influence de l'eau sur la distribution des mousses et des lichens.

● **FIGURE 1.4**
Comparaison entre deux terrains

Terrain A **Terrain B**

 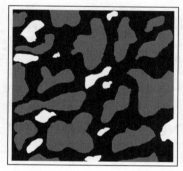

: pousses de lichens
: pousses de mousses
Terrain A : situé près d'un cours d'eau, superficie de un mètre carré
Terrain B : situé loin de l'eau, superficie de un mètre carré

Pourcentage des superficies de terrain peuplées par des mousses et par des lichens

	Terrain A	Terrain B
Superficie peuplée de mousses (%)	50	10
Superficie peuplée de lichens (%)	10	45

Dans cet exemple, une évaluation grossière suffit pour vérifier l'influence de l'eau sur la distribution des mousses et des lichens. Les écarts obtenus entre ces données sont tellement considérables qu'on peut avancer l'hypothèse qu'un degré d'humidité élevé a favorisé le peuplement du terrain A (situé près de l'eau) par des mousses alors qu'un degré d'humidité moindre a favorisé le peuplement du terrain B (éloigné de l'eau) par des lichens. Cette hypothèse ne prend en considération que les ordres de grandeur des chiffres. Des analyses plus poussées seraient nécessaires pour la valider.

EXEMPLE 6

Analyse semi-quantitative du fer dans l'eau

On cherche à déterminer si la quantité de fer dans l'eau d'une rivière est supérieure ou inférieure à la norme fixée par le gouvernement pour l'eau potable. Pour cela, on utilise un test dans lequel une coloration caractéristique confirme la présence de fer. Plus la quantité de fer dans l'eau est importante, plus la coloration est intense. Lorsqu'on prépare un témoin qui contient exactement la quantité de fer établie par la norme et un autre qui ne contient pas d'ions fer, on peut déterminer si un échantillon est au-dessus ou au-dessous de la norme, en comparant les colorations. De plus, la coloration révèle la présence ou l'absence de fer (test qualitatif). La comparaison de l'intensité de la coloration de l'échantillon avec le témoin contenant la quantité de fer établie par la norme nous indique si la quantité de fer contenue dans l'échantillon dépasse cette norme (test semi-quantitatif).

1.4 DONNÉES QUANTITATIVES : MESURE

La mesure d'une grandeur consiste à déterminer combien de fois cette grandeur contient un étalon de référence, appelé *unité*. Par exemple, on mesure une longueur avec une règle. Une mesure peut être qualifiée de directe si un objet est comparé avec un instrument de mesure étalonné. La mesure est indirecte, si on évalue la grandeur de quelque chose à partir d'une ou de plusieurs mesures directes. Par exemple, la surface d'une table est une mesure indirecte si elle est obtenue à partir des deux mesures directes de longueur et de largeur. De la même façon, la masse volumique d'un liquide, tel l'alcool, est une mesure indirecte si elle est calculée à partir des mesures de masse et de volume. Ici, le mot *mesure* est pris au sens large et signifie donc « mesure directe ou indirecte ».

Bien qu'on ait tendance à utiliser les unités du système international (SI), on conserve l'unité affichée sur l'instrument auquel on a eu recours. Par exemple, on exprimera en millimètres de mercure la pression atmosphérique mesurée à l'aide d'un baromètre muni d'une colonne de mercure graduée en millimètres ; ensuite, au besoin, on convertira en pascals.

Une partie du travail d'un scientifique consiste à comparer des prédictions théoriques avec des mesures. Cependant, quels que soient la renommée du chercheur, les instruments utilisés ou la quantité à mesurer, toute mesure est entachée d'une certaine imprécision. On peut mesurer l'accélération gravitationnelle g due à l'attraction terrestre en un certain point avec une, deux, trois, … décimales, mais personne ne pourra jamais en connaître la valeur avec une précision infinie. De la même façon, on peut déterminer expérimentalement la constante des gaz R en utilisant différentes méthodes qui permettraient de déterminer R avec une précision croissante, mais jamais avec une précision infinie. Autrement dit, une mesure n'est jamais une valeur exacte, sauf dans le cas d'un simple comptage (par exemple, il y a 35 élèves dans la classe, ou encore, nous avons effectué 5 essais de titrage).

Ainsi, un expérimentateur ne détermine pas une «vraie» valeur, mais plutôt un domaine à l'intérieur duquel la «vraie» valeur (jamais accessible) doit se trouver. Pour lui, deux valeurs sont égales si leurs domaines se recoupent (nous préciserons ce point dans le chapitre 5).

1.5 INCERTITUDE ABSOLUE

Lorsqu'il effectue une mesure, l'expérimentateur a pour objectif de déterminer la meilleure estimation de la «vraie» valeur et d'évaluer l'incertitude expérimentale qui l'accompagne (c'est-à-dire le domaine dans lequel la «vraie» valeur doit se trouver), compte tenu des conditions dans lesquelles se déroule l'expérience. Ainsi, l'incertitude absolue est l'évaluation quantifiée des difficultés que l'on rencontre lors de la prise des mesures (nous reviendrons sur la façon de faire cette évaluation dans les sections 1.9, 1.10 et 1.11).

Un résultat expérimental dont le domaine des valeurs probables se situe entre x_{max} et x_{min} peut s'écrire $\bar{x} \pm \Delta x$, où $\bar{x}$ est la meilleure estimation et Δx est l'incertitude absolue.

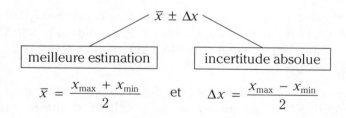

$$\bar{x} \pm \Delta x$$

| meilleure estimation | incertitude absolue |

$$\bar{x} = \frac{x_{max} + x_{min}}{2} \quad \text{et} \quad \Delta x = \frac{x_{max} - x_{min}}{2}$$

EXEMPLE 7

Une mesure de g dont le domaine des valeurs probables est compris entre 9,8 m/s^2 et 10,0 m/s^2 s'écrit (9,9 ± 0,1) m/s^2, où 9,9 m/s^2 est la meilleure estimation et 0,1 m/s^2 est l'incertitude absolue sur g.

Si on a: $\quad$ 9,8 m/s^2 $\leq g \leq$ 10,0 m/s^2 $\Rightarrow g =$ (9,9 ± 0,1) m/s^2.

1.6 INCERTITUDE RELATIVE ET PRÉCISION D'UNE MESURE

L'incertitude absolue est une façon de représenter l'évaluation de l'incertitude sur une mesure. Toutefois, si on veut connaître le niveau de précision d'une mesure, il faut utiliser l'incertitude relative qui est le rapport de l'incertitude absolue sur la valeur absolue de la meilleure estimation qu'on a faite de la quantité.

Si $x = \bar{x} \pm \Delta x$, alors $\dfrac{\Delta x}{|\bar{x}|}$ est l'incertitude relative sur x.

L'incertitude relative se distingue de l'incertitude absolue en ceci : elle n'a jamais d'unité et on peut l'exprimer en pourcentage.

EXEMPLE 8

Soit $m = (0{,}040 \pm 0{,}002)$ g.

Alors $\dfrac{\Delta m}{|\bar{m}|} = \dfrac{0{,}002 \text{ g}}{0{,}040 \text{ g}} = 0{,}05 = \dfrac{5}{100} = 5\,\%$.

L'incertitude relative est de 5 %.

L'incertitude relative nous renseigne mieux sur la précision d'une mesure que l'incertitude absolue. Plus l'incertitude relative est petite, plus la précision de la mesure est grande ! Par exemple, 100 ± 2 est une mesure cinq fois plus précise que 10 ± 1. En effet, $100 \pm 2 = 100$ à 2 % et $10 \pm 1 = 10$ à 10 %.

On voit que la première mesure est connue à 2 % près, soit avec 5 fois plus de précision que la seconde. **On détermine donc la précision d'une mesure à partir de son incertitude relative.** Cette manière de procéder est largement répandue* et relève du bon sens. Ainsi, si on mesure la masse d'un objet avec deux balances différentes et qu'on obtient :

$$(5{,}012 \pm 0{,}002) \text{ g} \quad \text{et} \quad (5{,}0 \pm 0{,}1) \text{ g}$$

il est clair que la première mesure à 0,04 % près est plus précise que la seconde à 2 % près.

....
* Voir notamment les ouvrages suivants : TREMBLAY et CHASSÉ, 1970, p.18 ; LAHAIE *et al.*, 1976, p. 16 ; CHEVALIER *et al.*, 1978, p. 27 ; TAYLOR, 2000, p. 28.

Il peut arriver cependant que l'incertitude relative n'ait aucune signification. Par exemple, si on mesurait une température de (0 ± 1) °C, il serait absurde de dire que l'incertitude relative est infinie. Le problème qui se pose ici est dû au choix arbitraire qui a été fait lors de la graduation de l'échelle Celsius. Il en est de même lorsqu'on mesure une position angulaire ou le temps selon l'heure de la journée ou, dans certains cas, lorsqu'on évalue l'ordonnée à l'origine sur un graphique.

CHAMP D'OBSERVATION EN MICROSCOPIE ET INCERTITUDE RELATIVE

Pour déterminer le diamètre d'un champ d'observation D en microscopie photonique, on utilise les notions d'incertitude absolue et d'incertitude relative.

On utilise l'incertitude absolue pour déterminer le diamètre de ce champ à 40×. À l'aide d'un réticule de contact, gradué au dixième de millimètre, on peut lire directement le diamètre que l'on cherche et lui associer l'incertitude qui correspond à la moitié de la plus petite division*. Par exemple, on peut lire $(4{,}60 \pm 0{,}05)$ mm ou $(460 \pm 5) \times 10$ µm.

Pour les grossissements plus forts, on doit tenir compte du fait que, plus le microscope grossit un objet, plus il réduit le diamètre du champ d'observation. Par exemple, en passant de 40× à 400×**, on augmente le grossissement d'un facteur 10 ; donc on réduit le diamètre de champ de 10 fois. Si $D_{40×} = (4{,}60 \pm 0{,}05)$ mm, alors

$$\overline{D}_{400×} = \frac{4{,}60 \text{ mm}}{10} = 0{,}460 \text{ mm}.$$

Au chapitre 2, nous verrons que, lorsqu'on divise une valeur par un nombre sans incertitude, l'incertitude relative reste la même. Par conséquent, l'incertitude relative sur le diamètre de champ sera la même pour tous les grossissements, soit

$$\frac{\Delta D}{\overline{D}} = \frac{0{,}05}{4{,}60} \approx 1{,}1 \%.$$

On obtient l'incertitude absolue sur $D_{400×}$ de la manière suivante :

$$\Delta D_{400×} = 0{,}460 \text{ mm} \times 1{,}1 \% = 0{,}005 \text{ mm}.$$

Alors :

$$D_{400×} = (0{,}460 \pm 0{,}005) \text{ mm ou } (460 \pm 5) \text{ µm}.$$

1.7 CHIFFRES SIGNIFICATIFS ET ÉCRITURE D'UNE MESURE

Le concept de nombre a une signification particulière en sciences. Alors qu'en mathématiques la quantité de chiffres dans un nombre peut être illimitée, en sciences elle est

....
* Nous verrons à la section 1.8.2 que la précision d'une simple échelle graduée correspond à la moitié de sa plus petite division.
** On néglige ici les incertitudes éventuelles sur les valeurs de grossissement.

toujours restreinte. Les chiffres utiles, ceux qui signifient vraiment quelque chose, qui mesurent quelque chose, sont dits *significatifs*. Ce sont eux qui servent à écrire un nombre. La précision que des chiffres supplémentaires prétendraient apporter serait illusoire.

Voici quelques exemples qui illustreront les relations entre les chiffres significatifs et l'écriture d'une mesure.

EXEMPLE 9

Écriture d'une mesure avec l'incertitude absolue

On estime que la distance d parcourue par la chlorophylle a sur un chromatogramme de cellulose est comprise entre 3,85 cm et 4,30 cm. On veut écrire cette mesure sous la forme $\bar{d} \pm \Delta d$. On calcule :

$$\bar{d} = \frac{d_{max} + d_{min}}{2}$$

$$\bar{d} = \frac{4,30 + 3,85}{2}$$

$$\bar{d} = 4,075$$

et

$$\Delta d = \frac{d_{max} - d_{min}}{2}$$

$$\Delta d = 0,225.$$

On obtient donc $d = (4,075 \pm 0,225)$ cm.

carotène β

4,30 cm

3,85 cm

chlorophylle a

chlorophylle b

0,00 cm

Extrait de pigments foliaires

Chromatogramme de cellulose

Cependant, cette mesure ne s'écrira pas $d = (4,075 \pm 0,225)$ cm, mais plutôt $d = (4,1 \pm 0,2)$ cm.

On convient d'écrire l'incertitude absolue avec un seul chiffre, et on dit que ce chiffre est significatif. Dans cet exemple, on connaît l'incertitude absolue au dixième près : on est donc incertain de la meilleure estimation au delà des dixièmes. C'est pourquoi on arrondit alors la meilleure estimation au dixième près.

1.7.1 Convention simple d'écriture d'une mesure avec l'incertitude absolue

Tout d'abord, on arrondit l'incertitude absolue à un seul chiffre significatif. Ensuite, on arrondit la meilleure estimation à la décimale pour laquelle on connaît cette incertitude absolue.

Ainsi, tous les chiffres qui permettent d'écrire une meilleure estimation sont significatifs. Dans l'exemple précédent, $d = (4,1 \pm 0,2)$ cm. Les chiffres 4 et 1 ont une signification ; le chiffre 1 est celui qui est le moins significatif.

UN CHIFFRE SIGNIFICATIF À L'INCERTITUDE ABSOLUE : UNE CONVENTION

Bien qu'elle soit largement utilisée, la convention d'écriture de l'incertitude absolue avec un seul chiffre significatif n'est pas universelle. Certains auteurs adoptent des conventions différentes. Ainsi, dans les *Handbook*s, on trouve des valeurs qui ont deux, et même trois chiffres significatifs à l'incertitude absolue. Par exemple, on peut trouver pour l'enthalpie molaire de liaison N $\equiv$ N une mesure de $(945,33 \pm 0,59)$ kJ/mol*.

DÉTERMINATION DE LA SIGNIFICATION D'UN ZÉRO

Il faut faire attention aux zéros lorsqu'on parle de chiffres significatifs. **En effet, tous les zéros qui servent à donner l'ordre de grandeur ne sont pas significatifs.** Les zéros qui se trouvent à gauche ne sont pas significatifs. Ainsi, 0,8 n'a qu'un seul chiffre significatif, tout comme 0,002. L'écriture de zéros à droite peut porter à confusion : ces zéros donnent-ils l'ordre de grandeur ou sont-ils significatifs ? L'utilisation de la notation scientifique permet de lever cette ambiguïté. Par exemple, si on doit écrire 1000 avec deux chiffres significatifs, on écrit 10×10^2 ou $1,0 \times 10^3$.

ÉCRITURE AVEC EXPOSANT ET UNITÉS

Dans une notation qui comporte un exposant et des unités, on attribue le même exposant et les mêmes unités à la meilleure estimation et à l'incertitude absolue. On met cet exposant et ces unités en évidence.

Toutes ces conventions d'écriture servent à faciliter la communication, à éviter les répétitions inutiles et à rendre la lecture plus facile. Le lecteur serait dérouté si on donnait la vitesse de l'exemple 10 en écrivant $v = 3,8$ m/s $\pm 3 \times 10^1$ cm/s, ou encore $(0,38 \times 10^3 \pm 3 \times 10^1)$ cm/s. En somme, toutes les écritures chargées, ambiguës ou confuses sont inacceptables.

EXEMPLE ((**10** ﹚

Écriture avec exposant

Une vitesse v est comprise entre 351 cm/s et 412 cm/s.

$$351 \text{ cm/s} \leq v \leq 412 \text{ cm/s} \Rightarrow v = (381,5 \pm 30,5) \text{ cm/s}.$$

$v = (??? \pm 30)$ cm/s   *L'incertitude absolue est à la dizaine près.*

$v = (380 \pm 30)$ cm/s   *On arrondit la meilleure estimation à la dizaine près.*

....
*   *Handbook of Chemistry and Physics*, 67ᵉ éd., p. F-171.

À l'exclusion des zéros qui se trouvent à gauche, tous les chiffres sont significatifs. Ainsi, 30 a deux chiffres significatifs. Pour écrire l'incertitude absolue selon notre convention simple, on utilise la notation suivante :

$$v = (38 \pm 3) \times 10^1 \text{ cm/s}$$ *Il y a un chiffre significatif à l'incertitude absolue.*

ou mieux, $v = (3,8 \pm 0,3) \text{ m/s}$ *Si on change l'unité ici, on simplifie l'écriture.*

ARRONDIR UN NOMBRE QUI SE TERMINE PAR CINQ

Il existe une règle utile lorsqu'on doit arrondir un grand nombre de valeurs et que l'on veut éviter de fausser leur moyenne en arrondissant toujours vers le haut celles qui se terminent par cinq. Dans ce cas, on arrondit tantôt vers le haut, tantôt vers le bas : on arrondit vers le bas, si le chiffre qui précède 5 est pair, et vers le haut, si le chiffre qui précède 5 est impair (ou l'inverse). Dans le cas d'une ou de quelques mesures, il est inutile d'utiliser cette règle : on peut arrondir soit vers le bas, soit vers le haut. Par contre, quand on veut arrondir une valeur d'incertitude se terminant par 5, on a plutôt tendance à toujours arrondir vers le haut pour ne pas sous-estimer l'incertitude.

EXEMPLE **11**

Arrondir un nombre se terminant par 5

- On doit arrondir un grand nombre de valeurs, parmi lesquelles 11,25 ± 0,1 et 10,95 ± 0,2. Ici, l'incertitude absolue est au dixième près : il faut donc arrondir les meilleures estimations au dixième.

    11,25 ± 0,1 → 11,2 ± 0,1 *Le chiffre précédant 5 est pair, on arrondit vers le bas.*

    10,95 ± 0,2 → 11,0 ± 0,2 *Le chiffre précédant 5 est impair, on arrondit vers le haut.*

- On doit arrondir une mesure unique, 10,65 ± 0,45. Ici, on doit mettre un chiffre significatif à l'incertitude absolue et arrondir la meilleure estimation.

    10,65 ± 0,5 *Pour ne pas sous-estimer l'incertitude absolue, on arrondit vers le haut.*

    10,7 ± 0,5 *On arrondit la meilleure estimation au dixième près, indifféremment vers le haut ou vers le bas.*

    Donc 10,65 ± 0,45 s'écrira 10,7 ± 0,5 ou 10,6 ± 0,5.

1.7.2 Écriture d'une mesure avec l'incertitude relative

Qu'on exprime une mesure avec l'incertitude relative ou absolue, le nombre de chiffres significatifs sur la meilleure estimation est le même dans les deux cas et est déterminé par l'ordre de grandeur de l'incertitude absolue. Par ailleurs, on peut écrire une incertitude relative avec deux chiffres significatifs. Cette règle s'applique pour des incertitudes relatives inférieures à 100 %.

EXEMPLE (**12**)

Écriture d'une mesure avec l'incertitude relative

On estime que la masse volumique ρ d'un solide est comprise entre (2,5627 et 2,6524) g/cm^3. On veut écrire cette mesure avec l'incertitude relative.

Il faut d'abord calculer $\overline{\rho}$, $\Delta\rho$ et $\dfrac{\Delta\rho}{|\overline{\rho}|}$ sans arrondir*.

$$\overline{\rho} = \frac{\rho_{max} + \rho_{min}}{2} = 2{,}607\ 55 \text{ g/cm}^3$$

$$\Delta\rho = \frac{\rho_{max} - \rho_{min}}{2} = 0{,}044\ 85 \text{ g/cm}^3$$

$$\frac{\Delta\rho}{|\overline{\rho}|} = \frac{0{,}044\ 85}{2{,}607\ 55} = 0{,}0172 = 1{,}72 \text{ \%}.$$

Ensuite, on arrondit en utilisant les conventions d'écriture d'une mesure.

$\overline{\rho} = 2{,}61\,\text{g/cm}^3$ *On arrondit $\overline{\rho}$ au centième près puisque l'incertitude absolue commence aux centièmes.*

$\dfrac{\Delta\rho}{|\overline{\rho}|} = 1{,}7 \text{ \%}$ *On arrondit l'incertitude relative à deux chiffres significatifs.*

On exprime le résultat : $\rho = 2{,}61 \text{ g/cm}^3$ à 1,7 % près.

1.8 PRÉCISION DES INSTRUMENTS

Chaque fois qu'on effectue une mesure expérimentale, on doit faire une ou plusieurs lectures sur des instruments d'une certaine précision. Il est important de comprendre la différence entre la précision d'un instrument et la précision d'une mesure. La précision d'une mesure dépend toujours de la précision de l'instrument utilisé pour l'obtenir. On

---

....
*   Nous verrons au chapitre 2 qu'on n'arrondit jamais en cours de calcul.

verra à la section 1.9 (p. 26) que, si d'autres facteurs influent sur la précision d'une mesure, celle-ci deviendra moindre que celle de l'instrument.

La précision d'un instrument agit directement sur l'incertitude absolue de chaque lecture. Le fabricant d'un instrument devrait fournir les informations relatives à sa précision. Celles-ci figurent sur l'instrument lui-même ou dans le manuel d'utilisation qui l'accompagne. Généralement la précision d'un instrument est limitée par deux types de facteurs :

- ceux qui ne varient pas une fois fixé – ils sont systématiques ;
- ceux qui varient de façon aléatoire.

On peut visualiser la différence entre ces deux types de facteurs en imaginant le résultat de plusieurs tirs vers le centre d'une cible. On représente à la figure 1.5● trois cas possibles. Pour créer des exemples différents, consultez sur le disque compact le fichier Excel « Figure 1.5.xls ».

● **FIGURE 1.5**
Illustration de l'influence des facteurs systématiques et aléatoires sur un phénomène

Résultat de 16 tirs

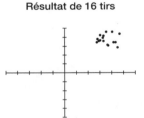

Les tirs se trouvent systématiquement trop haut et à droite. C'est un facteur systématique qui les influence grandement. Quant à la variation aléatoire, elle détermine le fait que les tirs soient dispersés ou non.

Résultat de 16 tirs

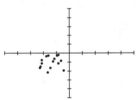

Le facteur systématique est moindre que précédemment, les tirs arrivant plus près du centre de la cible. La dispersion des tirs indique que la variation aléatoire est la même qu'au cas précédent.

Résultat de 16 tirs

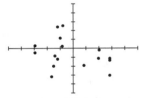

Ici, il n'y a pas de facteur systématique, les tirs étant disposés aléatoirement autour du centre de la cible. La grande dispersion des tirs indique que la variation aléatoire est plus grande que dans les deux cas précédents.

Les informations fournies par les fabricants prennent différentes formes. D'un fabricant à l'autre, les mêmes mots ont parfois des sens différents. Voici quelques exemples :

- Multimètre Fluke 79

  Pour ce fabricant, le mot anglais *accuracy* correspond à la précision de l'instrument. On y retrouve un terme systématique et un terme aléatoire. Ainsi, pour une mesure de résistance électrique avec une résolution de 0,1 Ω, le fabricant donne une précision de $\pm(0,4\ \% + 0,2\ \Omega)$. À une lecture de 156,4 Ω, on associe une incertitude de $\pm(0,6256 + 0,2)\ \Omega$. Selon notre convention d'écriture, on écrit $(156,4 \pm 0,8)\ \Omega$.

- Electronic Timer, Science First 25-180

Comme dans le cas précédent, le fabricant utilise le mot anglais *accuracy* pour décrire la précision de l'instrument. Il donne une précision de 0,005 % ou 0,1 ms. Selon la lecture, on utilise le plus grand des deux termes. Un temps de 0,3756 s aura une incertitude ± 0,1 ms, un temps de 3,8204 s aura une incertitude de ±0,2 ms.

- Capteur de pression Pasco CI-6532A

Le fabricant donne cette information : *Range : 0 to 700 kPa ; Accuracy ±0.05 % of reading ; Precision : 0.5 kPa.*

Pour ce fabricant, le mot *accuracy* ne signifie pas la même chose que pour les deux précédents ; de plus le mot *precision* ne correspond pas à la précision de l'instrument. Ici le fabricant sépare le terme « systématique » qu'il nomme *accuracy*, du terme « aléatoire » qui reflète la reproductibilité et qu'il nomme *precision*. Si on veut connaître la précision de l'instrument, il faut additionner les deux termes comme on l'a fait dans l'exemple du multimètre (p. 18). La précision de l'instrument est donc de ±(0,05 % + 0,5 kPa).

- Capacimètre Wavetek CM 20A

Pour l'échelle 200 pF, le fabricant ne donne que cette information : *accuracy 0.5 %.*

Si un fabricant donne une précision seulement en pourcentage, il faut tenir compte de la limite de résolution de l'appareil. En effet, un appareil ne peut donner une mesure plus précise que sa limite de résolution. Quand un fabricant n'indique pas explicitement la limite de résolution, on considère qu'elle est de une unité sur le chiffre le moins significatif. Selon la lecture donnée par l'appareil, pour évaluer la précision, on prend la plus grande des deux valeurs. Dans le cas mentionné plus haut, avec une lecture de 112,4 pF, on trouve que 0,5 % de la lecture donne 0,562 pF ≈ 0,6 pF, une valeur supérieure à la résolution de 0,1 pF. On dirait alors que la précision est de 0,6 pF. Avec une lecture de 12,4 pF, on trouve que 0,5 % de la lecture donne 0,062 pF, une valeur inférieure à la résolution de 0,1 pF. On dirait alors que la précision est de 0,1 pF.

Lorsqu'on mesure un paramètre d'un objet avec deux instruments de même type, on devrait normalement obtenir des mesures égales. Quand c'est le cas, on utilise les informations du fabricant pour déterminer la précision de l'instrument. Si, par contre, on s'aperçoit que deux instruments de même type ne donnent pas des mesures égales, on doit en tenir compte et attribuer une précision moins grande à l'instrument. Pour évaluer cette précision, on peut appliquer la méthode des extrêmes sur un petit nombre de mesures (voir les sections 1.10.2 et 2.1).

1.8.1 Cas d'un affichage numérique (balance électronique, chronomètre électronique, multimètre électronique, pH-mètre électronique, etc.)

Comme nous l'avons mentionné, le fabricant d'un appareil fournit généralement les informations nécessaires sur sa précision. Cependant, cette précision n'est juste que dans la mesure où l'on respecte les conditions d'utilisation de l'appareil. Par exemple, chaque fois qu'on utilise une balance, il faut prendre soin de la mettre de niveau. De plus, il faut utiliser les valeurs de précision avec prudence, car elles peuvent changer avec l'usure de l'appareil.

Lorsqu'on ne connaît pas la précision d'un instrument pourvu d'un affichage numérique stable, on l'estime à une unité sur le chiffre le moins significatif affiché.

Le chronomètre manuel est un cas particulier. En effet, la technologie actuelle permet de fabriquer des chronomètres ayant une précision de l'ordre d'une fraction de milliseconde, mais les fabricants en limitent parfois l'affichage aux centièmes de secondes. On verra à la section 1.9.2 que, dans un chronométrage manuel avec ce type de chronomètre, ce n'est pas l'instrument qui limite la précision de la mesure mais bien l'utilisateur et son temps de réflexe.

Si l'affichage d'un appareil est instable, cela peut être dû à la précision de l'appareil, au fait que le phénomène observé n'est pas constant ou à d'autres facteurs extérieurs, telles les variations de température, les vibrations, etc. Dans ces cas, on n'évalue pas nécessairement la précision de l'instrument mais l'incertitude sur la mesure. L'incertitude sur la mesure est donnée par la précision de l'appareil plus l'incertitude due aux fluctuations. On évalue cette dernière en faisant la demi-différence des valeurs extrêmes affichées*. Par exemple, si la lecture d'un voltmètre varie entre 1,02 et 1,08 mV, on obtient l'incertitude due aux fluctuations en calculant

$$\frac{1,08 - 1,02}{2} = 0,03.$$

Si cet appareil est précis à 0,01 mV, on obtient une mesure de $(1,05 \pm 0,04)$ mV.

1.8.2 Cas d'une simple échelle graduée
(règle, burette, thermomètre, éprouvette graduée, etc.)

Lorsqu'on cherche une valeur sur une simple échelle graduée, on peut estimer les valeurs maximale et minimale entre lesquelles elle se trouve. Ainsi, sur la figure 1.6●, la position du trait se trouve entre 12 et 13. Si on écrit cette mesure sous la forme $\bar{x} \pm \Delta x$, on a $x = 12,5 \pm 0,5$.

C'est pourquoi on considère généralement que la précision d'un instrument de bonne qualité, pourvu d'une simple échelle graduée, est donnée par la moitié de sa plus petite division.

On peut aussi prendre une mesure en évaluant sa meilleure estimation, tout en gardant comme précision la moitié de la plus petite division. Ainsi, on peut estimer que la position du trait illustré à la figure 1.6● se trouve un peu avant 12,5 et écrire $x = 12,2 \pm 0,5$. Toutefois, si les divisions de l'échelle graduée d'un instrument sont rapprochées au point qu'il devient impossible d'évaluer une position intermédiaire entre elles, la précision de l'instrument correspond alors à la plus petite division.

....
* Comme nous le verrons à la section 1.11, si on prend un grand nombre de données pour évaluer une mesure, on utilise les statistiques.

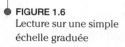

FIGURE 1.6
Lecture sur une simple
échelle graduée

10   11   12   13   14

1.8.3 Cas particulier de la vis micrométrique (palmer)

Un palmer est un instrument de mesure constitué d'une pièce mobile qui tourne autour d'une règle fixe. Puisque le pas de sa vis est de 0,5 mm, lorsque le tambour (T sur la figure 1.7●) fait un tour complet, il se déplace de 0,5 mm par rapport à la règle. Le tambour comptant 50 graduations, une division du tambour équivaut donc à 0,01 mm.

Comme dans le cas d'une simple échelle graduée, on peut évaluer la moitié de la plus petite division du tambour. La précision de cet instrument sera donc de 0,005 mm, ou 5 μm (d'où le nom de *vis micrométrique*).

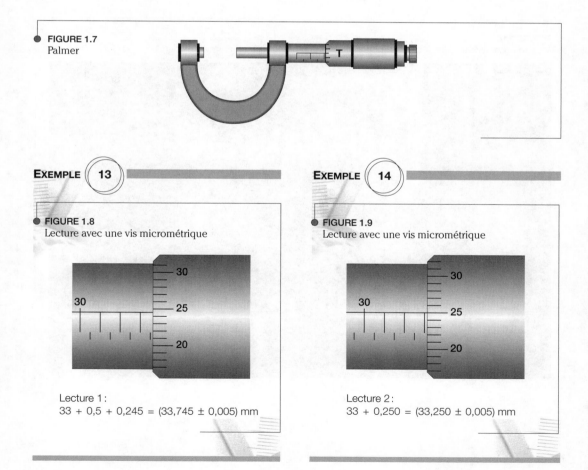

FIGURE 1.7
Palmer

EXEMPLE (**13**)

FIGURE 1.8
Lecture avec une vis micrométrique

Lecture 1 :
33 + 0,5 + 0,245 = (33,745 ± 0,005) mm

EXEMPLE (**14**)

FIGURE 1.9
Lecture avec une vis micrométrique

Lecture 2 :
33 + 0,250 = (33,250 ± 0,005) mm

1.8.4 Cas du vernier
(baromètre, pied à coulisse, goniomètre, etc.)

Il existe des instruments de mesure dont l'échelle graduée est munie d'un dispositif qui permet de lire avec précision une fraction de la plus petite division de cette échelle. Ce dispositif, qui porte le nom de *vernier*, est une pièce mobile, finement graduée, que l'on fait glisser le long de l'échelle graduée de l'instrument jusqu'à la limite physique de l'objet à mesurer. La graduation du vernier qui coïncide avec une des graduations de l'échelle de l'instrument détermine la valeur de la fraction de la division de cette échelle. La précision d'un instrument pourvu d'un vernier correspond à la plus petite variation de grandeur que cet instrument peut déterminer.

La figure 1.10● illustre un exemple de mesure prise avec cet instrument. La graduation zéro du vernier se situe entre 1,8 et 1,9 cm (sur l'échelle du bas de la règle de l'instrument). On constate également que la septième ligne du vernier coïncide avec une des

● **FIGURE 1.10**
Mesure prise avec un pied à coulisse

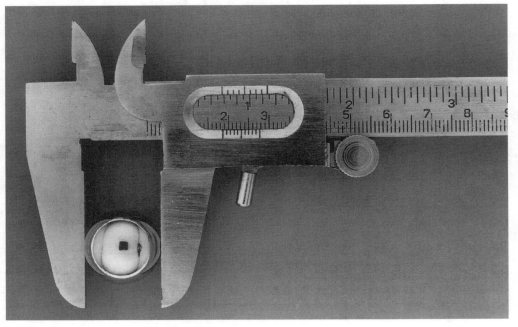

lignes de la règle; le vernier donne donc un chiffre significatif de plus, soit 0,07 cm, et la lecture, dans cet exemple, donne 1,87 cm. Comme la plus petite division de l'échelle graduée est le millimètre et que le vernier comporte 10 divisions*, la précision de cet instrument est de 0,1 mm ou de 0,01 cm. On peut donc estimer que le diamètre de la bille illustrée à la figure 1.10● est de (1,87 ± 0,01) cm.

La figure 1.11● illustre la mesure du diamètre de la même bille au moyen d'un pied à coulisse plus précis, qui permet d'évaluer une variation de 0,02 mm. Le fabricant a indiqué la précision directement sur l'instrument. La division zéro du vernier se situe entre 1,8 et 1,9 cm (sur l'échelle du haut de la règle de l'instrument). À l'aide du vernier, on peut trouver deux décimales supplémentaires. Ici, on hésite entre les graduations du vernier 5,6 et 5,8. Le diamètre se situerait donc entre (1,856 ± 0,002) cm et (1,858 ± 0,002) cm. Nous proposons à la section 1.9 une méthode permettant d'évaluer ce genre de mesure, qui donnerait dans le cas présent (1,857 ± 0,003) cm.

● **FIGURE 1.11**
Mesure prise avec un pied à coulisse plus précis

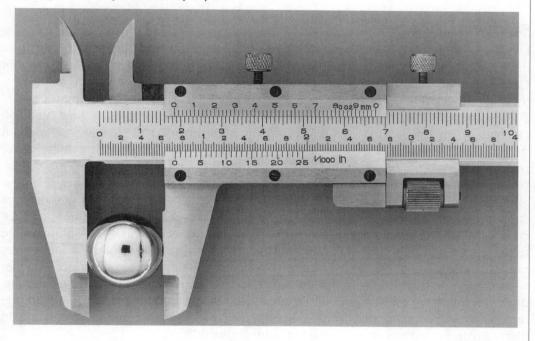

---

* La plus petite variation de grandeur mesurable est de 1 mm/10.

1.8.5 Capteur couplé à un ordinateur

Même si chacun d'eux a des caractéristiques qui lui sont propres, tous les capteurs transforment le signal à mesurer en voltage. Ce voltage est exprimé en numérotation binaire pour pouvoir être lu par l'ordinateur. Certains capteurs transforment directement un signal en voltage. Ce peut être le cas si on utilise un piézoélectrique pour mesurer la pression, une cellule photoélectrique pour mesurer l'intensité lumineuse, un thermo-couple pour mesurer la température, etc. La plupart des capteurs sont munis d'un montage électronique qui traite le signal à analyser. Ainsi, un capteur d'intensité de courant électrique I auquel on a incorporé une résistance fixe R mesure la différence de potentiel V aux bornes de cette résistance et calcule le rapport V/R pour donner I.

Le fabricant d'un capteur devrait fournir les informations relatives à sa précision[*]. Cependant, si on veut évaluer ou vérifier la précision d'un système d'acquisition de données, il n'est pas obligatoire d'en connaître toutes les particularités, mais il faut pouvoir quantifier l'influence des deux types de facteurs qui la limitent, à savoir les facteurs systématiques et les facteurs aléatoires. Les expressions couramment utilisées dans la littérature sont *erreur systématique* et *erreur aléatoire*. Dans cet ouvrage, nous avons choisi de distinguer l'erreur de l'incertitude, et de limiter le sens du mot « erreur » au cas où il y a une faute. Nous n'utiliserons donc pas les expressions courantes.

FACTEUR SYSTÉMATIQUE

Le facteur systématique, qui ne varie plus une fois fixé, provient d'une particularité et/ou de l'étalonnage du capteur utilisé. Dans l'exemple d'un capteur d'intensité de courant électrique dont la particularité est de donner le rapport $I = V/R$, l'incertitude relative sur une mesure de I ne pourra être plus petite que l'incertitude relative sur la valeur de R[**]. Si R est connu à 1 % près, alors I ne pourra être connu au mieux qu'à 1 % près, lui aussi. De plus, si on doit étalonner un capteur, on introduit un facteur systématique qui découle de l'étalonnage. Par exemple, en étalonnant un capteur de force, on utilise, d'une part, une masse zéro pour étalonner le 0 N et, d'autre part, une masse de $(1,000 \pm 0,002)$ kg, placée dans un champ gravitationnel de $(9,81 \pm 0,01)$ m/s^2, pour étalonner la valeur « haute ». Alors, si on néglige l'incertitude sur le zéro, la force qui sert à étalonner le capteur est de 9,81 N à 0,3 % près. L'incertitude relative sur une force mesurée avec ce capteur ne pourra jamais être inférieure à 0,3 %. Bien qu'un facteur systématique influe sur le résultat d'une mesure soit en le surévaluant soit en le sous-évaluant, on lui attribue une valeur de ±. Dans notre exemple, le poids servant à étalonner le capteur possède une valeur unique qui se situe entre 9,7804 N et 9,8396 N. D'une part, cette valeur est unique, donc son influence est systématique ; d'autre part, elle est inconnue, donc on lui attribue un ±. Si on revient au cas des tirs de la figure 1.5● (p. 18), on peut illustrer la situation en disant qu'on ne sait pas où se trouve le centre de la cible.

....
[*]   Voir l'exemple du capteur de pression Pasco CI-6532A, p. 19.
[**] On verra au chapitre 2, p. 59, que l'incertitude relative sur un produit ou un quotient est égale à la somme des incertitudes relatives de chacun des facteurs de ce produit ou de ce quotient.

FACTEUR ALÉATOIRE

En prenant un grand nombre de données – en statistique on conseille au moins 30 données –, on peut visualiser l'influence du ou des facteurs qui varient de façon aléatoire. Pour voir la distribution des valeurs, on doit construire un histogramme.

Nous verrons à la section 1.11 (p. 38) que, si l'histogramme s'insère dans une courbe gaussienne, il est possible d'utiliser le double de l'écart type pour quantifier l'incertitude reliée aux variations aléatoires. Dans l'exemple illustré à la figure 1.12●, avec une moyenne de 19,374 ^{0}C et un écart type de 0,016 ^{0}C, on dirait que la variation aléatoire est de ±0,032 ^{0}C ou ±0,03 ^{0}C, si on arrondit à un chiffre significatif.

● FIGURE 1.12
Histogramme représentant 200 données de température prises à l'aide
d'un capteur placé dans un bain d'eau stabilisé à la température ambiante

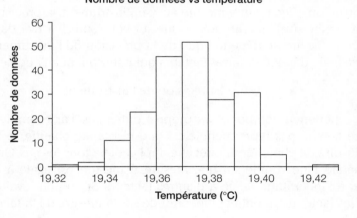

Dans le cas de n'importe quel capteur, parmi les facteurs aléatoires qui influent sur la précision, il y a toujours le nombre de bits utilisé par le système d'acquisition. Cette influence varie selon la plage de valeurs qu'on veut couvrir. On sait qu'un ordinateur lit un voltage situé dans une plage de valeurs et que ce voltage est en numérotation binaire. Un système d'acquisition est caractérisé par le nombre de bits disponibles pour couvrir cette plage. Ce nombre de bits limite la précision sur une valeur. Par exemple, si on veut couvrir une plage de −10 V à +10 V avec 8 bits, on a 2^8 possibilités de chiffres. La plus petite variation de voltage qu'on peut obtenir ou encore la limite de résolution est de (20 V /2^8), soit ±0,078 V. Avec 12 bits, on obtient (20 V / 2^{12}), soit ±0,0049 V. L'incertitude absolue sur une mesure obtenue avec un système d'acquisition ne peut être inférieure à la limite de résolution du système. Il faut cependant savoir que tout circuit électronique introduit un certain bruit qui vient s'ajouter à la limite de résolution «théorique» provenant du nombre de bits utilisé. C'est pourquoi le double de l'écart type, attribué en ± aux facteurs aléatoires, est presque toujours plus grand que la limite de résolution «théorique» due au nombre de bits.

Finalement, pour évaluer la précision d'un système d'acquisition, on additionne la valeur associée à l'influence des facteurs systématiques, Δ systématique, à celle associée aux facteurs aléatoires, Δ aléatoire.

$$\text{Précision} = \Delta \text{ systématique} + \Delta \text{ aléatoire.}$$

1.9 ÉVALUATION DE L'INCERTITUDE SUR UNE MESURE

Dans la section précédente, nous avons expliqué ce qu'est la précision d'un instrument de mesure. Lorsqu'on effectue une mesure avec un instrument, la précision de celui-ci a une influence directe sur l'incertitude absolue sur la mesure. Il arrive, dans certains cas, que l'incertitude absolue ne dépende que de la précision de l'instrument mais, dans la majorité des cas, elle dépend d'autres facteurs qui contribuent à l'augmenter :

$$\Delta \text{ mesure} \geq \text{précision de l'instrument.}$$

Chaque expérience comporte ses propres difficultés. Par exemple, il peut arriver qu'une lecture ne soit pas reproductible (si une résistance chauffe, sa valeur varie). Il serait donc illusoire de chercher une recette applicable à tous les cas. On peut dire que, de façon générale, l'incertitude sur une mesure, Δ mesure, est égale à la précision de l'instrument et à l'incertitude reliée à d'autres facteurs. Si on peut évaluer l'incertitude reliée aux autres facteurs, on obtient l'incertitude sur la mesure de la façon suivante :

$$\Delta \text{ mesure} = \text{précision de l'instrument} + \Delta \text{ autres facteurs.}$$

On peut utiliser la figure 1.5● (p. 18) pour illustrer l'incertitude sur une mesure. On pourrait dire que l'instrument serait la carabine et les balles, et les autres facteurs, le tireur et le vent. Dans le terme Δ autres facteurs, il peut y avoir des facteurs aléatoires et des facteurs systématiques, comme pour les instruments*. L'influence de ces facteurs sera étudiée à la section 1.11.

....
* Voir la section 1.8, p. 18.

S'il est possible d'évaluer les valeurs maximale et minimale entre lesquelles se trouve la valeur que l'on cherche, on peut trouver l'incertitude sur la mesure, Δ mesure, de la façon suivante:

$$\Delta \text{ mesure} = \frac{\text{valeur maximale} - \text{valeur minimale}}{2}.$$

EXEMPLE 15

Longueur d'un objet aux bords irréguliers

Pour déterminer la longueur d'un objet dont les bords ne sont pas réguliers, on évalue les valeurs extrêmes possibles. Supposons que, en utilisant une règle graduée en millimètres, on obtienne une longueur de (30,5 ± 0,1) cm pour le grand côté et une longueur de (30,1 ± 0,1) cm pour le petit côté. On obtient alors $L_{max} = 30,6$ cm et $L_{min} = 30,0$ cm; alors $L = (30,3 \pm 0,3)$ cm.

On peut justifier l'incertitude absolue sur la mesure de la façon suivante:

- Δ mesure = précision de l'instrument + irrégularité de l'objet.

- Précision de l'instrument: une incertitude de 0,05 cm, affectée à chaque extrémité de l'instrument*, soit: 0,1 cm.

- Irrégularité de l'objet: une incertitude de 0,2 cm (obtenue à partir des valeurs extrêmes de longueur).

Dans les sections suivantes, nous allons présenter quelques cas illustrant le fait que l'incertitude sur la mesure peut être plus grande que la précision d'un instrument.

----

* Voir la section 1.9.4, p. 31.

1.9.1 Effet de parallaxe

Une mesure exigeant que l'on évalue à l'œil la coïncidence de deux lignes est nécessairement influencée par l'effet de parallaxe. Par exemple, la mesure de la position d'une aiguille sur un cadran gradué ne sera pas la même si l'œil de l'observateur se déplace. Ce phénomène contribue ainsi à augmenter l'incertitude absolue sur la mesure. De même, la mesure, avec une règle épaisse, de la distance entre deux points tracés sur une feuille comporte une incertitude plus grande que la précision de l'instrument. Examinons la figure 1.13● : si la position de l'œil est toujours trop basse, l'effet de parallaxe entraînera une incertitude systématique ; par contre, si la position de l'œil est tantôt trop basse, tantôt trop haute, il entraînera une incertitude aléatoire.

Il est souvent possible de diminuer l'effet de parallaxe. Un cadran gradué, muni d'un miroir, permet à l'observateur de mieux placer son œil vis-à-vis de l'aiguille et donc de diminuer l'effet de parallaxe. Lorsqu'on veut déterminer à quelle division d'une règle correspond un point situé sur une feuille, on obtient une réponse plus précise si on place la règle sur la tranche au lieu de la poser à plat sur la feuille. Par contre, dans certains cas, l'effet de parallaxe demeure important. Prenons comme exemple une expérience de croissance végétale au cours de laquelle on doit mesurer la hauteur h qui sépare deux nœuds sur la tige d'un plant de pois. Pour obtenir cette hauteur, il faut mesurer h_2 (hauteur du nœud supérieur) et h_1 (hauteur du nœud inférieur). Alors :

$$h = h_2 - h_1.$$

La mesure de chacune de ces hauteurs comporte un effet de parallaxe important.

On peut cependant diminuer l'effet de parallaxe en utilisant une équerre (voir la figure 1.14●). Par contre, il ne faut pas appuyer celle-ci sur le plant, car cela risquerait de le déformer et de déplacer les nœuds. En posant l'équerre sous un nœud, ou au-dessus, sans toutefois le toucher, on risque de mesurer une hauteur plus petite ou plus grande que la hauteur réelle, ou encore d'incliner légèrement l'équerre. Malgré ces précautions, il demeure une incertitude sur la mesure qui est supérieure à la précision de la règle, et dont il faut tenir compte. Cette incertitude est difficile à quantifier. Pour y parvenir, on peut, par exemple, estimer les valeurs extrêmes de la lecture :

$$\Delta \text{ lecture } = \frac{\text{valeur maximale } - \text{ valeur minimale}}{2}.$$

Il faut donc toujours tenter de réduire au minimum l'effet de parallaxe. Dans les cas où celui-ci demeure important, il faut estimer les valeurs entre lesquelles se situe la mesure que l'on désire prendre.

FIGURE 1.13
Effet de parallaxe

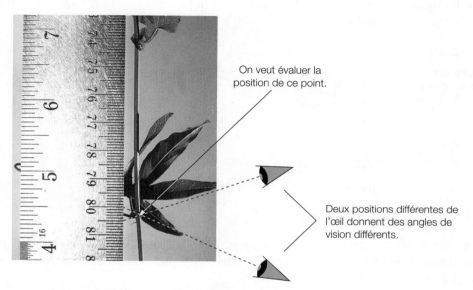

On veut évaluer la position de ce point.

Deux positions différentes de l'œil donnent des angles de vision différents.

Selon la position de l'œil, l'observateur lit une valeur différente sur la règle.

FIGURE 1.14
Utilisation d'une équerre pour diminuer l'effet de parallaxe

1.9.2 Temps de réflexe

Le temps de réflexe contribue à l'incertitude sur une mesure. Dans l'exemple illustré à la figure 1.15●, on veut mesurer manuellement le temps de chute d'un objet avec un chronomètre électronique dont l'affichage est au centième de seconde près.

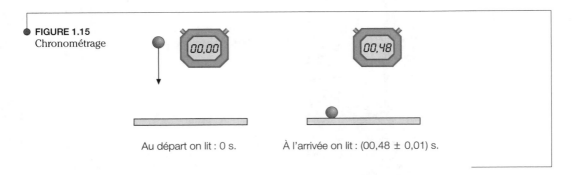

● **FIGURE 1.15**
Chronométrage

Au départ on lit : 0 s.   À l'arrivée on lit : (00,48 ± 0,01) s.

Est-ce à dire que le temps de chute mesuré est de (0,48 ± 0,01) s ? On peut en douter sérieusement. En fait, la même mesure effectuée par plusieurs personnes pourrait varier de ± 0,1 s, et même davantage !

Pourquoi une si grande fluctuation ? Celle-ci vient du fait qu'il faut juger du temps de départ et d'arrivée et que le cerveau doit envoyer un signal pour que les muscles actionnent le chronomètre. Donc, sachant que le temps de réflexe moyen d'une personne est voisin de 0,1 s, on fixe l'incertitude à 0,1 s. Dans le cas illustré à la figure 1.15●, il faut donc écrire : $t = 0,5 \pm 0,1$ s.

Précisons toutefois que, dans un cas qui ferait intervenir un autre mouvement, le temps de réflexe pourrait être différent*. Comme pour l'effet de parallaxe (section 1.9.1), le temps de réflexe peut entraîner une incertitude aléatoire ou systématique. Par exemple, un observateur qui anticipe toujours le moment de déclencher le chronomètre engendrera une incertitude systématique.

1.9.3 Ménisque

Un grand nombre d'instruments de mesure d'un volume de liquide (cylindre gradué, burette, etc.) ou d'une hauteur de colonne de liquide (thermomètre au mercure, baromètre au mercure, etc.) comportent une partie cylindrique graduée à l'intérieur de laquelle se trouve le liquide (voir la figure 1.16●). La surface du liquide permet de lire sur l'échelle la mesure du volume ou de la hauteur.

....
* Voir SPRADLEY, mai 1990, p. 312-314.

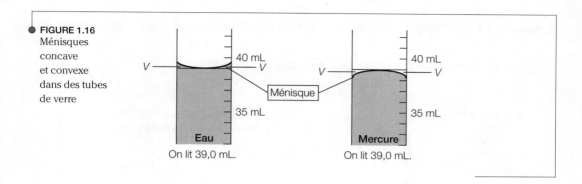

FIGURE 1.16
Ménisques concave et convexe dans des tubes de verre

Toutefois, comme la surface d'un liquide contenu dans un cylindre n'est pas plane, sa position est difficile à déterminer sur une échelle. Que la forme du ménisque soit concave ou convexe, on fait la lecture sur la tangente horizontale de la courbure de la surface du liquide. Dans ces deux cas, la précision de l'instrument est de 0,5 mL. L'incertitude sur la mesure pourrait excéder 0,5 mL puisque la surface du liquide n'est pas plane. En lisant 39,0 mL, on fait abstraction des volumes V qui sont, dans le cas de l'eau, remplis de liquide non mesuré et, dans le cas du mercure, vides et mesurés comme du liquide. Toutefois, des études statistiques sur des mesures de volumes ou de hauteurs de colonne avec ces instruments démontrent que, pour des volumes de liquide relativement importants (d'au moins deux ordres de grandeur de plus que la précision de l'instrument) et pour des liquides dont la tension superficielle est semblable à celle de l'eau, les mesures sont reproductibles à l'intérieur de la moitié de la plus petite division de l'échelle de l'instrument. On peut expliquer cette observation expérimentale par le fait que, dans ces cas, la courbure de la surface du liquide est faible et les volumes V sont relativement petits par rapport au volume total de liquide. Ces facteurs ne modifient donc que très peu l'incertitude sur la mesure. Pour les deux exemples ci-dessus, l'incertitude absolue est donc de ± 0,5 mL.

Pour des volumes relativement importants de liquide ayant une tension superficielle semblable à celle de l'eau, l'incertitude absolue sur une mesure de volume ou de hauteur de colonne du liquide correspond à la précision de l'instrument (la moitié de la plus petite division).

1.9.4 Mesure donnée par deux lectures et incertitude sur le zéro

Dans le cas d'une mesure donnée par deux lectures, l'incertitude est égale à la somme des incertitudes sur chaque lecture.

EXEMPLE 16

On détermine le volume d'un liquide en utilisant une burette.

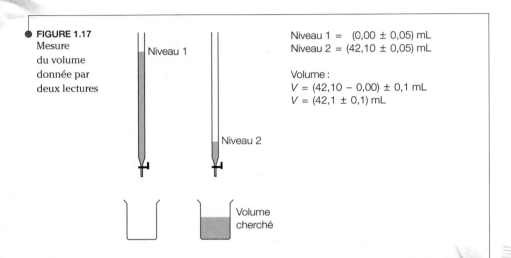

● **FIGURE 1.17**
Mesure
du volume
donnée par
deux lectures

Niveau 1

Niveau 2

Volume
cherché

Niveau 1 = (0,00 ± 0,05) mL
Niveau 2 = (42,10 ± 0,05) mL

Volume :
V = (42,10 − 0,00) ± 0,1 mL
V = (42,1 ± 0,1) mL

EXEMPLE 17

On mesure la longueur L d'un objet avec une règle.

Longueur = lecture à une extrémité − lecture à l'autre extrémité, soit :

$$L = [(29,10 \pm 0,05) - (1,00 \pm 0,05)] \text{ cm,}$$
$$L = (28,1 \pm 0,1^*) \text{ cm.}$$

On évalue plusieurs mesures en faisant la différence entre deux lectures. Même si elle donne zéro, une lecture peut comporter quand même une incertitude. On doit donc en tenir compte lors de la mesure.

L'évaluation de l'incertitude sur le zéro est une question délicate. On peut dire que, dans les cas où il faut évaluer la position du zéro (par exemple, lorsqu'on utilise une règle, une burette ou des appareils à aiguille, ou lorsqu'on fait un étalonnage), l'évaluation comporte une incertitude qu'il faut estimer. Par contre, dans les cas où on ne mesure

....
* Ici, $L = x_2 - x_1$. Nous verrons au chapitre 2 qu'alors $\Delta L = \Delta x_2 + \Delta x_1$, d'où 0,1 cm.

rien, on peut dire qu'il n'y a pas d'incertitude sur cette «mesure»: par exemple, le volume de liquide dans un cylindre gradué vide est égal à 0 mL sans incertitude.

Lorsqu'on débranche la pile d'un circuit simple, le courant qui circule dans l'ampoule est de 00,00 mA. Dans ce cas, on peut dire qu'il n'y a pas d'incertitude sur le zéro: en effet, les fluctuations de densité de courant dues à la température sont négligeables par rapport aux ordres de grandeur de nos mesures (voir la figure 1.18●).

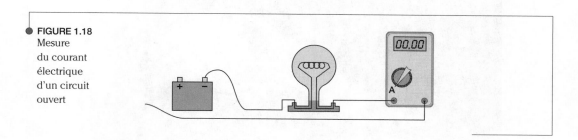

● **FIGURE 1.18**
Mesure du courant électrique d'un circuit ouvert

1.9.5 Cas particulier du microscope

La plupart des microscopes possèdent sur deux côtés de leur platine une échelle graduée munie d'un vernier. Chacune de ces échelles comporte un intervalle de nombre qui lui est propre. Par exemple, l'échelle correspondant aux déplacements latéraux de la platine comporte un intervalle de 100 à 185 (figure 1.19●), tandis que celle qui correspond aux déplacements antéro-postérieurs est munie d'un intervalle de 0 à 59. À la plus faible valeur de grossissement du microscope, c'est à dire à 40×, chaque graduation équivaut à 1 mm. Ainsi, à un grossissement de 40×, on peut mesurer la longueur, la largeur ou le diamètre d'un microorganisme à l'aide des verniers.

Par exemple, pour mesurer le diamètre d'un microorganisme sphérique, il suffit de centrer ce dernier sur l'axe correspondant au diamètre du champ d'observation et de le déplacer horizontalement, jusqu'à ce que l'un de ses pôles atteigne la limite du champ d'observation (figure 1.20●). On lit alors la valeur obtenue sur l'échelle graduée munie d'un vernier: par exemple (31,8 ± 0,1*) mm. Ensuite, dans le même axe que le diamètre du champ d'observation, on déplace le microorganisme jusqu'à ce que son pôle opposé atteigne, à son tour, la limite du champ et on effectue une autre lecture: par exemple, (33,3 ± 0,1) mm. À la figure 1.20●, le microorganisme se trouve à gauche du champ d'observation. Pour faire cette deuxième lecture, il faut donc le déplacer vers la gauche jusqu'à ce qu'il sorte du champ d'observation. Le diamètre d du microorganisme grossi à 40× serait alors:

$$d = [(33,3 ± 0,1) - (31,8 ± 0,1)] \text{ mm}^{**}$$
$$d = (1,5 ± 0,2) \text{ mm}.$$

---
* Voir la section 1.8.3.
** Nous verrons au chapitre 2 que, en soustrayant deux valeurs, on additionne leurs incertitudes absolues.

FIGURE 1.19
Platine de microscope possédant des échelles graduées munies d'un vernier

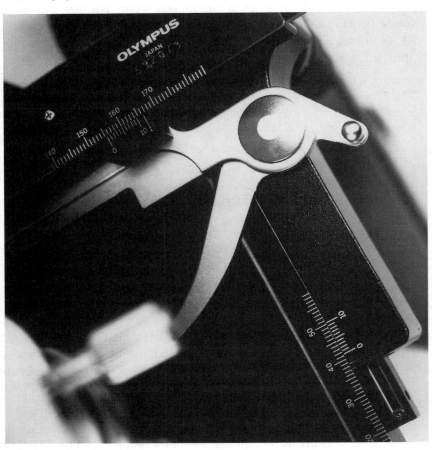

FIGURE 1.20
Position d'un microorganisme dans le champ d'observation à un grossissement de 40×

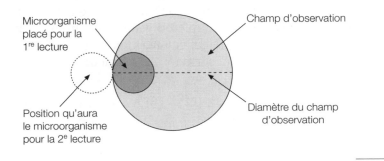

Microorganisme placé pour la 1re lecture

Champ d'observation

Position qu'aura le microorganisme pour la 2e lecture

Diamètre du champ d'observation

Lorsqu'on mesure des microorganismes observés à un grossissement excédant 40×, on n'utilise pas les échelles graduées de la platine. On procède en trois temps: (1) on évalue le diamètre du champ d'observation D, comme nous l'avons expliqué à la section 1.6 (p. 13); (2) on évalue la proportion p du champ d'observation occupé par le microorganisme – dans la mesure du possible, on fait cette évaluation à l'aide d'une échelle graduée intégrée dans l'un des oculaires du microscope; (3) on calcule $L = pD$ pour trouver la longueur L que l'on cherche. Nous verrons au chapitre 2 comment calculer l'incertitude sur une multiplication.

1.10 ÉVALUATION DE LA MOYENNE D'UN PETIT NOMBRE* DE MESURES

Nous avons vu à la section 1.9 que, si on prend une mesure x une seule fois, on évalue sa meilleure estimation $\bar{x}$ et son incertitude absolue Δx. Si on répète une mesure un petit nombre de fois, par exemple trois fois, on a x_1, x_2, x_3 où $x_i = \overline{x_i} \pm \Delta x_i$. On doit alors trouver la mesure moyenne X, c'est-à-dire sa meilleure estimation et son incertitude $\overline{X} \pm \Delta X$. La façon de calculer $\overline{X}$ diffère selon que les mesures x_i sont reproductibles ou non.

En laboratoire, on devrait répéter une mesure au moins un petit nombre de fois pour vérifier sa reproductibilité. Deux mesures sont considérées comme reproductibles si elles sont comparables, compte tenu de leurs incertitudes. Ainsi, 12,4 ± 0,3 et 12,6 ± 0,3 sont deux mesures reproductibles. Par contre, 12,40 ± 0,02 et 12,60 ± 0,02 sont des mesures non reproductibles.

Si on illustre graphiquement les meilleures estimations et leurs incertitudes par rapport à un axe commun, on dit que les mesures sont reproductibles quand les zones illustrées se recoupent. Les mesures sont non reproductibles quand les zones ne se recoupent pas (voir les figures 1.21● et 1.22●).

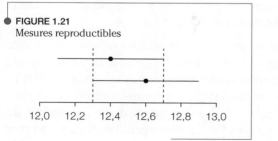

● FIGURE 1.21
Mesures reproductibles

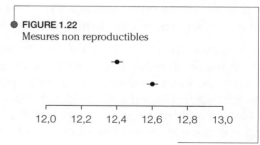

● FIGURE 1.22
Mesures non reproductibles

----
* Il arrive assez fréquemment qu'on prenne deux ou trois mesures. Cette section propose une façon de calculer l'incertitude sur la moyenne de ces mesures. Pour un nombre de valeurs plus grand ou égal à 30, consulter la section 1.11. La lecture des sections 1.10 et 1.11 aidera à choisir une méthode dans le cas d'un nombre entre 3 et 30. Ce choix arbitraire dépend des données elles-mêmes, de l'expérimentateur et du contexte de l'expérience.

Les mesures représentées à la figure 1.21● sont reproductibles puisqu'il existe une zone (entre les lignes pointillées) où elles se recoupent. Par contre, lorsqu'il n'y a pas de zone de recoupement, comme à la figure 1.22●, les mesures ne sont pas reproductibles.

La plupart du temps, les mesures que l'on compare ont seulement une dimension. Toutefois, il peut arriver qu'elles en aient deux : ainsi un vecteur « position dans le plan » a deux dimensions. On peut aussi comparer des mesures qui ont deux dimensions en illustrant graphiquement les meilleures estimations de ces mesures avec leurs incertitudes. Des mesures sont reproductibles si elles ont toutes une même zone en commun. Dans le cas contraire, elles sont non reproductibles (voir les figures 1.23● et 1.24●).

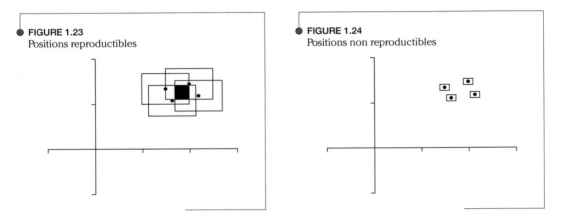

● **FIGURE 1.23**
Positions reproductibles

● **FIGURE 1.24**
Positions non reproductibles

Comparer des positions sans tenir compte des incertitudes revient à comparer les tirs d'un bazooka avec les tirs d'une carabine, sans faire la distinction entre les deux. On voit à la figure 1.23 une zone commune à toutes les positions (rectangle noirci), alors que cette zone n'existe pas à la figure 1.24.

On peut obtenir des mesures non reproductibles pour différentes raisons : les appareils sont défectueux, les objets à mesurer sont irréguliers, on a sous-évalué les incertitudes sur les mesures, les manipulations sont délicates à reproduire, etc.

Il peut arriver que la graduation qui figure sur un instrument ne tienne pas compte de sa précision réelle, soit à cause d'une « erreur » de fabrication, soit à cause de l'usure du temps. Les instruments à ressorts (pèse-personne, dynamomètre) sont particulièrement susceptibles d'avoir ce défaut. Dans certains cas, les mesures sont non reproductibles à cause de la nature de l'objet. Par exemple, il arrive qu'on doive considérer un objet comme étant régulier même s'il est irrégulier. En chimie organique, il faut effectuer plusieurs manipulations pour faire une synthèse. On évalue le rendement d'une réaction chimique à partir des masses initiales des réactifs utilisés et de la masse du produit obtenu. On mesure ces masses avec des balances assez précises (par exemple, au millième de gramme). Même en travaillant avec beaucoup de précautions, en répétant deux fois une expérience, on constate que les rendements des réactions chimiques sont rarement reproductibles. C'est parce qu'il est difficile de faire les mêmes manipulations exactement de la même façon deux fois de suite.

1.10.1 Moyenne de mesures reproductibles

Lorsque les mesures x_i sont reproductibles, on évalue la mesure moyenne X en calculant sa meilleure estimation $\overline{X}$ et son incertitude ΔX. La meilleure estimation $\overline{X}$ correspond à la moyenne des meilleures estimations,

$$\overline{X} = \frac{\sum\limits_{i=1}^{n} \overline{x_i}}{n}.$$

L'incertitude ΔX est évaluée à partir des valeurs extrêmes des mesures x_i.

EXEMPLE 18

Moyenne de mesures reproductibles

Lors d'un titrage, on obtient après trois essais les volumes suivants :

$(15,1 \pm 0,1)$ mL,

$(15,1 \pm 0,1)$ mL,

$(15,2 \pm 0,1)$ mL.

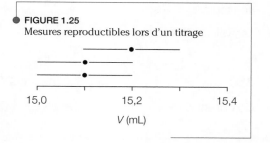

● **FIGURE 1.25**
Mesures reproductibles lors d'un titrage

La moyenne des meilleures estimations est égale à $15,133\,333...$ mL.

Le volume maximum est de 15,3 mL et le volume minimum de 15,0 mL.

L'incertitude serait égale à $\pm 0,15$ mL. On l'arrondit à la valeur supérieure, car on préfère la surestimer plutôt que la sous-estimer.

Donc, le volume que l'on cherche est égal à $(15,1 \pm 0,2)$ mL.

1.10.2 Moyenne de mesures non reproductibles

Lorsque les mesures x_i sont non reproductibles, on évalue la mesure moyenne X à partir des valeurs extrêmes des mesures x_i soit x_{max} et x_{min}. En effet la meilleure estimation $\overline{X}$ n'est pas nécessairement la moyenne mathématique des $\overline{x_i}$. Par prudence, on l'évalue en calculant la moyenne entre le minimum et le maximum,

$$\overline{X} = \frac{x_{max} + x_{min}}{2}.$$

Comme dans le cas de mesures reproductibles, on évalue l'incertitude ΔX à partir des valeurs extrêmes mesurées.

EXEMPLE 19

Moyenne de mesures non reproductibles

En répétant une expérience sur la respiration cellulaire de levures, on obtient quelques mesures quant au volume V de dioxyde de carbone que celles-ci produisent :

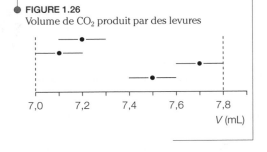

● **FIGURE 1.26**
Volume de CO_2 produit par des levures

(7,2 ± 0,1) mL,
(7,7 ± 0,1) mL,
(7,1 ± 0,1) mL,
(7,5 ± 0,1) mL.

On constate que ces mesures sont non reproductibles.

Les valeurs maximale et minimale sont

$$V_{max} = (7,7 + 0,1) = 7,8 \text{ mL} \quad \text{et} \quad V_{min} = (7,1 - 0,1) = 7,0 \text{ mL},$$

d'où $$7,0 \text{ mL} \leq V \leq 7,8 \text{ mL}.$$

On obtient la mesure moyenne cherchée $V = (7,4 ± 0,4)$ mL.

1.11 ÉVALUATION DE LA MESURE MOYENNE TIRÉE D'UN GRAND NOMBRE* DE DONNÉES

Il a toujours été possible de répéter la prise d'une donnée un grand nombre de fois, cependant l'introduction de systèmes d'acquisition rend cette situation beaucoup plus fréquente. Par exemple, une acquisition à une fréquence de 1000 Hz pendant 2 secondes génère 2000 données. Le problème est alors d'évaluer une mesure moyenne $\overline{X} \pm \Delta X$ à partir de ce grand nombre de données. Pour y arriver, on doit tenir compte de la manière dont les valeurs se distribuent autour d'une moyenne et distinguer incertitude systématique et incertitude aléatoire. Quand on veut trouver l'incertitude sur cette mesure moyenne, il faut évaluer l'incertitude systématique et l'incertitude aléatoire qui la déterminent.

$$\Delta X = \Delta \text{ systématique} + \Delta \text{ aléatoire}$$

....
* Par «grand nombre» de données, on entend un nombre égal ou supérieur à 30. Dans le cas de deux ou trois données, consulter la section 1.10. La lecture des sections 1.10 et 1.11 aidera à choisir une méthode dans le cas d'un nombre de valeurs entre 3 et 30. Ce choix arbitraire dépend des données elles-mêmes, de l'expérimentateur et du contexte de l'expérience.

On appelle incertitude systématique la somme des influences dues aux facteurs systématiques et incertitude aléatoire la somme des influences dues aux facteurs aléatoires.

INCERTITUDE SYSTÉMATIQUE

L'incertitude systématique peut venir de l'instrument (voir les sections 1.8 et 1.8.5, p. 17 et 24), de l'observateur ou du montage expérimental utilisé. Pour l'évaluer, il faut tenir compte de toutes ces composantes. Par exemple, on a vu que l'étalonnage d'un instrument introduit une incertitude systématique.

L'incertitude systématique demeure toujours difficile à quantifier. Comme on l'a mentionné à la section 1.8.5 (p. 24) avec l'exemple des tirs, le problème vient du fait qu'on ne sait pas où se trouve le centre de la cible. En fait, l'objet d'une mesure est de déterminer où se trouve ce centre!

Généralement, la répétition de la prise d'une valeur avec le même instrument ne permet pas d'évaluer l'incertitude systématique. Par contre, elle permet de détecter si cette incertitude systématique varie avec le temps. Par exemple, si on mesure la pression d'air d'un pneu avec un manomètre, à chaque essai on prélève une certaine quantité d'air, de telle sorte qu'en répétant une mesure de pression, on verra celle-ci diminuer de façon systématique. De la même façon, si on mesure la masse d'un liquide volatil comme l'éther, on verra celle-ci diminuer avec le temps. Un graphique des données obtenues en fonction du temps nous permet de vérifier la présence d'un facteur systématique seulement si celui-ci varie dans le temps (voir la figure 1.27●). Il faut éliminer un facteur de ce genre. Pour ce faire, on peut augmenter la vitesse d'acquisition jusqu'à ce qu'on n'en voie plus l'effet. Dans le cas de la pesée d'un liquide volatil, il suffit de mettre un bouchon. S'il est impossible d'éliminer le facteur, on doit se contenter de prendre la donnée une seule fois parce que l'objet étudié n'est plus le même.

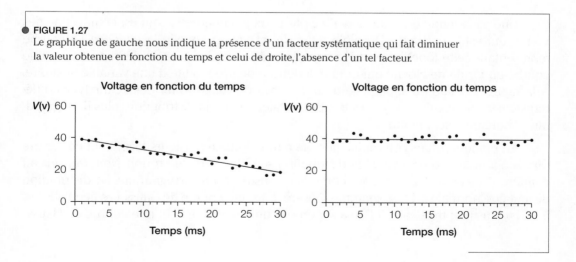

● FIGURE 1.27

Le graphique de gauche nous indique la présence d'un facteur systématique qui fait diminuer la valeur obtenue en fonction du temps et celui de droite, l'absence d'un tel facteur.

INCERTITUDE ALÉATOIRE

Quand on répète la prise d'une donnée plusieurs fois, on doit recourir aux statistiques pour évaluer l'incertitude aléatoire. La taille de l'échantillon joue en statistique un rôle important. En vertu du théorème central limite, même lorsque la variable étudiée n'obéit pas à la loi normale, la distribution des moyennes des échantillons tend vers la loi normale, si leur taille est suffisamment grande. En pratique, on peut appliquer ce théorème dès que l'échantillon contient 30 unités. En vertu de ce théorème, le chiffre 30 joue un rôle de référence en statistiques. Quand on utilise un système d'acquisition, il n'y a généralement aucun problème à avoir 30 valeurs ; on peut même facilement en avoir 100, 200 et plus. Il est donc clair qu'on ne doit pas se limiter à 20 ou à 25 valeurs ! De plus, sachant que la précision des résultats a tendance à augmenter avec la taille de l'échantillon, on a intérêt à ne pas lésiner à cet égard. Cependant, il ne faut pas croire que, dans un contexte expérimental, la précision augmente indéfiniment avec le nombre de valeurs. Nous avons vu à la section 1.8.5 (p. 24) qu'un système d'acquisition possède des limites dues au bruit électronique et au nombre de bits utilisé pour exprimer les chiffres en numérotation binaire.

S'il est impossible de créer un échantillon de 30 valeurs ou plus, d'autres lois peuvent nous permettre de tester des paramètres statistiques calculés dans l'échantillon, comme une moyenne ou une proportion. Nous ne traiterons cependant pas de ces lois ici.

Normalement, les facteurs variant de façon aléatoire, qui influent sur l'incertitude, produiront des valeurs qui auront une distribution gaussienne. Une distribution normale, ou gaussienne, répond à plusieurs critères, entre autres aux deux suivants : elle doit être répartie symétriquement autour d'une moyenne μ et elle doit être représentée par la fonction suivante :

$$f(x) = \frac{1}{\sqrt{2\pi\sigma^2}}\, e^{-\frac{(x-\mu)^2}{2\sigma^2}}.$$

Une gaussienne est donc spécifiée par deux paramètres : μ, qui est la moyenne des x et σ, qui est l'écart type. On parle aussi de σ^2, qu'on appelle la *variance*. La courbe représentant cette fonction porte le nom de *courbe de Gauss* et est définie comme une courbe en forme de cloche qui donne la densité de probabilité d'une variable aléatoire. À la figure 1.28●, on a superposé deux courbes de Gauss ayant des écarts types différents. On y voit que l'écart type détermine l'étalement de la distribution : plus il est grand, plus l'étalement sera grand.

En pratique, quand on répète la prise d'une donnée plusieurs fois, il faut construire un histogramme pour savoir si la distribution semble normale ou non. Nous verrons au chapitre 3 (section 3.2.4, p. 106) comment construire un histogramme. La distribution devrait être normale si l'histogramme s'insère dans une courbe de Gauss. Les figures 1.29● à 1.31● illustrent trois cas où l'on a superposé un histogramme et une courbe de Gauss.

FIGURE 1.28
On voit ici deux courbes de Gauss ayant la même moyenne, c'est-à-dire $\mu = 12$. La courbe arrondie a un écart type σ de 1 ; la courbe pointue, un écart type σ de 0,5.

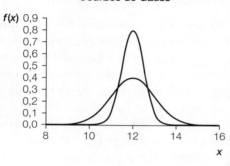

Courbes de Gauss

FIGURE 1.29
On voit ici un cas idéal : l'histogramme s'insère parfaitement dans une courbe de Gauss.
Au laboratoire, on rencontre rarement un tel cas.

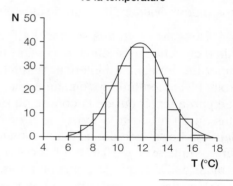

Nombre de données
vs la température

FIGURE 1.30
Très souvent, les histogrammes qu'on obtient ne s'ajustent pas parfaitement à une courbe de Gauss. Dans ces cas, on utilise tout de même les outils statistiques d'une distribution gaussienne.

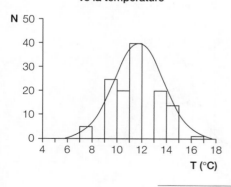

Nombre de données
vs la température

FIGURE 1.31
Parfois, l'histogramme ne s'insère pas du tout dans une courbe de Gauss. Dans ce cas, on ne doit pas utiliser les outils statistiques d'une distribution gaussienne.

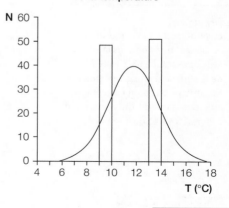

Nombre de données
vs la température

Comme on peut le constater, la comparaison d'un histogramme avec une gaussienne est un moyen approximatif de savoir si une distribution est normale ou non. Cependant les expérimentateurs l'utilisent fréquemment. En effet, il s'avère que les mathématiques de la distribution normale sont particulièrement commodes, puisque l'applicabilité des résultats n'est pas très sensible aux déviations de la normale*. On peut donc utiliser les outils statistiques d'une distribution gaussienne pour les cas semblables à ceux illustrés à la figure 1.12● (p. 26) et à la figure 1.30●. On se sert alors de l'écart type σ pour évaluer l'incertitude aléatoire sur la moyenne des valeurs obtenues.

Nous avons vu à la section 1.4 (p. 10) que, en sciences expérimentales, la «vraie» valeur cherchée n'est jamais accessible mais qu'il appartient à l'expérimentateur de déterminer un domaine à l'intérieur duquel cette «vraie» valeur doit se trouver. Or on peut croire (si l'incertitude systématique est négligeable) que cette vraie valeur se trouve quelque part à l'intérieur de la courbe de Gauss. Le choix de l'incertitude qu'on attribue en plus ou en moins à la moyenne μ détermine une certaine surface sous la courbe de Gauss. Cette surface donne la probabilité que le domaine choisi contient la vraie valeur. Par exemple, avec $\mu \pm 0,67\sigma$, on recoupe 50 % de la surface de Gauss. On a alors une probabilité de 50 % que le domaine choisi contient la vraie valeur. Il est étonnant de voir que, dans des sciences parfois qualifiées d'exactes, le choix de la probabilité correspondant aux limites de l'incertitude est arbitraire. Pour comprendre l'enjeu de ce choix, il faut examiner la courbe de Gauss de la figure 1.32● : selon l'incertitude choisie, on recoupe une surface sous la courbe plus ou moins importante.

Le choix de la probabilité correspondant aux limites de l'incertitude absolue relève donc d'un consensus. Une valeur de 95 % (95,45 %), correspondant à ±2σ, est largement acceptée par les ingénieurs**. Cependant, ce choix a varié avec le temps. Par exemple, en 1947, A. Pérard et J. Terrien déclaraient*** :

> Le métrologiste expérimenté est fort circonspect dans la précision des résultats qu'il publie ; le physicien expérimentateur l'est souvent moins.

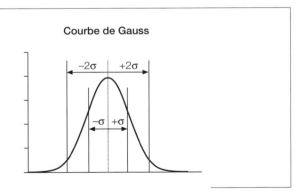

● FIGURE 1.32
En attribuant ±σ à la moyenne, on obtient une aire sous la courbe qui correspond à 68 % (68,27 %) de la surface d'une gaussienne. En attribuant ±2σ, on obtient une aire sous la courbe qui correspond à 95 % (95,45 %) de la surface.

Courbe de Gauss

---

* MEYER, 1975, chapitre 25.
** DORF, 1998, n° 138.
*** PÉRARD et TERRIEN, 1947, p. 36.

Il était alors d'usage d'attribuer au résultat publié une incertitude de ±0,6745 σ, ce qui correspond à une probabilité de seulement 50 % que le domaine choisi contienne la vraie valeur. Aujourd'hui, un grand nombre de physiciens expérimentateurs utilisent ±σ pour une probabilité de 68 %. Pour notre part, de concert avec l'ingénieur prudent, nous conseillons d'utiliser ±2σ, ce qui correspond à une probabilité de 95 % que le domaine choisi contienne la vraie valeur. Si l'histogramme s'insère dans une gaussienne, on calcule Δ aléatoire = ±2σ.

Par contre, si l'histogramme ne s'insère pas dans une courbe de Gauss, comme à la figure 1.31●, on calcule l'incertitude aléatoire par la méthode des extrêmes

$$\Delta \text{ aléatoire } = \pm \frac{\text{valeur maximale } - \text{ valeur minimale}}{2}.$$

MESURE MOYENNE

On calcule la meilleure estimation de la mesure moyenne différemment selon que la distribution des valeurs s'inscrit ou non dans une gaussienne. Si la distribution est gaussienne, on calcule la moyenne mathématique ; il est alors commode d'utiliser la fonction Excel MOYENNE. Si elle ne l'est pas, on doit plutôt calculer la moyenne entre la valeur maximale et la valeur minimale. On calcule l'incertitude absolue totale : $\Delta X = \Delta$ systématique + Δ aléatoire, puis on exprime la mesure moyenne cherchée $X = \overline{X} \pm \Delta X$.

RÉSUMÉ

En résumé, si on répète la prise d'une donnée plusieurs fois pour obtenir une mesure moyenne $X = \overline{X} \pm \Delta X$, on applique la démarche suivante :

1. Évaluer l'incertitude systématique : Δ systématique. (Tenir compte de l'instrument et des autres facteurs reliés à l'observateur ou au montage.)

2. Vérifier si la distribution des mesures est gaussienne.

   2.1 Utiliser uniquement les valeurs affichées par l'instrument. Ne pas tenir compte de la précision de celui-ci parce que, d'une part, le facteur systématique l'influençant est pris en considération à l'étape précédente et que, d'autre part, l'influence des facteurs aléatoires apparaîtra et sera quantifiée lors des étapes suivantes.

   2.2 Construire un histogramme illustrant la distribution des valeurs. Pour l'obtenir facilement, utiliser le modèle « Histogramme.xls » du disque compact.

   2.3 Vérifier si cet histogramme peut s'insérer dans une courbe de Gauss.

3. Déterminer l'incertitude aléatoire : Δ aléatoire.

   Si la distribution est gaussienne,

   3.1 calculer l'écart type σ des valeurs obtenues. Pour ce faire, il est commode d'utiliser la fonction Excel ECARTYPE .

   3.2 Évaluer l'incertitude aléatoire : Δ aléatoire = ±2σ.

Si l'histogramme ne s'insère pas dans une courbe de Gauss, comme à la figure 1.31●,

3.1 utiliser la méthode des extrêmes et calculer

$$\Delta \text{ aléatoire } = \pm \frac{\text{valeur maximale} - \text{valeur minimale}}{2}.$$

4. Obtenir la mesure moyenne cherchée.

   4.1 Calculer l'incertitude absolue totale, $\Delta X = \Delta$ systématique $+ \Delta$ aléatoire.

   Si la distribution est gaussienne,

   4.2 Calculer la moyenne mathématique $\overline{X}$. Pour ce faire, il est commode d'utiliser la fonction Excel MOYENNE.

   Si l'histogramme ne s'insère pas dans une courbe de Gauss,

   4.2 Calculer la moyenne entre le minimum et le maximum

   $$\overline{X} = \frac{\text{valeur maximale} + \text{valeur minimale}}{2}.$$

   4.3 Écrire la mesure moyenne cherchée $X = \overline{X} \pm \Delta X$.

1.12 PRÉCISION ET INCERTITUDE, EXACTITUDE ET ERREUR

Dans la langue française courante, les mots « précision » et « exactitude », ainsi qu'« incertitude » et « erreur », sont souvent considérés comme des synonymes. En sciences expérimentales, on les distingue parfois. Les distinctions établies entre ces termes diffèrent d'un ouvrage à l'autre. On a vu à la section 1.8 que le sens donné aux mots anglais *precision* et *accuracy* diffère aussi d'un fabricant à l'autre. Dans cet ouvrage, nous faisons plusieurs distinctions.

1.12.1 Précision et incertitude

Quand on fait une expérimentation, on doit se prononcer sur plusieurs types de précision : la précision des instruments, la précision d'une mesure et la précision des manipulations.

À la section 1.6 (voir p. 12), nous avons montré que la précision d'une mesure est donnée par l'incertitude relative sur cette mesure et que, **plus l'incertitude relative sur une mesure est petite, plus cette mesure est précise**.

Si on cherche à augmenter la précision d'une mesure x, il faut diminuer son incertitude relative $\frac{\Delta x}{|\overline{x}|}$, soit en diminuant l'incertitude sur la mesure Δx, soit en augmentant la valeur de $\overline{x}$. Pour une valeur donnée de $\overline{x}$, il faut donc diminuer l'incertitude absolue.

| Mesure précise | $\Rightarrow$ | Incertitude relative petite | $\Rightarrow$ | Incertitude absolue petite |

Nous avons vu aussi à la section 1.9 (voir p. 26) que l'incertitude absolue sur une mesure vient de la précision de l'instrument utilisé et de l'incertitude reliée à d'autres facteurs. Donc, si on désire obtenir une mesure précise, on doit améliorer l'un ou l'autre des termes qui la détermine.

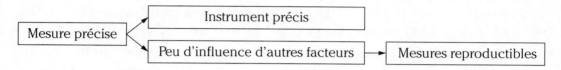

Enfin, nous avons montré qu'il était possible de quantifier l'influence des facteurs qui agissent de façon aléatoire en ayant plusieurs données desquelles on tire une mesure moyenne. Or, dans ces facteurs, il peut y avoir des difficultés reliées à la manipulation. En répétant une manipulation conduisant à une mesure, on peut déterminer si la précision de la manipulation modifie la partie aléatoire de l'incertitude sur cette mesure. **Lorsqu'on obtient des mesures reproductibles, on peut dire qu'on a effectué des manipulations précises**. Par contre, la précision d'une mesure ne peut jamais être supérieure à celle de l'instrument qui a permis de l'obtenir!

L'utilisation du mot **précision** pose un problème : certains auteurs* définissent la précision (sans d'ailleurs spécifier de quelle précision il s'agit) comme étant la reproductibilité d'une mesure. Appliquer ce concept à la précision d'une mesure, c'est oublier l'importance de la précision de l'instrument. Prenons un exemple simple pour illustrer notre propos. Supposons qu'on cherche la masse d'un objet à l'aide de deux balances. La première est précise au gramme tandis que la seconde a une précision de 0,002 g. Pour vérifier la mesure, on la répète quatre fois. Les valeurs que l'on obtient sont présentées dans le tableau de l'exemple 20.

EXEMPLE 20

Masses d'une carte de crédit, mesurées avec deux balances

Première balance	Deuxième balance
g	g
±1	±0,002
5	4,961
5	4,960
5	4,962
5	4,961

---

*   CHANG et PAPILLON, 2002, p. 19 ; HILL *et al.*, 2002, p. 15.

Nous constatons que la valeur de la masse donnée par la deuxième balance fluctue, tandis que celle de la première est constante. La deuxième balance est sensible aux courants d'air, aux marques de doigts, aux dépôts de poussière ainsi qu'à la position de l'objet sur le plateau. Elle demande donc plus de précision, plus de soin dans la manipulation. Par contre, même si les valeurs fluctuent, peut-on dire pour autant que la masse indiquée est moins précise? Cela n'aurait aucun sens! La première balance donne (5 ± 1) g, soit 5 g à 20 % près. La deuxième donne $(4{,}961 \pm 0{,}003)$ g, soit 4,961 g à 0,06 % près.

Comme les mesures fournies par la deuxième balance sont reproductibles (voir la section 1.10.1, p. 37), on trouve la meilleure estimation par la moyenne, et l'incertitude, par les valeurs extrêmes.

1.12.2 Exactitude et erreur

Une mesure est dite «exacte» si elle correspond à la «vraie» valeur. Une balance est exacte si elle donne la même masse que la valeur d'une masse étalon.

On peut vérifier l'exactitude d'une mesure en utilisant des étalons ou des valeurs de référence d'une grande précision. Ainsi, on pourrait déterminer si les mesures de l'exemple précédent sont exactes en comparant la lecture que donne la balance avec la valeur de masses étalons. On compare ces valeurs en utilisant la même méthode que lorsqu'on compare des mesures entre elles pour savoir si elles sont reproductibles ou non (voir la section 1.10, p. 35, et la section 5.2, p. 169). On peut ensuite dire si ces valeurs sont égales ou non. Lorsque la valeur que l'on a mesurée ne correspond pas à celle de l'étalon, cela signifie qu'il y a une **erreur**. Ainsi, l'utilisation d'une balance inexacte entraîne une erreur dans la mesure.

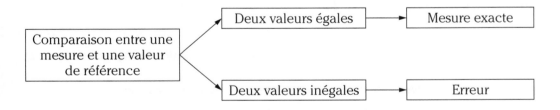

Dans ce manuel, nous faisons donc une distinction entre les mots «erreur» et «incertitude». Nous avons vu que toute mesure possède une incertitude : il serait donc erroné de parler d'une mesure sans incertitude. Si une balance donne une mesure de $(0{,}011 \pm 0{,}002)$ g pour une masse étalon de $(0{,}0100 \pm 0{,}0001)$ g, il n'y a pas d'erreur, même s'il y a des incertitudes.

Il faut mentionner qu'en statistique le mot «erreur» est utilisé dans le sens d'écart. Quand on prend plusieurs données, l'erreur correspond à l'écart entre la valeur observée et la moyenne. Dans le cas d'une étude statistique par régression linéaire, l'erreur sur une valeur observée correspond à l'écart entre cette valeur observée et la valeur prédite par la droite de régression. L'erreur en statistique est due à l'influence d'un ou de plusieurs facteurs qui varient de façon aléatoire.

En sciences, certains chercheurs utilisent le mot « erreur » dans le sens d'écart comme en statistique, l'erreur sur une mesure étant alors l'écart entre la meilleure estimation mesurée et la « vraie » valeur. En raison d'une erreur systématique, la meilleure estimation sera toujours soit plus grande soit plus petite que la « vraie » valeur. Une erreur aléatoire risque d'entraîner un écart, tantôt en plus tantôt en moins, entre la meilleure estimation mesurée et la « vraie » valeur. On peut dire alors que l'incertitude absolue est égale à la somme des erreurs systématique et aléatoire. Dans ce manuel, comme nous l'avons précisé à la section 1.8.5, nous préférons conserver le mot « erreur » dans le sens du mot anglais *mistake*, c'est-à-dire « faute ». Ainsi nous pouvons dire sans risque d'ambiguïté que : « accorder une incertitude à une mesure n'est pas une erreur ».

Au quatrième temps de la méthode scientifique, on compare les valeurs prédites par une théorie avec celles que l'on obtient au cours d'une expérimentation. Si ces valeurs sont égales compte tenu des **incertitudes**, on conclut que ce modèle théorique s'applique bien dans la situation testée. Si ces valeurs ne sont pas égales, on conclut qu'il y a une **erreur**, soit dans le modèle soit dans la façon de le vérifier. La vérification d'un modèle est d'autant plus exacte que les mesures utilisées pour cette vérification sont précises.

1.13 INCERTITUDES SUR LES VALEURS TIRÉES DES OUVRAGES DE RÉFÉRENCE

Les incertitudes sur les valeurs ne sont pas toujours indiquées dans les livres de référence. Les tableaux périodiques habituels n'indiquent pas les incertitudes. Dans ce cas, on utilise la règle sur les chiffres significatifs voulant que l'incertitude porte sur le dernier chiffre qui est donné. On attribue une incertitude d'une unité au chiffre le moins significatif.

Prenons comme exemple des valeurs de chaleur spécifique C_P*, exprimées en cal g^{-1} K^{-1}.

On trouve :

0,114 : on utilise $(0,114 \pm 0,001)$;

> Le chiffre le moins significatif est au millième près : on attribue une incertitude de un millième.

0,031 27 : on utilise $(0,031\ 27 \pm 0,000\ 01)$.

> La valeur est donnée avec 5 chiffres après la virgule : on attribue une incertitude de 0,000 01.

De la même façon, un tableau périodique indique pour la masse molaire de l'oxygène : 15,999 4 g/mol. On utilise $(15,999\ 4 \pm 0,000\ 1)$ g/mol.

---

*   *Handbook of Chemistry and Physics,* 67ᵉ éd., p. D-178.

Chapitre **2**

Calcul
DE L'INCERTITUDE

Très souvent, les quantités que l'on désire connaître ne se prêtent pas directement à la mesure. Il faut donc les déterminer par le calcul, à partir des mesures d'autres grandeurs. Par exemple, on obtient la masse volumique d'un objet par le rapport entre sa masse et son volume, et l'aire d'une surface plane rectangulaire par le produit de sa base par sa hauteur. Il s'agit alors de mesures indirectes. Cependant, si les grandeurs utilisées dans ces calculs comportent une incertitude, le résultat doit lui aussi comporter une incertitude. Il importe alors de savoir quelle est l'incertitude sur le résultat d'un calcul.

Différentes méthodes permettent de répondre à cette question. Dans ce chapitre, nous en présenterons quatre. La première, appelée «méthode des extrêmes», est applicable dans tous les cas. La deuxième fait appel au calcul différentiel, et on l'utilise si certaines conditions sont vérifiables. La troisième, basée sur des règles simples, n'est utilisée que pour un petit nombre d'opérations. La quatrième repose sur l'écart type d'une mesure tirée d'un grand nombre de données et s'applique rigoureusement si les incertitudes sont aléatoires et indépendantes.

2.1 DÉTERMINATION DES INCERTITUDES PAR LA MÉTHODE DES EXTRÊMES

Parce qu'elle s'appuie sur la notion d'incertitude absolue*, la méthode des extrêmes peut s'appliquer dans tous les cas. Cependant, nous verrons à la section 2.6 qu'elle a tendance à surévaluer l'incertitude aléatoire.

Cette méthode consiste à déterminer les valeurs A_{max} et A_{min} d'une quantité A, calculée à partir de grandeurs ayant des incertitudes. Après avoir trouvé ces deux valeurs, on calcule

$$\overline{A} = \frac{A_{max} + A_{min}}{2} \quad \text{et} \quad \Delta A = \frac{A_{max} - A_{min}}{2}.$$

On recherche le résultat suivant : $A = \overline{A} \pm \Delta A$.

À l'aide d'exemples, nous montrerons tout d'abord comment trouver A_{max} et A_{min}. À la fin de la section 2.1.2, nous résumerons la marche à suivre. Nous verrons aussi qu'il est possible, dans les cas de fonctions qui varient de façon quasi linéaire ou qui utilisent des sommes et des différences, de calculer $\overline{A}$ directement à partir des meilleures estimations des grandeurs dont elle dépend.

....
*   Voir la section 1.5, p. 11.

2.1.1 Fonctions utilisant une seule opération ou fonctions simples à une variable

EXEMPLE 1

Cas d'une somme

Soit $A = B + C$, avec $B = 1{,}71 \pm 0{,}06$ et $C = 2{,}4 \pm 0{,}1$. Alors :

$$A_{max} = B_{max} + C_{max} = 1{,}77 + 2{,}5 = 4{,}27$$

$$A_{min} = B_{min} + C_{min} = 1{,}65 + 2{,}3 = 3{,}95$$

$$\Delta A = \frac{A_{max} - A_{min}}{2} = \frac{(4{,}27 - 3{,}95)}{2} = 0{,}16$$

$$\overline{A} = \frac{A_{max} + A_{min}}{2} = 4{,}11$$

d'où **$A = 4{,}1 \pm 0{,}2$**. (Ici $\overline{B} + \overline{C} = 1{,}71 + 2{,}4 = \overline{A}$.)

EXEMPLE 2

Cas d'un quotient

Soit $A = B/C$, avec $B = 18{,}5 \pm 0{,}4$ et $C = 3 \pm 1$. Alors :

$$A_{max} = \frac{B_{max}}{C_{min}} = \frac{18{,}9}{2} = 9{,}45$$

$$A_{min} = \frac{B_{min}}{C_{max}} = \frac{18{,}1}{4} = 4{,}525$$

$$\Delta A = \frac{A_{max} - A_{min}}{2} = 2{,}4625$$

$$\overline{A} = \frac{A_{max} + A_{min}}{2} = 6{,}9875$$

d'où **$A = 7 \pm 2$**. (Ici $\dfrac{\overline{B}}{\overline{C}} = \dfrac{18{,}5}{3} = 6{,}17$ et $\overline{A} = 6{,}9875$; donc $\overline{A} \neq \dfrac{\overline{B}}{\overline{C}}$.)

Cas d'une fonction simple à une variable

Soit $A = \sin \theta$, avec $\theta = (12 \pm 1)°$. Alors :

$$A_{max} = \sin 13° = 0,2250$$

$$A_{min} = \sin 11° = 0,1908$$

$$\Delta A = \frac{A_{max} - A_{min}}{2} = 0,017$$

$$\overline{A} = \frac{A_{max} + A_{min}}{2} = 0,2079$$

d'où **$A = 0,21 \pm 0,02$**. (Ici, $\sin \overline{\theta} = \sin 12° = 0,2079$; donc $\sin \overline{\theta} = \overline{A}$. En effet, nous voyons à la figure 2.1 que la variation de la fonction A est quasi linéaire.)

Dans l'exemple 3, on trouve $A_{max} = \sin(\theta_{max})$ et $A_{min} = \sin(\theta_{min})$. Il suffit de regarder la figure 2.1● pour comprendre cette relation. En effet, la fonction A est croissante dans l'intervalle considéré pour θ.

● **FIGURE 2.1**
La fonction est croissante : A_{max} est donnée par θ_{max} et A_{min} par θ_{min}.

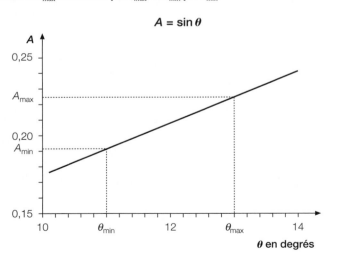

Pour maximiser une fonction croissante dans un intervalle donné, il faut choisir la valeur maximale de la variable ; pour la minimiser, il faut choisir la valeur minimale.

Pour maximiser une fonction décroissante dans un intervalle donné, il faut choisir la valeur minimale de la variable ; pour la minimiser, il faut choisir la valeur maximale. Examinons par exemple la figure 2.2●, où $A = \sin \theta$ et $\theta = (142 \pm 1)°$. On trouve alors :

$$A_{max} = \sin(\theta_{min}) \quad \text{et} \quad A_{min} = \sin(\theta_{max}).$$

FIGURE 2.2
La fonction est décroissante ; A_{max} est donnée par θ_{min} et A_{min} par θ_{max}.

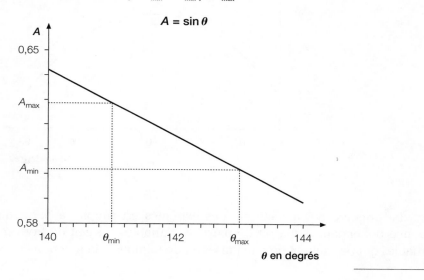

Si la fonction A passe par un extremum dans l'intervalle considéré, il faut tenir compte de la valeur de A à cet extremum pour évaluer A_{max} ou A_{min}.

EXEMPLE **4**

Cas d'une fonction passant par un extremum

Prenons comme exemple A passant par un maximum (voir la figure 2.3●). Soit $A = \sin \theta$ et $\theta = (90 \pm 2)°$. Alors :

$$A_{max} = \sin 90° = 1,000$$

$$A_{min} = \sin 92° = \sin 88° = 0,9994$$

$$\overline{A} = \frac{A_{max} + A_{min}}{2} = 0,9997$$

$$\Delta A = \frac{A_{max} - A_{min}}{2} = 0,0003$$

d'où **$A = 0,9997 \pm 0,0003$**.

FIGURE 2.3
La fonction passe par un extremum ; ici $A_{max} = \sin \overline{\theta}$ et $A_{min} = \sin \theta_{max} = \sin \theta_{min}$.

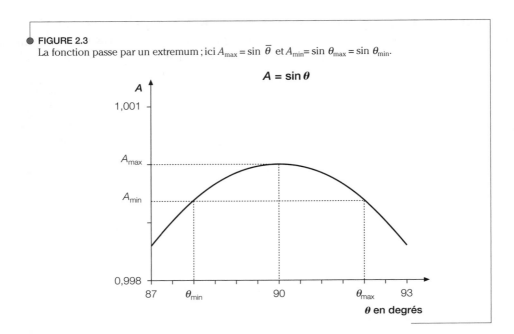

Le principe de la méthode des extrêmes est simple : à partir d'une fonction A donnée dépendant d'une ou de plusieurs variables, il s'agit de trouver les valeurs des variables qui permettent de maximiser ou de minimiser la fonction.

En réfléchissant un peu, on trouve A_{max} et A_{min}.

2.1.2 Fonctions quelconques

De façon générale, la fonction A peut dépendre de plusieurs variables. Pour déterminer les valeurs de celles-ci, lorsqu'on cherche à maximiser ou à minimiser A, il faut étudier l'effet de chacune d'entre elles, séparément.

Avant de commencer un calcul d'incertitude, il faut **toujours vérifier s'il est possible de simplifier l'expression de la fonction.** Par exemple, si $A = mg \sin \theta / m$, on obtient après simplification $A = g \sin \theta,\ donc\ m$, et son incertitude n'influe aucunement sur le résultat recherché.

Si une variable apparaît à plusieurs endroits dans l'expression que l'on veut calculer, il est préférable de **réorganiser l'expression**, si c'est possible, pour que la variable n'apparaisse qu'une seule fois. Il est alors plus facile de savoir si la fonction est croissante ou non pour cette variable. Prenons le cas suivant:

$$A = (L - L \cos \theta) \quad \text{où} \quad L = (52,1 \pm 0,1) \text{ cm} \quad \text{et} \quad \theta = (12 \pm 1)°.$$

On obtient la valeur A en soustrayant deux termes. On peut être tenté d'aborder le problème comme si $A = B - C$. On aurait alors

$$A_{\max} = B_{\max} - C_{\min}, \quad \text{soit} \quad A_{max} = (L_{max} - L_{min} (\cos \theta)_{\min}),$$

ce qui est faux. En effet, un tel résultat est absurde puisque L ne peut prendre deux valeurs en même temps. L a **une valeur unique,** située entre 52,2 cm et 52,0 cm! Si on réorganise l'expression, on obtient

$$A = L(1 - \cos \theta).$$

On voit alors que A est une fonction croissante pour L, donc

$$A_{\max} = L_{\max} (1 - \cos \theta) \quad \text{et} \quad A_{\min} = L_{\min} (1 - \cos \theta).$$

L'influence de L étant connue, on cherche ensuite l'influence de θ. Il faut être attentif puisque l'influence de θ dépend de l'intervalle considéré. L'angle θ se situe ici entre $11°$ et $13°$; dans cet intervalle, $\cos \theta$ est une fonction décroissante; alors, pour minimiser $\cos \theta$, il faut avoir $\cos (\theta_{\max})$. On obtient

$$A_{\max} = L_{\max} (1 - (\cos \theta)_{\min}) = L_{\max} (1 - \cos \theta_{\max}) = 52,2 \text{ cm} (1 - \cos 13°) = 1,338 \text{ cm}$$

$$A_{\min} = L_{\min} (1 - (\cos \theta)_{\max}) = L_{\min} (1 - \cos \theta_{\min}) = 52,0 \text{ cm} (1 - \cos 11°) = 0,955 \text{ cm}$$

et le résultat recherché est: $A = (1,1 \pm 0,2)$ cm.

Il se peut qu'il soit impossible de réorganiser l'expression à calculer de sorte que chaque variable n'apparaisse qu'une seule fois. On peut alors utiliser le calcul différentiel ou une approche graphique pour connaître l'influence d'une variable sur le résultat recherché.

Pour illustrer notre propos, prenons l'exemple suivant :

$$A = \frac{(m_1 - m_2 \sin \theta)g}{(m_1 + m_2)}$$

où $m_1 = (122 \pm 1)$ g ; $m_2 = (389 \pm 1)$ g ; $\theta = (14,0 \pm 0,5)°$; et $g = (981 \pm 1)$ cm/s².

Ici, A est fonction de quatre variables. On voit facilement l'influence de g et de θ. En effet, A est directement proportionnelle à g, de plus $\sin \theta$ est croissant entre $13,5°$ et $14,5°$.

$$A_{max} = \frac{(m_1 - m_2 \sin \theta_{min})g_{max}}{(m_1 + m_2)} \qquad A_{min} = \frac{(m_1 - m_2 \sin \theta_{max})g_{min}}{(m_1 + m_2)}$$

Par contre, dans cette expression, il est impossible que m_1 ou m_2 n'apparaisse qu'une seule fois. Pour obtenir A_{max}, il faut maximiser le numérateur et minimiser le dénominateur, ce qu'on obtient avec m_2 minimum (au numérateur, on soustrait m_2; au dénominateur, on l'additionne). De plus, on obtient A_{min} avec m_2 maximum.

$$A_{max} = \frac{(m_1 - m_{2min} \sin \theta_{min})g_{max}}{(m_1 + m_{2min})} \qquad A_{min} = \frac{(m_1 - m_{2max} \sin \theta_{max})g_{min}}{(m_1 + m_{2max})}$$

L'influence de m_1 n'est pas évidente. Pour trouver quelle valeur de m_1 donnera A_{max}, on peut faire le graphique de A en fonction de m_1 en utilisant les valeurs connues des autres variables qui maximisent A. Comme l'illustre la figure 2.4●, A est une fonction croissante de m_1 dans l'intervalle considéré. On obtiendra donc A_{max} avec m_1 maximum et A_{min} avec m_1 minimum.

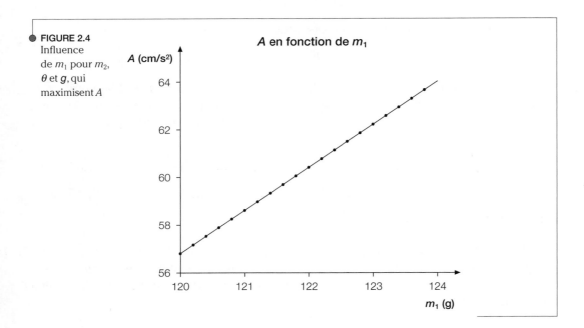

● **FIGURE 2.4**
Influence
de m_1 pour m_2,
θ et g, qui
maximisent A

On obtient le même résultat avec la dérivée partielle. En effet,

$$\frac{\partial A}{\partial m_1} = \frac{m_2 g \, (1 + \sin \theta)}{(m_1 + m_2)^2}.$$

La valeur positive ainsi obtenue indique que la fonction est croissante pour m_1 dans l'intervalle considéré.

Finalement, on regroupe toutes les informations :

$$A_{max} = \frac{(m_{1max} - m_{2min} \, \sin \theta_{min}) g_{max}}{(m_{1max} + m_{2min})} \qquad A_{min} = \frac{(m_{1min} - m_{2max} \, \sin \theta_{max}) g_{min}}{(m_{1min} + m_{2max})}$$

$$A_{max} = \frac{(123 - 388 \sin 13{,}5) \, 982 \text{ cm/s}^2}{(123 + 388)} \qquad A_{min} = \frac{(121 - 390 \sin 14{,}5) \, 980 \text{ cm/s}^2}{(121 + 390)}$$

et le résultat recherché est : $A = (54 \pm 9) \text{ cm/s}^2$.

En résumé, pour calculer l'incertitude d'une fonction A quelconque à l'aide de la méthode des extrêmes, on procède comme suit :

1. On simplifie l'équation.
2. On détermine, pour chaque variable, les valeurs permettant de maximiser et de minimiser la fonction A. Les solutions trouvées varient selon que la fonction est croissante ou décroissante, ou selon qu'elle passe ou non par un extremum dans l'intervalle considéré.
3. On regroupe tous les résultats obtenus pour déterminer les valeurs extrêmes de A.
4. À partir de ces valeurs, on calcule $\overline{A}$ et ΔA.

2.2 DÉMONSTRATION DES RÈGLES SIMPLES

SOMME

Soit $B = \overline{B} \pm \Delta B$ et $C = \overline{C} \pm \Delta C$. Sachant que $A = B + C$, on veut trouver $\overline{A} \pm \Delta A$. Alors :

$$A_{max} = (\overline{B} + \Delta B) + (\overline{C} + \Delta C) = (\overline{B} + \overline{C}) + (\Delta B + \Delta C)$$
$$A_{min} = (\overline{B} - \Delta B) + (\overline{C} - \Delta C) = (\overline{B} + \overline{C}) - (\Delta B + \Delta C)$$
$$\overline{A} = \frac{A_{max} + A_{min}}{2} \quad \text{donne} \quad \overline{A} = \overline{B} + \overline{C}$$
$$\Delta A = \frac{A_{max} - A_{min}}{2} \quad \text{donne} \quad \Delta A = \Delta B + \Delta C.$$

DIFFÉRENCE

Comme la démonstration de la somme s'applique aussi bien à des nombres négatifs qu'à des nombres positifs, nos résultats sont tout aussi valables pour une différence; la démonstration en est laissée en exercice (voir l'exercice 2.10 sur le disque compact). Voici la règle pour une somme ou une différence.

RÈGLE 1

Si $A = B + C$ ou si $A = B - C$, alors
$$\Delta A = \Delta B + \Delta C.$$

L'incertitude absolue (ΔA) sur une somme ou sur une différence est égale à la somme des incertitudes absolues ($\Delta B + \Delta C$) sur chacun des termes de cette somme ou de cette différence.

PRODUIT

Soit $B = \overline{B} \pm \Delta B$ et $C = \overline{C} \pm \Delta C$. Sachant que $A = B \times C$, on veut trouver $\overline{A} \pm \Delta A$. Alors:

$$|A| = |B| \times |C|$$
$$|A|_{max} = (|\overline{B}| + \Delta B) \times (|\overline{C}| + \Delta C) = |\overline{B}\,\overline{C}| + |\overline{C}|\Delta B + |\overline{B}|\Delta C + \Delta B \Delta C$$
$$|A|_{min} = (|\overline{B}| - \Delta B) \times (|\overline{C}| - \Delta C) = |\overline{B}\,\overline{C}| - |\overline{C}|\Delta B - |\overline{B}|\Delta C + \Delta B \Delta C.$$

Si ΔB et ΔC sont suffisamment petits par rapport à B et à C, on peut négliger le terme $\Delta B \Delta C$:

$$|\overline{A}| = \frac{|A|_{max} + |A|_{min}}{2} = |\overline{B}||\overline{C}| \quad \text{et} \quad \Delta A = \frac{|A|_{max} - |A|_{min}}{2} = (|\overline{C}|\Delta B + |\overline{B}|\Delta C).$$

En décomposant l'expression $\dfrac{\Delta A}{|\overline{A}|}$ en fractions partielles, on obtient

$$\frac{\Delta A}{|\overline{A}|} = \frac{\Delta B}{|\overline{B}|} + \frac{\Delta C}{|\overline{C}|}.$$

QUOTIENT

Soit $B = \overline{B} \pm \Delta B$ et $C = \overline{C} \pm \Delta C$. Sachant que $A = \dfrac{B}{C}$, on veut trouver $\overline{A} \pm \Delta A$. Alors :

$$|A| = \frac{|B|}{|C|}$$

$$|A|_{max} = \frac{|B|_{max}}{|C|_{min}} = \frac{|\overline{B}| + \Delta B}{|\overline{C}| - \Delta C}$$

$$|A|_{min} = \frac{|B|_{min}}{|C|_{max}} = \frac{|\overline{B}| - \Delta B}{|\overline{C}| + \Delta C}.$$

Ce qui donne

$$\Delta A = \left(\frac{1}{2}\right)\left(\frac{2|\overline{C}|\Delta B + 2|\overline{B}|\Delta C}{\overline{C}^2 - (\Delta C)^2}\right) \quad \text{et} \quad |\overline{A}| = \left(\frac{1}{2}\right)\left(\frac{2|\overline{B}\,\overline{C}| + 2\Delta B \Delta C}{\overline{C}^2 - (\Delta C)^2}\right).$$

Donc

$$\frac{\Delta A}{|\overline{A}|} = \frac{|\overline{C}|\Delta B + |\overline{B}|\Delta C}{|\overline{B}\,\overline{C}| + \Delta B \Delta C}.$$

Si on néglige le terme $\Delta B \Delta C$, alors $\dfrac{\Delta A}{|\overline{A}|} = \dfrac{\Delta B}{|\overline{B}|} + \dfrac{\Delta C}{|\overline{C}|}$.

Si on néglige aussi $(\Delta C)^2$, alors $|\overline{A}| = \dfrac{|\overline{B}|}{|\overline{C}|}$.

On remarque que la formule obtenue pour l'incertitude relative est la même que dans le cas d'un produit. On peut donc énoncer la règle 2.

RÈGLE 2

Dans les cas où ΔB et ΔC sont petits par rapport à B et à C, si $A = B \times C$ ou $A = B/C$, alors

$$\frac{\Delta A}{|\overline{A}|} = \frac{\Delta B}{|\overline{B}|} + \frac{\Delta C}{|\overline{C}|}.$$

L'incertitude relative $\dfrac{\Delta A}{|\overline{A}|}$ sur un produit ou un quotient est égale à la somme $\left(\dfrac{\Delta B}{|\overline{B}|} + \dfrac{\Delta C}{|\overline{C}|}\right)$ des incertitudes relatives de chacun des facteurs de ce produit ou de ce quotient.

2.3 DÉTERMINATION DES INCERTITUDES PAR LE CALCUL DIFFÉRENTIEL

Le calcul différentiel reposant sur la notion de variations très petites, on peut l'utiliser pour calculer des incertitudes. La différentielle du d'une fonction u est un excellent outil pour calculer des incertitudes : on l'utilise pour déterminer l'effet des incertitudes Δx, Δy, … sur la fonction $u(x, y, …)$. Cependant, avant de l'utiliser, il faut vérifier si certaines conditions sont respectées.

- D'abord, la fonction ne doit pas passer par un extremum ; elle doit être soit croissante, soit décroissante dans l'intervalle considéré.

- Ensuite, lorsqu'on évalue Δu à l'aide de la différentielle du, on doit tenir compte du fait que la différentielle est une variation et que, à ce titre, elle peut être négative ou positive ; dans le calcul de l'incertitude, par contre, Δu représente l'incertitude absolue, laquelle est toujours positive. Il faut donc introduire des valeurs absolues aux endroits pertinents.

- Finalement, on peut obtenir une bonne estimation de Δu en utilisant la différentielle du, à condition que les variations $\Delta x = |dx|$, $\Delta y = |dy|$, … soient suffisamment petites*.

Sous réserve de ce qui précède, $\Delta u \equiv |du|$ et on peut évaluer $\overline{u} \pm \Delta u$ de la façon suivante :

$$\overline{u} = u(\overline{x}, \overline{y}, …) \quad \text{et} \quad \Delta u = \left|\frac{\partial u}{\partial x}\right|\Delta x + \left|\frac{\partial u}{\partial y}\right|\Delta y + …$$

Lorsque u est fonction de plusieurs variables, celles-ci doivent être indépendantes, c'est-à-dire qu'aucune d'entre elles ne doit dépendre d'une autre. Par exemple, prenons la formule $V = Q/(C_1 + C_2)$ où $Q = C_1 V_1$. On voit que Q est une variable dépendante de C_1. On ne peut donc pas utiliser la différentielle et dire que :

$$\Delta V \neq \left|\frac{\partial V}{\partial Q}\right|\Delta Q + \left|\frac{\partial V}{\partial C_1}\right|\Delta C_1 + \left|\frac{\partial V}{\partial C_2}\right|\Delta C_2$$

Avant d'effectuer les dérivées partielles, il faut remplacer Q par la fonction $C_1 V_1$. On obtient $V = C_1 V_1/(C_1 + C_2)$. On peut ensuite utiliser la différentielle pour calculer la propagation de l'incertitude.

$$\Delta V = \left|\frac{\partial V}{\partial V_1}\right|\Delta V_1 + \left|\frac{\partial V}{\partial C_1}\right|\Delta C_1 + \left|\frac{\partial V}{\partial C_2}\right|\Delta C_2$$

Lorsque u est fonction d'une seule variable x, $\Delta u = |du| = |u'(\overline{x})|\Delta x$.

....

* Nous expliquerons ce que nous entendons par « petite » à la section 2.5.

EXEMPLE (5)

Si $u = \ln x$ avec $x = 25,1 \pm 0,1$

$$\overline{u} = \ln 25,1 = 3,2229 \quad \text{et} \quad \Delta u = \left|\frac{1}{\overline{x}}\right|\Delta x = \left|\frac{1}{25,1}\right|0,1 = 0,003\,98$$

donc $u = \mathbf{3,223 \pm 0,004}$.

Pour évaluer l'incertitude d'une fonction trigonométrique à l'aide de la différentielle, **on doit transformer les degrés en radians.** Comme la différentielle d'une fonction trigonométrique dépend de $d\theta$, il faut que $d\theta$ soit en radians.

EXEMPLE (6)

On a vu dans l'exemple 3 (p. 52) que, si $A = \sin(12 \pm 1)°$, alors $A = 0,21 \pm 0,02$. Avec la différentielle, on trouve :

$$A = \sin\theta \Rightarrow \overline{A} = \sin\overline{\theta} \quad \text{et} \quad \Delta A = |d(\sin\theta)| = |\cos\overline{\theta}|d\theta$$

$$\overline{A} = \sin 12° = 0,2079 \quad \text{et} \quad \Delta A = |\cos 12°|\Delta\theta.$$

On doit calculer $\Delta A = |\cos 12°|\Delta\theta$ **en transformant** $\Delta\theta$ **en radians**
$(1° = \dfrac{\pi}{180} \text{ rad})$.

On obtient alors $\Delta A = |\cos 12°| \times 0,0174 = 0,017$. On retrouve le résultat de l'exemple 3 : $A = \mathbf{0,21 \pm 0,02}$.

EXEMPLE (7)

Si $y = x^n$, où $x = \overline{x} \pm \Delta x$ et où n est un nombre sans incertitude, sachant que la dérivée $y' = nx^{n-1}$, alors

$$\overline{y} = (\overline{x})^n \quad \text{et} \quad \Delta y = \left|n(\overline{x})^{n-1}\right|\Delta x.$$

On trouve donc que l'incertitude relative $\dfrac{\Delta \boldsymbol{y}}{|\overline{\boldsymbol{y}}|} = |\boldsymbol{n}|\dfrac{\Delta \boldsymbol{x}}{|\overline{\boldsymbol{x}}|}$.

À partir du résultat de l'exemple 7, qui donne l'incertitude sur une puissance ou une racine, on peut élaborer la règle 3.

RÈGLE 3

Dans les cas où Δx est petit par rapport à x, si $y = x^n$, où n est un nombre quelconque sans incertitude, alors

$$\frac{\Delta y}{|\overline{y}|} = |n|\frac{\Delta x}{|\overline{x}|}.$$

L'incertitude relative sur la puissance d'une variable est égale au produit de la valeur absolue de l'exposant par l'incertitude relative sur cette variable.

EXEMPLE **8**

- Si $u = 2x^2y + xy^2$ et qu'il y a incertitude sur x et y, alors

$$\Delta u = \left|4\overline{xy} + (\overline{y})^2\right|\Delta x + \left|2(\overline{x})^2 + 2\overline{xy}\right|\Delta y.$$

- Si $A = BC$ et qu'il y a incertitude sur B et C, alors

$$\Delta A = |\overline{B}|\Delta C + |\overline{C}|\Delta B.$$ *On retrouve ici la même expression que dans le cas du produit présenté à la section 2.2.*

- Si $y = \dfrac{x}{z}$ et qu'il y a incertitude sur x et z, alors

$$\Delta y = \left|\frac{1}{\overline{z}}\right|\Delta x + \left|\frac{-\overline{x}}{(\overline{z})^2}\right|\Delta z.$$

Donc

$$\frac{\Delta y}{|\overline{y}|} = \frac{\Delta x}{|\overline{x}|} + \frac{\Delta z}{|\overline{z}|}$$ *On retrouve ici la règle 2 présentée à la section 2.2.*

2.4 APPLICATION DIRECTE DES RÈGLES SIMPLES

Comme nous l'avons montré dans les sections 2.2 et 2.3, il existe des règles qui permettent de calculer l'incertitude sur une mesure obtenue à l'aide d'opérations mathématiques simples (somme, différence, produit, quotient et puissance). Rappelons ces trois règles :

Règle 1.   Si $A = B + C$ ou $B - C$, alors $\Delta A = \Delta B + \Delta C$ et $\overline{A} = \overline{B} + \overline{C}$ ou $\overline{A} = \overline{B} - \overline{C}$.

Règle 2.   Si $A = B \times C$ ou B/C, alors $\dfrac{\Delta A}{|\overline{A}|} = \dfrac{\Delta B}{|\overline{B}|} + \dfrac{\Delta C}{|\overline{C}|}$ et $\overline{A} = \overline{B} \times \overline{C}$ ou $\overline{A} = \overline{B}/\overline{C}$.

Règle 3.   Si $A = B^C$, alors $\dfrac{\Delta A}{|\overline{A}|} = |C|\,\dfrac{\Delta B}{|\overline{B}|}$ et $\overline{A} = \overline{B}^C$.

Pour appliquer ces règles, il faut d'abord que les conditions d'utilisation du calcul différentiel soient satisfaites : la fonction ne doit pas passer par un extremum et les incertitudes relatives doivent être petites*. De plus, si on retrouve la même variable plusieurs fois dans l'expression d'une fonction, il faut, avant d'appliquer les règles, réorganiser l'expression de sorte qu'une variable n'apparaisse qu'une seule fois. Il est important de respecter cette condition dans le cas d'un quotient et d'une différence, sinon on surestime l'incertitude. Pour utiliser les règles simples, il faut soit mettre l'expression de la fonction en évidence, soit la diviser, ou encore la décomposer en fractions partielles. La variable ne doit figurer qu'une seule fois dans l'expression de la fonction. Si on ne peut respecter cette condition, on ne doit pas utiliser les règles simples.

L'utilisation de règles simples facilite parfois le calcul d'incertitude.

 EXEMPLE   9

Expressions à réorganiser avant d'utiliser les règles simples

$$A = \frac{q + 1}{q} \quad \Rightarrow \quad A = 1 + \frac{1}{q}$$

$$A = 5B - 2B \quad \Rightarrow \quad A = 3B$$

$$A = \frac{q + p}{pq} \quad \Rightarrow \quad A = \frac{1}{p} + \frac{1}{q}$$

 EXEMPLE   10

Expressions qu'on ne peut réorganiser et pour lesquelles les règles simples ne conviennent pas

$$A = (w + b)/(w + l)$$

$$A = (B + C)/(B + C)^{1/4}$$

$$A = \frac{L^2}{12d} + d$$

---

*   Nous expliquerons ce que nous entendons par « petite » à la section 2.5.

2.4.1 Résultat obtenu à la suite d'une seule opération mathématique

Lorsque le résultat recherché demande une seule opération mathématique, on applique la règle appropriée et on exprime le résultat en tenant compte des chiffres significatifs.

 EXEMPLE **11**

On a une température initiale de $(8,0 \pm 0,5)$ °C et une température finale de $(22,0 \pm 0,5)$ °C.

La différence de température est de 22,0 °C – 8,0 °C = 14,0 °C.

Selon la règle 1, l'incertitude absolue sur une différence est la somme des incertitudes absolues de chacun des termes de la différence.

L'incertitude absolue sur cette différence est de 0,5 °C + 0,5 °C = 1°C.

La différence de température est donc de **(14 ± 1) °C**.

EXEMPLE **12**

Pour trouver la masse volumique ρ d'un liquide, on utilise la formule $\rho = m/V$, où m est la masse d'un volume V de ce liquide.

Selon la règle 2, l'incertitude relative sur un quotient est la somme des incertitudes relatives de chacun de ses termes.

On a

$$V = (10,00 \pm 0,06) \text{ mL} \quad \text{ou} \quad 10,00 \text{ mL à } 0,6 \text{ \% et}$$

$$m = (14,327 \pm 0,002) \text{ g} \quad \text{ou} \quad 14,327 \text{ g à } 0,013 \text{ } 96 \text{ \%.}$$

Donc

$$\overline{\rho} = \frac{14,327 \text{ g}}{10,00 \text{ mL}} = 1,4327 \text{ g/mL à } 0,613 \text{ } 96 \text{ \%}^*.$$

L'incertitude absolue est $\Delta\rho = 0,613 \text{ } 96 \text{ \%}$ de 1,4327 g/mL = 0,008 796 g/mL.

La masse volumique du liquide est donc de **(1,433 ± 0,009) g/mL**.

....

* En cours de calcul, on n'arrondit pas l'incertitude relative à deux chiffres.

2.4.2 Résultat obtenu à la suite de plusieurs opérations mathématiques

Lorsqu'on doit effectuer plusieurs opérations mathématiques pour chercher un résultat, on applique les règles appropriées les unes à la suite des autres, sans arrondir en cours de calcul. Aux étapes inter-médiaires, on ne calcule l'in-certitude absolue que si une addition ou une soustraction l'exige. À la toute fin, on con-serve un seul chiffre significa-tif à l'incertitude absolue, et on ajuste le nombre de chif-fres significatifs du résultat. On évite ainsi d'arrondir plu-sieurs fois durant les calculs, ce qui permet de ne pas s'éloigner de la valeur que l'on cherche.

EXEMPLE 13

Pour calculer le nombre de moles d'un gaz, on isole la variable n de la loi des gaz par-faits. On obtient la formule suivante :

$$n = \frac{PV}{RT}.$$

Puisque cette formule ne comporte que des produits et des quotients, on applique la règle 2 trois fois de suite. Pour calculer l'incertitude relative sur n, on doit donc addi-tionner les incertitudes relatives de chacun des termes de la formule.

On trouve la constante des gaz parfaits R^* :

$$R = 8{,}314\,41 \pm 0{,}000\,52 \text{ Pa m}^3\text{mol}^{-1}\text{K}^{-1}$$

ou

$$R = 8{,}314\,41 \text{ Pa m}^3\text{mol}^{-1}\text{K}^{-1} \text{ à } 0{,}006 \%.$$

On a les mesures :

$P = (98{,}9 \pm 0{,}1) \times 10^3$ Pa	ou	$98{,}9 \times 10^3$ Pa à $0{,}101 \%$,
$V = (1{,}40 \pm 0{,}01) \times 10^{-4}$ m³	ou	$1{,}40 \times 10^{-4}$ m³ à $0{,}714 \%$,
$T = (297{,}5 \pm 0{,}5)$ K	ou	$297{,}5$ K à $0{,}168 \%$.

---

* *Handbook of Chemistry and Physics*, 67ᵉ édition, p. F-188. L'incertitude indiquée ici correspond au double de l'écart type donné dans le *Handbook*.

Donc
$$\overline{n} = \frac{(98,9 \times 10^3 \text{ Pa})(1,40 \times 10^{-4} \text{ m}^3)}{(8,314\,41\,\text{Pa m}^3\,\text{mol}^{-1}\,\text{K}^{-1})(297,5\,\text{K})}$$

$$\overline{n} = 5,597\,65 \times 10^{-3} \text{ mol à 0,989 \%.}$$

L'incertitude absolue est

$$\Delta n = 0,989 \text{ \% de } 5,597\,65 \times 10^{-3} \text{ mol} = 0,0554 \times 10^{-3} \text{ mol.}$$

Le nombre de moles de gaz est donc de **$(5,60 \pm 0,06) \times 10^{-3}$ mol**.

EXEMPLE 14

Pour mesurer la constante ébullioscopique $K_{éb}$ de l'eau, on utilise une solution d'éthylèneglycol dissous dans l'eau. Ce système obéit à la relation $\Delta T_{éb} = K_{éb}\,m$, dans laquelle $\Delta T_{éb}$ est la variation du point d'ébullition et m, la molalité de la solution aqueuse d'éthylèneglycol.

On a les mesures suivantes :

$T_{éb}$ eau = $(98,5 \pm 0,5)$ °C   masse d'eau = $(50,642 \pm 0,002)$ g

$T_{éb}$ solution = $(108,0 \pm 0,5)$ °C   masse d'éthylèneglycol = $(57,427 \pm 0,002)$ g

Premièrement, on calcule la molalité (nombre de moles de soluté par kilogramme de solvant) de la solution d'éthylèneglycol : pour calculer le nombre de moles de soluté n, on divise la masse du soluté par sa masse molaire ; pour calculer la masse molaire d'une molécule, on additionne les masses molaires des atomes qui la constituent. Généralement, on trouve ces masses dans un tableau périodique, mais les incertitudes n'y sont pas indiquées. On doit donc leur donner une incertitude de 1 unité sur le dernier chiffre. La formule moléculaire de l'éthylèneglycol étant $C_2H_6O_2$, on a :

$$C = (12,011 \pm 0,001) \text{ g/mol,}$$
$$H = (1,0079 \pm 0,0001) \text{ g/mol,}$$
$$O = (15,9994 \pm 0,0001) \text{ g/mol.}$$

En additionnant les masses de (C+C+H+H+H+H+H+H+O+O), on trouve une masse molaire de $(62,0682 \pm 0,0028)$ g/mol. *Comme il s'agit d'une addition, on applique la règle 1 : (0,002 + 0,0006 + 0,0002 = 0,0028) g/mol.*

Donc

$$n = \frac{(57,427 \pm 0,002) \text{ g}}{(62,0682 \pm 0,0028) \text{ g/mol}} = \frac{57,427 \text{ g à 0,003 48 \%}}{62,0682 \text{ g/mol à 0,0045 \%}}$$

$$n = 0,925\,224 \text{ mol à 0,007 98 \%.}$$

Comme il s'agit d'une division, on applique la règle 2.

Puisqu'on calcule la molalité en divisant le nombre de moles par la masse d'eau en kilogrammes, on doit convertir la masse d'eau en kilogrammes avant d'appliquer la règle 2.

La masse d'eau est de

$$(50{,}642 \pm 0{,}002)\ g = (50{,}642 \pm 0{,}002)\ 10^{-3}\ kg = 50{,}642 \times 10^{-3}\ kg\ \text{à } 0{,}003\ 95\ \%.$$

Donc

$$m = \frac{0{,}925\ 224\ \text{mol à } 0{,}007\ 98\ \%}{50{,}642 \times 10^{-3}\ kg\ \text{à } 0{,}003\ 95\ \%}$$

$$m = 18{,}2699\ \text{mol/kg d'eau à } 0{,}0119\ \%.$$

Deuxièmement, on calcule la variation de température :

$$\Delta T_{\text{éb}} = (108{,}0 \pm 0{,}5)\ °C - (98{,}5 \pm 0{,}5)\ °C = (9{,}5 \pm 1)\ °C = (9{,}5 \pm 1)\ K.$$

Comme il s'agit d'une différence, on applique la règle 1.

Finalement, on calcule la constante ébullioscopique $K_{\text{éb}}$ de l'eau :

$$K_{\text{éb}} = \frac{(9{,}5 \pm 1)\ K}{18{,}2699\ \text{mol/kg d'eau à } 0{,}0119\ \%}$$

$$K_{\text{éb}} = \frac{9{,}5\ K\ \text{à } 10{,}53\ \%}{18{,}2699\ \text{mol/kg d'eau à } 0{,}0119\ \%}$$

$$K_{\text{éb}} = 0{,}5200\ K\ \text{mol}^{-1}\ \text{kg d'eau à } 10{,}5419\ \%$$

$$K_{\text{éb}} = (0{,}5200 \pm 0{,}0548)\ K\ \text{mol}^{-1}\ \text{kg d'eau}.$$

Donc

$$\mathbf{K_{\text{éb}} = (0{,}52 \pm 0{,}05)\ K\ mol^{-1}\ kg\ d'eau.}$$

On arrondit l'incertitude ainsi que la meilleure estimation à la fin du calcul seulement.

2.5 MÉTHODES DE CALCUL DE L'INCERTITUDE ET CHIFFRES SIGNIFICATIFS

Nous avons vu dans les pages qui précèdent trois méthodes de calcul d'incertitude : la méthode des extrêmes, la différentielle et les règles simples. On peut utiliser la différentielle pour démontrer les trois règles simples, mais on ne peut utiliser ces deux méthodes si les incertitudes sont trop grandes ou si la fonction passe par un extremum.

Lorsqu'une fonction passe par un extremum, on peut seulement appliquer la méthode des extrêmes. Ainsi, si on avait employé la différentielle dans l'exemple 4 (p. 53), où $A = \sin(90 \pm 2)°$, on aurait trouvé une incertitude nulle ($\Delta A = |\cos 90°|\ \Delta\theta$), ce qui est impossible.

Par ailleurs, que signifient des incertitudes trop grandes? Quand peut-on considérer les incertitudes comme suffisamment petites pour que l'utilisation de la différentielle ou des règles simples se justifie? La réponse à cette question dépend de l'opération envisagée et du nombre de chiffres significatifs que l'on conserve dans la réponse finale. Ainsi, avec $A = B \times C$, si $B = (4{,}0 \pm 0{,}2)$ et $C = (3 \pm 1)$, on obtient:

$$A = 12{,}2 \pm 4{,}6 \text{ avec la méthode des extrêmes et}$$
$$A = 12{,}0 \pm 4{,}6 \text{ avec la différentielle ou la règle 2.}$$

Même avec une incertitude relative de 33 % sur C, on peut utiliser la différentielle et considérer cette incertitude comme «petite», si on arrondit l'incertitude absolue à un chiffre. Toutes les méthodes donnent alors: $A = 12 \pm 5$.

Toutefois, il ne faut pas en conclure que 33 % correspond toujours à une petite incertitude. Avec les mêmes valeurs de B et de C, si on a $D = B/C$, on obtient:

$$D = 1{,}525 \pm 0{,}575 \text{ avec la méthode des extrêmes et}$$
$$D = 1{,}333 \pm 0{,}51 \text{ avec la différentielle ou la règle 2.}$$

Cette fois, avec une incertitude relative de 33 %, la différentielle engendre une mauvaise estimation même si l'incertitude absolue ne comporte qu'un seul chiffre ($1{,}3 \pm 0{,}5$ ne donne pas exactement $1{,}5 \pm 0{,}6$).

Chaque situation doit être analysée séparément. Toutefois, **si les incertitudes relatives ne dépassent pas 10 à 15 %, on peut généralement utiliser la différentielle ou les règles simples,** dans la mesure où on arrondit l'incertitude absolue du résultat final à un seul chiffre significatif. L'exemple 15 nous permettra d'illustrer ce qui précède et d'utiliser les trois méthodes de calcul de l'incertitude pour résoudre un même problème.

EXEMPLE (15)

Soit $\dfrac{1}{f} = \dfrac{1}{p} + \dfrac{1}{q}$.

On cherche f si $p = (-8{,}0 \pm 0{,}6)$ cm et $q = (25 \pm 4)$ cm.

Méthode des extrêmes

On trouve:

$$\frac{1}{f_{max}} = \frac{1}{p_{max}} + \frac{1}{q_{max}} \Rightarrow \frac{1}{f_{max}} = \frac{1}{-7{,}4} + \frac{1}{29} \Rightarrow f_{max} = -9{,}935 \text{ cm et}$$

$$\frac{1}{f_{min}} = \frac{1}{p_{min}} + \frac{1}{q_{min}} \Rightarrow \frac{1}{f_{min}} = \frac{1}{-8{,}6} + \frac{1}{21} \Rightarrow f_{min} = -14{,}56 \text{ cm.}$$

Donc
$$\bar{f} = \frac{f_{max} + f_{min}}{2} = -12{,}25$$

$$\Delta f = \frac{f_{max} - f_{min}}{2} = 2{,}3$$

$$\boldsymbol{f = (-12 \pm 2)\ \text{cm}.}$$

Règles simples

On isole f.

$$f = \left(\frac{1}{p} + \frac{1}{q}\right)^{-1}$$

$$f = \left(\frac{1}{(-8{,}0 \pm 0{,}6)\ \text{cm}} + \frac{1}{(25 \pm 4)\ \text{cm}}\right)^{-1}$$

$$f = \left(\frac{1}{-8{,}0\ \text{cm à 7,5 \%}} + \frac{1}{25\ \text{cm à 16 \%}}\right)^{-1}.$$

Puisque $\dfrac{1}{p}$ et $\dfrac{1}{q}$ sont des quotients, on utilise la règle 2.

Donc
$$f = [-0{,}125\ \text{cm}^{-1}\ \text{à 7,5 \% } + 0{,}04\ \text{cm}^{-1}\ \text{à 16 \%}]^{-1}$$

$$f = [(-0{,}125 \pm 0{,}009\ 375)\ \text{cm}^{-1} + (0{,}04 \pm 0{,}0064)\ \text{cm}^{-1}]^{-1}.$$

Puisqu'il s'agit d'une addition, on utilise la règle 1.

Donc
$$f = [(-0{,}085 \pm 0{,}015\ 775)\ \text{cm}^{-1}]^{-1}$$

$$f = (-0{,}085\ \text{cm}^{-1}\ \text{à 18,56 \%})^{-1}.$$

Puisqu'il s'agit d'une puissance, on utilise la règle 3.

Donc
$$f = -11{,}765\ \text{cm à 18,56 \%}$$

$$f = (-11{,}765 \pm 2{,}18)\ \text{cm}.$$

On obtient finalement :
$$\boldsymbol{f = (-12 \pm 2)\ \text{cm}.}$$

Calcul différentiel

Ici, f est fonction de p et de q : $f = f(p, q)$.

Donc
$$\Delta f = \left|\frac{\partial f}{\partial p}\right|\Delta p + \left|\frac{\partial f}{\partial q}\right|\Delta q \quad \text{et} \quad \bar{f} = f(\bar{p}, \bar{q}).$$

On isole f.
$$f = \left(\frac{1}{p} + \frac{1}{q}\right)^{-1}.$$

Donc
$$\Delta f = \left| -1\left(\frac{1}{p} + \frac{1}{q}\right)^{-2} \frac{-1}{p^2}\right|\Delta p + \left| -1\left(\frac{1}{p} + \frac{1}{q}\right)^{-2} \frac{-1}{q^2}\right|\Delta q$$

$$\Rightarrow \Delta f = \left(\frac{1}{p} + \frac{1}{q}\right)^{-2}\left(\frac{\Delta p}{p^2} + \frac{\Delta q}{q^2}\right), \text{ où } p \text{ et } q \text{ correspondent à } \overline{p} \text{ et à } \overline{q}.$$

On trouve $\overline{f} = -11{,}765$ cm et $\Delta f = 2{,}18$ cm.

Donc **$f = (-12 \pm 2)$ cm**.

LES TROIS MÉTHODES ET LES CHIFFRES SIGNIFICATIFS

Comparons les résultats obtenus dans l'exemple 15 selon la méthode utilisée.

- En gardant deux chiffres significatifs à l'incertitude absolue, on obtient :

  avec la méthode des extrêmes : $f = (-12{,}2 \pm 2{,}3)$ cm

  avec les règles simples : $f = (-11{,}8 \pm 2{,}2)$ cm

  avec le calcul différentiel : $f = (-11{,}8 \pm 2{,}2)$ cm

- En gardant un chiffre significatif à l'incertitude absolue, on obtient :

  avec les trois méthodes : $f = (-12 \pm 2)$ cm

Comme nous pouvons le constater, le calcul différentiel donne exactement le même résultat que l'application directe des règles simples ; ces deux méthodes sont donc équivalentes. Par ailleurs, nous remarquons que l'une et l'autre donnent une incertitude plus petite que la méthode des extrêmes ($2{,}2 < 2{,}3$) : au cours de la démonstration de la règle 2 (voir la section 2.2), on néglige les termes qui ont des incertitudes d'ordre deux. Enfin, nous avons la confirmation que notre convention d'arrondir l'incertitude absolue à un chiffre significatif, qui pouvait paraître simpliste (voir la section 1.7.1, p. 14), permet de ne pas resserrer outre mesure les conditions d'application des différentes méthodes de calcul de l'incertitude.

2.6 DÉTERMINATION DES INCERTITUDES PAR LA SOMME QUADRATIQUE

Avec les systèmes d'acquisition d'aujourd'hui, il est facile de prendre un très grand nombre de données. Quand la distribution de ces données s'insère dans une gaussienne, la mesure est $\overline{X} \pm \Delta X$, où $\overline{X}$ est la moyenne des x_i et où l'incertitude ΔX est évaluée à partir de l'écart type σ de la distribution (voir la section 1.11). Si les incertitudes systématiques sont négligeables, on dit que $\Delta X = \Delta$ aléatoire $= 2\sigma$.

Pour comprendre comment se propage l'incertitude, examinons deux séries de données répondant chacune à une distribution gaussienne et supposons que l'incertitude systématique est négligeable. Par exemple, on aurait $V_1 = \overline{V_1} \pm (2\sigma_1)$ et $V_2 = \overline{V_2} \pm (2\sigma_2)$. Lorsqu'on additionne V_1 et V_2 pour obtenir V_T, on comprend qu'il est bien peu probable qu'ils soient tous les deux à leur valeur minimale ou maximale en même temps. Dans ce cas, il est bien peu probable que $V_{T\max}$ soit donné par $V_{1\max} + V_{2\max}$ et que $V_{T\min}$ soit donné par $V_{1\min} + V_{2\min}$.

En fait, les statistiques montrent que, en additionnant deux séries de valeurs distribuées normalement autour des moyennes $\overline{X}$ et $\overline{Y}$, on obtient une troisième série de valeurs distribuées normalement autour de $\overline{X} + \overline{Y}$. Si les écarts types des deux premières séries sont σ_1 et σ_2, l'écart type de leur somme σ_T est donné par une somme quadratique $\sigma_T = \sqrt{\sigma_1^2 + \sigma_2^2}$. Les écart types ne se propagent pas selon la méthode des extrêmes, $\sigma_T \neq \sigma_1 + \sigma_2$. La figure 2.5● illustre la somme de deux gaussiennes. Pour visualiser d'autres cas, utilisez le fichier correspondant du disque compact qui accompagne le manuel.

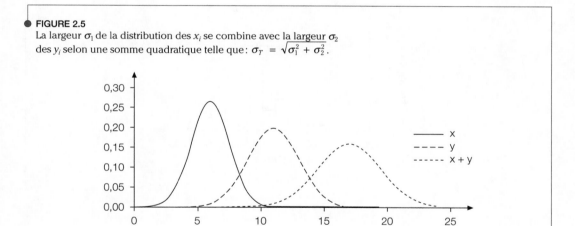

● **FIGURE 2.5**
La largeur σ_1 de la distribution des x_i se combine avec la largeur σ_2 des y_i selon une somme quadratique telle que : $\sigma_T = \sqrt{\sigma_1^2 + \sigma_2^2}$.

Pour vérifier si ce résultat s'applique expérimentalement, nous avons pris deux séries* d'une centaine de voltages V_1 et V_2 répondant approximativement à une distribution gaussienne. L'écart type des voltages 1 est de 0,002 16 V ; celui des voltages 2, de 0,001 86 V ; celui des diverses sommes $V_1 + V_2$, de 0,002 83 V. La somme quadratique donne pratiquement le même écart type, soit 0,002 86 V, tandis que la différentielle donne 0,004 V, ce qui est trop grand. La figure 2.6● illustre les distributions obtenues.

Dans cet exemple, en prenant comme incertitude absolue 2σ, on a :

$$V_1 = (3{,}093 \pm 0{,}004)\,\text{V} \quad V_2 = (1{,}296 \pm 0{,}004)\,\text{V} \quad \text{et} \quad V_1 + V_2 = (4{,}389 \pm 0{,}006)\,\text{V}$$

....
* Pour voir l'ensemble des valeurs, ouvrez la feuille « V1 + V2 » du fichier Excel « Somme quadratique.xls ».

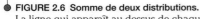
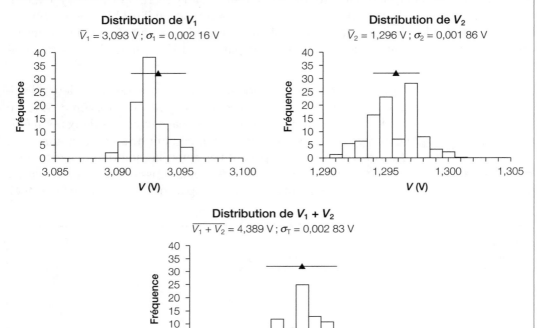

FIGURE 2.6 Somme de deux distributions.
La ligne qui apparaît au-dessus de chaque histogramme représente la moyenne ± son écart type.

On peut trouver le moyen par lequel se propagent les écarts types dans le cas général*. Supposons par exemple une fonction A, qui dépend de grandeurs indépendantes x, y, ... Si les valeurs des x, y, ... sont distribuées normalement, alors celles des $A(x, y, ...)$ le seront aussi. Cette distribution aura une valeur moyenne $\overline{A}$ et un écart type σ_A, tel que :

$$\overline{A} = A(\overline{x}, \overline{y}, ...) \quad \text{et} \quad \sigma_A = \sqrt{\left(\frac{\partial A}{\partial x}\sigma_x\right)^2 + \left(\frac{\partial A}{\partial y}\sigma_y\right)^2 + ...}$$

En partant des V_1 et des V_2 de la figure 2.6●, on voit, dans la feuille «Plusieurs cas» du fichier «Somme quadratique.xls», que l'écart type des diverses distributions (somme, différence, produit…) correspond à celui qui a été calculé avec la formule donnant σ_A.

* TAYLOR, 2000, p. 136.

Cette formule porte le nom de *somme quadratique*. Le tableau ci-dessous, extrait de la feuille Excel «Plusieurs cas», présente un aperçu des résultats obtenus (en regardant le contenu de chaque cellule, vous verrez les détails des formules utilisées).

	V_1	V_2	$V_1 + V_2$	$V_1 - V_2$	$V_1 \times V_2$	V_1/V_2	$(1/V_1 + 1/V_2)^{-1}$	$\sin(V_2/V_1)$
moyenne	3,093	1,296	4,3890	1,7974	4,0081	2,3871	0,913 22	0,406 77
écart type	0,002	0,002	0,0028	0,0029	0,0064	0,0039	0,000 94	0,000 62
somme quadratique			0,0029	0,0029	0,0064	0,0038	0,000 95	0,000 61
différentielle			0,0040	0,0040	0,0086	0,0051	0,001 12	0,000 82

La propagation des écarts types révèle la propagation des incertitudes aléatoires. Puisque celles-ci sont données par 2σ, il suffit de multiplier l'égalité donnant σ_A par deux et de distribuer le produit à l'intérieur de la racine carrée. On obtient alors la formule suivante, qui n'est rigoureusement bonne que pour les incertitudes aléatoires ; c'est elle qui porte le nom de *somme quadratique*.

Propagation des incertitudes aléatoires Δx aléatoire, Δy aléatoire, ... selon la formule appelée *somme quadratique* :

$$\Delta A \text{ aléatoire} = \sqrt{\left(\frac{\partial A}{\partial x} \Delta x \text{ aléatoire}\right)^2 + \left(\frac{\partial A}{\partial y} \Delta y \text{ aléatoire}\right)^2 + \dots}$$

La somme quadratique s'apparente à la formule donnant l'incertitude par différentielle. Dans le cas d'une fonction à une seule variable, $A = A(x)$, les deux formules donnent le même résultat :

$$\Delta A = +\sqrt{\left(\frac{dA}{dx} \Delta x\right)^2} = \left|\frac{dA}{dx}\right| \Delta x$$

Si on utilise la somme quadratique, on doit être conscient alors que, aux restrictions d'avoir des variables $x, y, \dots$ indépendantes, distribuées normalement et dépourvues d'incertitudes systématiques, s'ajoutent les restrictions d'utilisation de la différentielle, à savoir que les incertitudes doivent être petites et que la fonction A ne doit pas passer par un extremum.

Revoyons de plus près ces restrictions.

- *La fonction A ne doit pas passer par un extremum* ; cette condition est sans appel. Par exemple, si $y = \sin(90 \pm 2)°$, on obtiendrait $\Delta y = 0$, ce qui est impossible.

- *Les variables $x, y, \dots$ doivent être indépendantes* ; il s'agit aussi d'une condition d'utilisation de la différentielle (voir la section 2.3, p. 60).

- *Les incertitudes doivent être «petites»*; cette condition est toute relative. En pratique, en arrondissant l'incertitude absolue à un chiffre significatif, on obtient des résultats corrects avec des incertitudes relatives de 10 à 15 % (voir la section 2.5, p. 67).

- *Les variables doivent être distribuées normalement;* cette condition résulte de la démonstration mathématique de la formule «somme quadratique». L'assertion selon laquelle l'applicabilité des résultats de la distribution normale n'est pas très sensible aux déviations à la normale* est encore vraie ici. Pour vous en convaincre, ouvrez la feuille «Non normale 1» du fichier «Somme quadratique». Vous verrez que, même si les histogrammes des différents V_1 et V_2 tendent vers une droite horizontale, loin d'une gaussienne, les écarts types des diverses distributions calculées s'accordent très bien avec ceux de la somme quadratique. Cependant, il ne faut pas oublier que, ce qu'on veut finalement, ce n'est pas calculer un chiffre σ, mais déterminer un domaine à l'intérieur duquel la «vraie» valeur doit se trouver, et ce avec une probabilité connue. Dans le cas d'une gaussienne, en attribuant $\pm 2\sigma$ à la moyenne, on obtient une probabilité de 95 %. Quand une distribution n'est pas normale, la correspondance entre l'écart type σ et la largeur de la distribution est inconnue. Pour en avoir une idée, il faut recourir à l'histogramme. Les feuilles «V1 + V2 non normale 1 et 2» illustrent deux cas différents. Dans le premier cas, la distribution des $V_1 + V_2$ s'approche de la normale, ce qui valide l'utilisation de la somme quadratique. Dans le deuxième cas, la méthode des extrêmes donne un meilleur résultat que celui obtenu avec la somme quadratique. Cependant, en attribuant une incertitude de $\pm 2\sigma$ à la moyenne, on recoupe toutes les valeurs. Bien que la méthode des extrêmes donne un meilleur résultat, on peut quand même utiliser ici la somme quadratique!

- *Les grandeurs $x, y, \ldots$ ne doivent pas avoir d'incertitude systématique ou, si c'est le cas, celle-ci doit être négligeable par rapport à l'incertitude aléatoire.* En toute rigueur, la somme quadratique évalue la propagation des incertitudes aléatoires, alors que la méthode des extrêmes ou la différentielle évaluent celle des incertitudes systématiques. À la figure 2.7●, les valeurs vraies sont représentées par des lignes verticales, $X_{vrai} = 5$ et $Y_{vrai} = 11$; on a alors $(X + Y)_{vrai} = 16$. Donc l'incertitude systématique des x_i (-3) s'ajoute à celle des y_i (-4) pour donner celle des $x_i + y_i$ (-7).

Nous avons vu que le facteur responsable d'une incertitude systématique agit sur une mesure soit en trop soit en moins. Dans la figure 2.7●, celui qui agit sur les x_i augmente toutes les valeurs de 3 unités, ce qui décale la gaussienne d'autant. L'incertitude systématique des x_i est donc de -3. Ainsi, quand une fonction A dépend de grandeurs $x, y, \ldots$ qui proviennent d'un même appareil**, ce dernier va augmenter ou diminuer systématiquement toutes les grandeurs, et l'incertitude systématique va donc se propager selon la méthode des extrêmes.

....
* Section 1.11, p. 42.
** Utiliser deux modes d'un multimètre revient à utiliser deux appareils différents puisque la précision de l'appareil varie selon le mode utilisé.

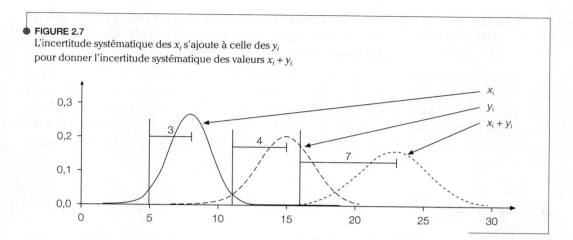

L'incertitude systématique des x_i s'ajoute à celle des y_i
pour donner l'incertitude systématique des valeurs $x_i + y_i$.

Cependant, nous avons vu à la section 1.8.5 (p. 24) qu'on évalue l'incertitude systématique sans connaître la valeur vraie si bien que, en bout de ligne, on attribue le signe ± à son évaluation. Alors, si une fonction A dépend de grandeurs $x, y, \ldots$ qui proviennent d'appareils différents, il est possible que l'incertitude systématique des x agisse dans un sens et celle des y dans l'autre. C'est pourquoi on peut se servir alors de la somme quadratique en utilisant l'incertitude totale (Δ systématique + Δ aléatoire) des variables $x, y, \ldots$

En résumé, lorsque $A = A (x, y, \ldots)$, où $x, y, \ldots$ sont des variables indépendantes, les conditions d'utilisation de la somme quadratique sont les suivantes.

- Concernant le calcul de ΔA aléatoire, il faut tenir compte de deux conditions :

  1) Si on a pris un grand nombre de données pour chacune des variables, et que ces dernières ont une distribution qui se rapproche de la normale, on évalue les moyennes $\bar{x}, \bar{y}, \ldots$ ainsi que les incertitudes aléatoires Δx aléatoire Δy aléatoire.

  2) Si les incertitudes relatives $\dfrac{\Delta x \text{ aléatoire}}{\bar{x}}$ et $\dfrac{\Delta y \text{ aléatoire}}{\bar{y}}$ ne sont pas supérieures à 10 ou 15 %, et qu'on a vérifié que la fonction A ne passe pas par un extremum dans l'intervalle étudié, **alors ΔA aléatoire est donnée par la somme quadratique**.

- Concernant le calcul de ΔA, il faut tenir compte de l'effet des incertitudes systématiques. On distingue alors les cas où les variables $x, y, \ldots$ sont mesurées avec le même instrument des cas où elles sont mesurées avec des instruments différents.

  1) **Dans le cas d'instruments différents, la somme quadratique donne l'incertitude absolue ΔA.** Pour la calculer, on remplace dans la formule «somme quadratique» les incertitudes aléatoires par les incertitudes Δx et Δy où $\Delta x = \Delta x$ aléatoire + Δx systématique et $\Delta y = \Delta y$ aléatoire + Δy systématique.

2) **Dans le cas d'un même instrument, on calcule ΔA systématique par la différentielle et ΔA aléatoire par la somme quadratique.** Finalement, $\Delta A = \Delta A$ systématique + ΔA aléatoire.

Il y aurait encore beaucoup à dire sur l'utilisation de la somme quadratique. Ajoutons, par exemple, qu'on peut l'utiliser pour calculer la propagation de l'incertitude aléatoire même si on n'a pas pris un grand nombre de données. Cependant, si on répond aux conditions mentionnées plus haut, on s'assure d'un résultat fiable, c'est-à-dire qu'avec une probabilité de 95 % la valeur cherchée A_{vrai} est à l'intérieur du domaine déterminé par $\overline{A} \pm \Delta A$.

2.7 RÉSUMÉ

Dans les sections précédentes, nous avons présenté quatre méthodes qui permettent d'obtenir l'incertitude sur le résultat d'un calcul.

MÉTHODE DES EXTRÊMES

Cette méthode s'applique dans tous les cas. Pour une fonction A donnée, qui dépend de une ou de plusieurs variables, on trouve tout d'abord les valeurs des variables qui permettront de calculer A_{max} et A_{min}. Ensuite, pour obtenir $A = \overline{A} \pm \Delta A$, on calcule

$$\overline{A} = \frac{A_{max} + A_{min}}{2} \quad \text{et} \quad \Delta A = \frac{A_{max} - A_{min}}{2}.$$

CALCUL DIFFÉRENTIEL

Pour utiliser cette méthode, il faut que les conditions suivantes soient vérifiées :

- La fonction ne doit pas passer par un extremum ;
- Les incertitudes relatives doivent être suffisamment petites, et généralement ne pas dépasser 10 à 15 %.

Pour une fonction A donnée, qui dépend des variables indépendantes $x, y, \ldots$, on peut alors évaluer $A = \overline{A} \pm \Delta A$ de la façon suivante :

$$\overline{A} = A(\overline{x}, \overline{y}, \ldots) \quad \text{et} \quad \Delta A = \left|\frac{\partial A}{\partial x}\right|\Delta x + \left|\frac{\partial A}{\partial y}\right|\Delta y + \ldots$$

RÈGLES SIMPLES

Les conditions d'utilisation du calcul différentiel étant remplies, on peut appliquer les règles suivantes dans les cas d'opérations simples (somme, différence, produit, quotient, puissance) :

- si $A = B + C$ *ou* $B - C$, alors $\Delta A = \Delta B + \Delta C$ et $\overline{A} = \overline{B} + \overline{C}$ ou $\overline{A} = \overline{B} - \overline{C}$;

- si $A = B \times C$ ou B/C, alors $\dfrac{\Delta A}{|\overline{A}|} = \dfrac{\Delta B}{|\overline{B}|} + \dfrac{\Delta C}{|\overline{C}|}$ et $\overline{A} = \overline{B} \times \overline{C}$ ou $\overline{A} = \overline{B}/\overline{C}$;

- si $A = B^C$, alors $\dfrac{\Delta A}{|\overline{A}|} = |C|\,\dfrac{\Delta B}{|\overline{B}|}$ et $\overline{A} = \overline{B}^C$.

Si on retrouve la même variable plusieurs fois dans une fonction, on doit veiller à simplifier l'expression avant d'appliquer les règles simples. Par ailleurs, quand un calcul exige plusieurs étapes, il ne faut pas arrondir à chaque étape. Enfin, on ne doit utiliser les conventions sur les chiffres significatifs dans la présentation des mesures qu'une seule fois : à la fin !

> **Note :** Les résultats sont identiques, que l'on applique les règles simples ou que l'on recourt au calcul différentiel. Ils sont aussi généralement les mêmes avec la méthode des extrêmes, dans la mesure où les incertitudes relatives ne dépassent pas 10 à 15 % et où l'on arrondit à un seul chiffre significatif l'incertitude absolue sur le résultat final.

SOMME QUADRATIQUE

Soit $A = A\,(x, y, \ldots)$ qui respecte les conditions d'utilisation de la différentielle. Si les variables $x, y, \ldots$ sont tirées des grands nombres de données qui ont des distributions proches d'une gaussienne, alors

$$\overline{A} = A(\overline{x},\ \overline{y},\ \ldots) \text{ où } \overline{x},\ \overline{y},\ \ldots \text{ sont les moyennes des variables.}$$

Pour le calcul de ΔA, on distingue deux situations.

- Si les variables $x, y, \ldots$ sont mesurées avec des instruments différents, alors :

$$\Delta A = \sqrt{\left(\frac{\partial A}{\partial x}\,\Delta x\right)^2 + \left(\frac{\partial A}{\partial y}\,\Delta y\right)^2 + \ldots}$$

- Si les variables $x, y, \ldots$ sont mesurées avec le même instrument, alors on sépare les incertitudes systématiques des incertitudes aléatoires :

$$\Delta A \text{ aléatoire} = \sqrt{\left(\frac{\partial A}{\partial x}\,\Delta x \text{ aléatoire}\right)^2 + \left(\frac{\partial A}{\partial y}\,\Delta y \text{ aléatoire}\right)^2 + \ldots}$$

$$\Delta A \text{ systématique} = \left|\frac{\partial A}{\partial x}\right|\Delta x \text{ systématique} + \left|\frac{\partial A}{\partial y}\right|\Delta y \text{ systématique} + \ldots$$

$$\Delta A = \Delta A \text{ aléatoire} + \Delta A \text{ systématique}.$$

Chapitre **3**

Présentation
DES OBSERVATIONS OU DES RÉSULTATS

Dans les chapitres précédents, nous avons montré comment noter des observations (données qualitatives, semi-quantitatives et quantitatives), évaluer l'incertitude sur des mesures et calculer celle-ci jusqu'aux résultats. Par *résultats*, nous entendons ici tout ce qui est directement relié à l'atteinte du but d'une expérimentation. Il s'agit maintenant de savoir comment présenter des observations ou des résultats dans un rapport scientifique. Tant pour les tableaux et les graphiques que pour les schémas, la préoccupation principale demeure la même : communiquer efficacement l'information en ordonnant les données et en les synthétisant. Il y a plusieurs manières de procéder, qui varient souvent selon les exigences du destinataire et les outils dont on dispose. Si les ordinateurs permettent de nombreuses formes de présentation, les logiciels et l'imprimante n'en imposent pas moins des limites.

Dans ce chapitre, nous avons choisi d'illustrer la présentation informatique des observations et des résultats à l'aide de logiciels courants, soit Word et Excel. Pour construire des graphiques, il existe des logiciels répondant plus spécifiquement aux besoins des scientifiques ; toutefois, à cause de leur coût, ils sont moins accessibles.

3.1 TABLEAUX

3.1.1 Tableau d'observations ou de résultats

Qu'il s'agisse d'observations ou de résultats, ou encore de données qualitatives ou quantitatives, lorsqu'on veut regrouper les informations et y avoir facilement accès ultérieurement, on construit un tableau. Généralement, dans un rapport de laboratoire, les tableaux contiennent soit des observations, soit des résultats. Nous verrons plus en détail au chapitre 6, consacré à la rédaction d'un rapport de laboratoire, le contenu et la disposition des tableaux d'observations et de résultats. Puisqu'il s'agit de communiquer efficacement l'information et de la rendre facilement accessible, on n'inclut pas de valeurs issues de calculs intermédiaires dans un tableau de résultats. Pour ce qui est d'un tableau d'observations, plusieurs cas sont possibles : parfois, il est pertinent d'inclure des valeurs résultant de calculs intermédiaires, mais parfois c'est inutile, voire tout à fait inapproprié.

Les principales qualités d'un tableau sont la clarté, la concision, l'intégralité de l'information et le respect des règles d'écriture des mesures*. Un tableau contient les éléments suivants :

- Un **numéro,** s'il y a plusieurs tableaux, pour faciliter la consultation ultérieure.

- Un **titre** décrivant le contenu ou informant le lecteur sur son utilité.

- Un **encadré**, dans lequel les séries de données sont inscrites de façon ordonnée.

   Des divisions y sont insérées pour éviter les répétitions inutiles. Les unités, les exposants ou les incertitudes qui se rapportent à plusieurs valeurs sont mis en évidence. Les données d'une même colonne sont exprimées avec le même exposant et la même unité.

   Les grandeurs qui se rapportent à plusieurs colonnes sont placées en premier, à gauche dans le cas d'un encadré en colonnes. De plus, les utilisateurs d'Excel se facilitent la tâche en plaçant en premier les valeurs qui seront en abscisse dans un éventuel graphique.

- Une **légende** dans laquelle on définit les variables, les symboles reliés à celles-ci et les signes conventionnels (autres que les symboles des unités du SI) qui seront utilisés par la suite.

- Les **valeurs uniques,** présentées hors cadre, en dessous du tableau. Lorsqu'on ne recueille que des données uniques, on les regroupe généralement dans un encadré en les disposant en lignes.

   Elles comprennent :

   – les valeurs uniques qui sont nécessaires aux calculs dans le traitement des observations (elles peuvent être tirées de la littérature ou mesurées au laboratoire) ;

   – les valeurs uniques qui n'apparaissent pas dans les calculs, mais qui sont nécessaires à l'interprétation des résultats.

   Prenons quelques exemples pour illustrer notre propos.

---

* Voir la section 1.7, p. 13.

EXEMPLE 1

Contenu de l'encadré ordonné en colonnes

S'il y a plus d'un tableau, on doit les numéroter.

Sur la première ligne, on indique les grandeurs par leur nom ou leur symbole.

On rédige un titre qui décrit le contenu du tableau.

Tableau 1
Variation de la hauteur d'une colonne d'eau
et pression partielle de l'oxygène produit par
photosynthèse pour différentes valeurs du temps

L'encadré contient des divisions qui permettent de mettre en évidence les éléments qui se répètent.

Ici, le temps se rapporte aux autres colonnes ; on le place à gauche.

t	Δh	pO_2
s	mm	kPa
	±0,5	±0,01
0	0,0	
30	3,0	99,70
60	8,0	100,40
90	12,0	100,90
120	17,0	101,60
150	21,0	102,10

Sur la deuxième ligne, on indique les unités.

Sur la troisième ligne, on indique l'incertitude si elle est identique pour toutes les mesures. Si l'incertitude est négligeable, on laisse l'espace blanc.

t = temps
Δh = variation de la hauteur d'une colonne d'eau
pO_2 = pression partielle de l'oxygène

température de la solution : $T = (20,0 \pm 0,5)$ °C
pression barométrique : $P_{atm} = (762,5 \pm 0,1)$ mmHg

Valeurs tirées de la littérature

pression de la vapeur d'eau à 20,0°C :
$\quad P_{vap} = (17,535 \pm 0,001)$ mmHg[i]

masse volumique de l'eau à 20°C :
$\quad \rho_{eau} = (0,998\ 204\ 1 \pm 0,000\ 000\ 1)$ g/cm^3[ii]

masse volumique du mercure à 20°C :
$\quad \rho_{Hg} = (13,5462 \pm 0,0001)$ g/cm^3[iii]

On définit les symboles reliés aux variables qui seront utilisées ultérieurement dans des calculs ou des graphiques.

Les valeurs uniques sont indiquées en dehors du cadre.

i à iii *Handbook of Chemistry and Physics*, 67ᵉ éd., p. D-190, F-4, F-6.

EXEMPLE (2)

Contenu de l'encadré ordonné en lignes

Pour augmenter la concision du tableau, on peut indiquer immédiatement les symboles reliés à chacune des variables.

Tableau 2
Paramètres nécessaires au calcul de
l'épaisseur d'une feuille d'aluminium de marque «Alcan-régulier»

				essai 1	essai 2
longueur de la feuille d'aluminium	l	cm	±0,1	6,1	6,1
largeur de la feuille d'aluminium	b	cm	±0,1	5,1	5,1
température du système	t	°C	±0,5	21,0	20,5
volume d'hydrogène gazeux	V	cm³	±1	178	176
hauteur de la colonne d'eau	h	mm	±1	30	54

pression atmosphérique : $P_{atm} = (762,5 \pm 0,1)$ mmHg.

Valeurs tirées de la littérature

masse volumique de l'aluminium à 20 °C : $\rho_{Al} = (2,702 \pm 0,001)$ g/cm³[i]
masse volumique de l'eau à 20 °C : $\rho_{eau} = (0,998\ 204\ 1 \pm 0,000\ 000\ 1)$ g/cm³[ii]
masse volumique du mercure à 20 °C : $\rho_{Hg} = (13,5462 \pm 0,0001)$ g/cm³[iii]
pression de la vapeur d'eau à 20 °C : $P_{vap} = (17,735 \pm 0,0001)$ mmHg[iv]
constante des gaz parfaits : $R = (8,3144 \pm 0,0005)$ Pa m³ mol⁻¹K⁻¹[v]
masse molaire de l'aluminium : $M_{Al} = (26,981\ 54 \pm 0,000\ 01)$ g/mol[vi]

Pour augmenter la clarté du tableau, on regroupe les valeurs tirées de la littérature et nécessaires aux calculs.

Des subdivisions permettent de mettre en évidence les éléments qui se répètent.

....
i à vi *Handbook of Chemistry and Physics*, 67ᵉ éd., p. B-68, F-4, F-6, D-190, F-188 (nous avons utilisé 2σ), D-190.

Variables exprimées à l'aide d'exposants

Les symboles reliés aux quantités permettent d'exprimer facilement des relations algébriques. Ici, le tableau contient des valeurs obtenues par calcul parce que celles-ci serviront à construire un graphique.

On choisit l'exposant pour alléger l'écriture. L'emploi de la notation scientifique entraînerait ici la multiplication des zéros à l'incertitude absolue « 3,2 ± 0,2... 7,5 ± 0,5... ».

Tableau 3
Valeurs permettant de vérifier la formule
des lentilles minces

p	q	$1/p$	$1/q$
cm	cm	$\times 10^{-3}$ cm^{-1}	$\times 10^{-3}$ cm^{-1}
±0,2			
15,0	31 ± 2	66,7 ± 0,9	32 ± 2
40,0	13,3 ± 0,8	25,0 ± 0,1	75 ± 5
79,8	11,4 ± 0,5	12,53 ± 0,03	88 ± 4
124,2	10,9 ± 0,5	8,05 ± 0,01	91 ± 4

p = position de l'objet par rapport à la lentille
q = position de l'image par rapport à la lentille

foyer de la lentille : $f = (10,1 \pm 0,2)$ cm.

Une incertitude différente est inscrite à côté de chaque valeur.

Les valeurs de la colonne se lisent comme suit :
$(66,7 \pm 0,9) \times 10^{-3}$ cm^{-1}
$(25,0 \pm 0,1) \times 10^{-3}$ cm^{-1}

Les quantités $1/p$ ne sont pas indiquées selon le résultat affiché par la calculatrice ni selon la notation scientifique. Le but est de mettre en évidence la puissance de 10.

EXEMPLE (4)

Cas où on n'a recueilli que des données uniques

Il est inutile de mettre les unités et les incertitudes sur des valeurs uniques en évidence, à gauche ; la lecture est facilitée par cette disposition.

Tableau 4
Paramètres recueillis lors de la synthèse de l'aspirine
(acide acétylsalicylique)

masse de l'acide salicylique	m_{as}	(5,103 ± 0,002) g
masse du papier filtre	m_p	(0,141 ± 0,002) g
masse du papier filtre et de l'acide acétylsalicylique synthétisé	m_{paas}	(3,525 ± 0,002) g
point de fusion de l'acide acétylsalicylique synthétisé	pf_{aas}	(129,8 ± 0,5) °C

masse molaire de l'acide salicylique M_{as}: 138,12 g/mol *
masse molaire de l'acide acétylsalicylique (aspirine) M_{aas}: 180,16 g/mol *

On a décidé ici de mettre les données tirées de la littérature en retrait, en dessous du tableau. On pourrait aussi choisir de les inclure dans l'encadré.

....
* *Handbook of Chemistry and Physics,* 67ᵉ éd., p. C-485.

Les tableaux des exemples de la section 3.1 ont tous été construits à l'aide de Word. Certains éléments des menus qui ont été utilisés pour les construire sont reproduits dans la figure 3.1●.

FIGURE 3.1 Construction d'un tableau dans Word

« Insérer tableau » demande le nombre de lignes et de colonnes. Le quadrillage est affiché.

On peut centrer ou aligner le contenu des cellules sélectionnées du tableau.

On a accès aux types de bordure dans la barre d'outils « Mise en forme ».

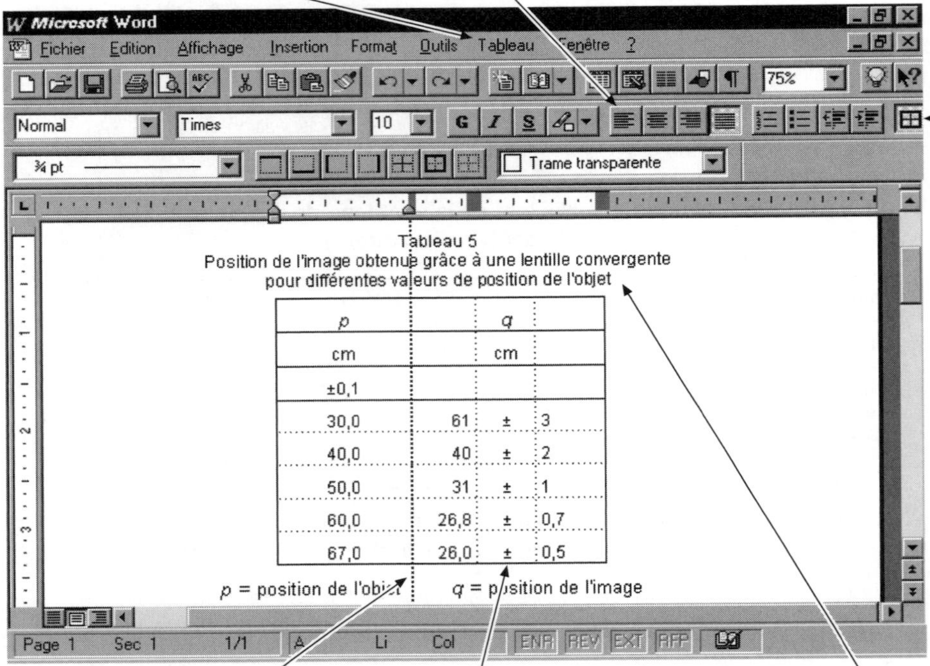
Microsoft Word
Fichier Edition Affichage Insertion Format Outils Tableau Fenêtre ?
75%
Normal
Times
10
¾ pt
Trame transparente
Tableau 5
Position de l'image obtenue grâce à une lentille convergente
pour différentes valeurs de position de l'objet
p q
cm cm
±0,1
30,0 61 ± 3
40,0 40 ± 2
50,0 31 ± 1
60,0 26,8 ± 0,7
67,0 26,0 ± 0,5
p = position de l'objet q = position de l'image
Page 1 Sec 1 1/1 A Li Col ENR REV EXT RFP

On peut ajuster à volonté la position et la largeur des colonnes.

Il y a avantage à placer les symboles ± dans des colonnes séparées si on veut exporter le tableau dans un tableur pour faire un graphique.

Le titre, hors de l'encadré, est centré.

On peut exporter vers Excel un tableau sélectionné dans Word en utilisant simplement les commandes « Copier » et « Coller ». Les éléments du tableau Word sont alors inscrits dans des cellules Excel et pourront être traités si besoin est. Par contre, si on entre directement les mesures dans Excel, on peut les inscrire sous la forme d'un tableau qu'on exportera ensuite vers Word. Les principaux éléments nécessaires à l'élaboration d'un tableau dans Excel sont illustrés aux figures 3.2● et 3.3●.

● **FIGURE 3.2**

Quelques étapes de la construction d'un tableau dans Excel

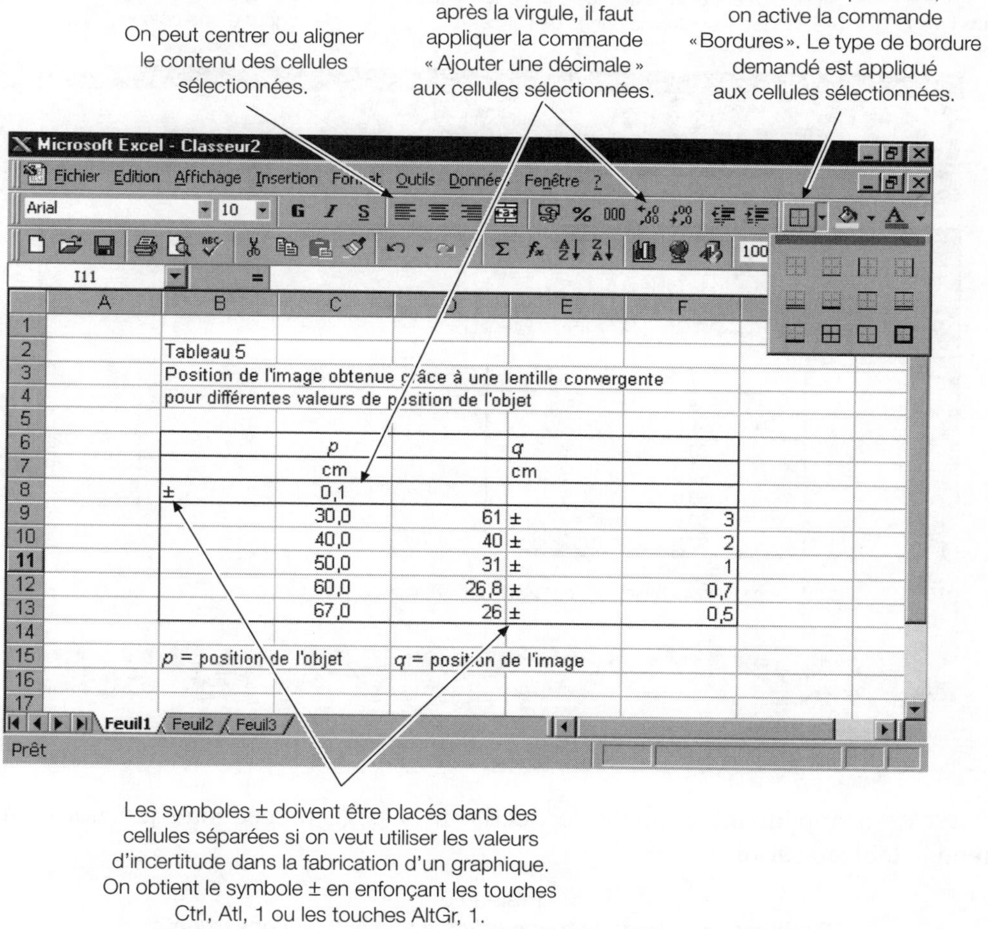

On peut centrer ou aligner le contenu des cellules sélectionnées.

Pour faire afficher des zéros après la virgule, il faut appliquer la commande « Ajouter une décimale » aux cellules sélectionnées.

Pour faire apparaître les types de bordures possibles, on active la commande « Bordures ». Le type de bordure demandé est appliqué aux cellules sélectionnées.

	A	B	C	D	E	F
1						
2		Tableau 5				
3		Position de l'image obtenue grâce à une lentille convergente				
4		pour différentes valeurs de position de l'objet				
5						
6			p		q	
7			cm		cm	
8	±		0,1			
9			30,0	61	±	3
10			40,0	40	±	2
11			50,0	31	±	1
12			60,0	26,8	±	0,7
13			67,0	26	±	0,5
14						
15		p = position de l'objet		q = position de l'image		
16						
17						

Les symboles ± doivent être placés dans des cellules séparées si on veut utiliser les valeurs d'incertitude dans la fabrication d'un graphique. On obtient le symbole ± en enfonçant les touches Ctrl, Atl, 1 ou les touches AltGr, 1.

Une fois le tableau terminé dans Excel, on peut en sélectionner toutes les cellules, les copier et ensuite faire un collage spécial «Feuille de calcul Microsoft Excel Objet» dans Word. Pour placer le tableau à l'endroit désiré dans le texte, on le sélectionne, on accède au format d'objet en pressant le bouton droit de la souris et on choisit un style d'habillage «rapproché» ou «encadré». Par la suite, on peut toujours apporter des modifications dans Word grâce à un double clic dans le tableau; par exemple, si le quadrillage est affiché, on le fait disparaître par la commande «Outils, Option affichage».

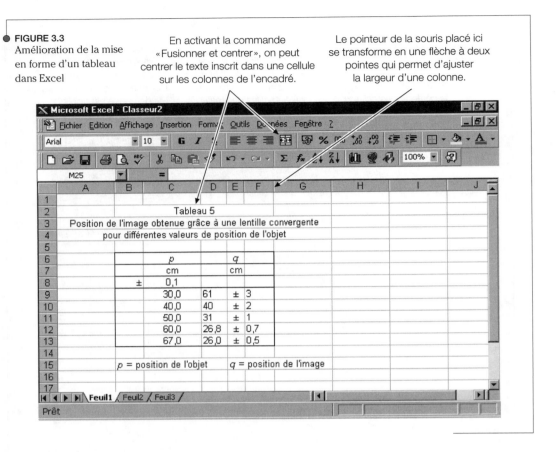

FIGURE 3.3
Amélioration de la mise en forme d'un tableau dans Excel

En activant la commande «Fusionner et centrer», on peut centrer le texte inscrit dans une cellule sur les colonnes de l'encadré.

Le pointeur de la souris placé ici se transforme en une flèche à deux pointes qui permet d'ajuster la largeur d'une colonne.

C'est en appliquant la méthode décrite à la page précédente que nous avons obtenu le tableau suivant.

Tableau 5
Positions de l'image obtenue grâce à une lentille convergente
pour différentes valeurs de position de l'objet

p	q	
cm	cm	
±0,1		
30,0	61	± 3
40,0	40	± 2
50,0	31	± 1
60,0	26,8	± 0,7
67,0	26,0	± 0,5

p = position de l'objet q = position de l'image

Un collage spécial «Feuille de calcul Microsoft Excel Objet» donne accès directement, à partir de Word, à la totalité du fichier Excel contenant les données qu'on a collées. Quoiqu'intéressante, cette possibilité exige cependant une grande quantité de mémoire. Si un objet Excel rend un fichier Word trop volumineux, on préférera alors le transformer en image après l'avoir inséré. Nous reviendrons sur cette question à la section 6.6, p. 213.

3.1.2 Tableau de fréquences

Certaines études ou expérimentations tirent profit de la construction d'un tableau de fréquences. Par exemple, lors de l'étude d'une espèce fossile, l'ammonite *Kepplerites keppleri*, on compte le nombre de côtes de 23 coquilles récoltées sur un même site. On obtient les observations suivantes.

Nombre de côtes

28	30	18	19	21	24	20	27
25	35	16	24	26	20	25	28
30	26	25	28	33	18	31	

La présentation des observations en vrac révèle peu d'informations. Malgré le petit nombre d'observations de cet exemple, on constate qu'il n'est pas facile d'y repérer la plus petite valeur et la plus grande valeur, non plus que l'ordre de grandeur de la moyenne ou le type de distribution. La construction d'un tableau de fréquences permet une organisation plus révélatrice. Il suffit de diviser l'étendue des observations en classes (ou intervalles), de compter le nombre d'observations dans chacune d'elles, puis de les présenter en ordre. Le nombre d'observations par classe porte le nom de *fréquence*. En divisant l'écart entre la variable quantitative la plus grande et la variable quantitative la plus petite par le nombre de classes souhaité, on obtient une indication du nombre d'unités par classe. Ici, $(35 - 16)/7$ donne 2,7; donc, si on fixe 7 classes, on aura des classes de 3 côtes. Le tableau 6, ainsi construit, permet une ébauche d'analyse en un simple coup d'œil.

Tableau 6
Distribution des coquilles selon le nombre de côtes
Gisement n° 1

Nombre de côtes N	Fréquence f
16-18	3
19-21	4
22-24	2
25-27	6
28-30	5
31-33	2
34-36	1
Total	23

On situe rapidement l'ordre de grandeur du minimum ou du maximum; on constate par ailleurs que la distribution est proche de la normale (voir la section 1.11, p. 40) et que la moyenne tourne autour de 26 côtes. L'examen des fréquences permet de déterminer si le choix des classes est approprié. La division en classes doit illustrer la distribution des données. Dans cet exemple, des tableaux de fréquences fondés sur 4 ou 10 classes auraient été moins révélateurs de la distribution des données (voir les tableaux 7 et 8).

Tableau 7
Distribution des coquilles
selon le nombre de côtes
Gisement n° 1

Nombre de côtes N	Fréquence f
16-20	6
21-25	6
26-30	8
31-35	3
Total	23

Tableau 8
Distribution des coquilles
selon le nombre de côtes
Gisement n°1

Nombre de côtes N	Fréquence f
16-17	1
18-19	3
20-21	3
22-23	0
24-25	5
26-27	3
28-29	3
30-31	3
32-33	1
34-35	1
Total	23

Bien qu'il n'existe pas de règles strictes, la règle de Sturges peut servir à déterminer le nombre de classes pour n observations. Selon cette règle, le nombre de classes est le nombre entier le plus près de k, obtenu par la formule $k = 1 + 3,322 \log n$. Par exemple, pour 20 observations, on trouve $k = 5,322$; il y aurait alors 5 classes. Avec 10 000 observations, $k = 14,288$, soit 14 classes. Le tableau des fréquences est aussi utile pour présenter des observations qualitatives comme la répartition selon le sexe ou la couleur, la répartition géographique, etc. Les classes se définissent alors naturellement selon la variabilité du paramètre observé.

On construit aussi des tableaux pour les fréquences relatives. Une fois qu'on a dénombré les observations par classe, on calcule la fréquence relative exprimée en pourcentage en divisant la fréquence par le nombre total d'observations et en multipliant le résultat par 100. Les tableaux de fréquences se transposent facilement en représentations graphiques – diagrammes en bâtonnets ou histogrammes, selon le cas. Lorsqu'il s'agit de fréquences relatives, on peut les transposer aussi en graphiques circulaires. On abordera ces différentes représentations graphiques à la section suivante.

 Le modèle « Histogramme.xls » permet la construction de tableaux de fréquences et il facilite particulièrement la tâche lorsqu'on doit traiter un grand nombre de données.

Pour utiliser ce modèle, il faut activer le bouton de contrôles qui produit la distribution des fréquences et l'histogramme ; il faut ensuite ajuster l'amplitude pour les classes et pour la limite inférieure, en arrondissant les valeurs conformément à chaque cas particulier. Les valeurs qui permettent de construire le tableau des fréquences se trouvent dans la feuille « Distribution des fréquences ».

3.2 GRAPHIQUES

Contrairement au tableau, le graphique permet de déterminer facilement la relation entre différents éléments ou différentes grandeurs. On peut représenter graphiquement des observations ou des résultats. Il existe plusieurs formes de graphiques. Les graphiques cartésiens, de type (x, y), et les histogrammes permettent de représenter des données quantitatives continues. Les diagrammes en bâtonnets ou en barres permettent, quant à eux, de représenter des données quantitatives discontinues, dites discrètes, et des données qualitatives. Enfin, les graphiques circulaires ou en secteurs servent à illustrer des proportions. D'autres graphiques transposent des phénomènes dynamiques dont les variations peuvent se produire sous forme d'onde.

Les règles de présentation des graphiques ne sont pas universelles ; elles dépendent du contexte. Par exemple, dans un rapport de laboratoire, il est inutile de recopier dans un graphique la légende du tableau qui le précède. Par ailleurs, en consultant la littérature, on s'aperçoit que les présentations varient d'une publication à l'autre : ainsi, les titres sont placés souvent sous les graphiques mais, parfois, au-dessus. Dans les sections qui suivent, nous examinerons dans le détail les exigences concernant la rédaction d'un rapport de laboratoire.

En sciences de la nature, on illustre souvent les variations des données quantitatives continues dans des graphiques en nuage de points. Ces graphiques servent à tracer une courbe qui permet de chercher des valeurs inconnues ou de visualiser les variations d'une grandeur en fonction d'autres grandeurs, et de trouver même la fonction qui les relie.

On peut construire un graphique à la main ou à l'aide d'un ordinateur. Des appareils enregistreurs, couplés à une table traçante ou à un ordinateur et à une imprimante, permettent aussi d'obtenir directement un graphique. Dans les sections qui suivent, nous exposerons les règles de présentation des graphiques dont la fonction, rappelons-le, est de communiquer l'information de manière complète, claire et concise. Ces règles peuvent différer légèrement selon le moyen utilisé pour tracer le graphique.

3.2.1 Graphiques obtenus à l'aide d'un appareil enregistreur

Dans nos laboratoires, nous utilisons des appareils d'enregistrement qui tracent des graphiques. Dans ce cas, il faut inscrire sur le graphique les renseignements qui permettent de connaître le contenu de l'enregistrement et de l'interpréter clairement.

A. GRAPHIQUE OBTENU À L'AIDE D'UNE TABLE TRAÇANTE

Certains appareils, munis d'une table traçante, inscrivent un signal au moyen d'un stylet qui se déplace sur une feuille de papier. Le physiographe, par exemple, enregistre des phénomènes physiologiques comme la contraction musculaire (le myogramme), l'activité du cœur (l'électrocardiogramme), la ventilation pulmonaire (le pneumogramme), les ondes cérébrales (l'électroencéphalogramme) ou la pression artérielle (le sphygmogramme). Cet appareil permet aussi d'enregistrer simultanément plusieurs variables.

Règles de présentation

Il est généralement plus commode d'écrire les informations pertinentes directement sur l'enregistrement. En voici quelques règles de base.

- Centré en haut de la page, on inscrit le titre qui décrit le phénomène dynamique enregistré. Si on présente plusieurs graphiques, on les numérote.

- S'il y a plusieurs tracés, on les identifie à gauche. Par exemple, dans un électrocardiogramme utilisant des dérivations périphériques bipolaires, il faut distinguer les différentes dérivations.

- Toujours à gauche, on précise les paramètres à l'origine du tracé, par exemple : l'étalonnage, la valeur de la tension d'une stimulation électrique visant à déclencher une contraction musculaire, l'échelle de temps.

- À l'aide d'un crayon à mine, on délimite la zone où se trouvent les données pertinentes, par exemple, un intervalle pour le calcul de la fréquence. On précise, s'il y a lieu, certaines composantes des tracés : par exemple, les ondes P, Q, R, S et T d'une révolution cardiaque ou encore, sur le tracé du temps, le moment du déclenchement ou de l'interruption d'une action (voir la figure 3.4●).

B. GRAPHIQUE OBTENU À L'AIDE D'UN ORDINATEUR RELIÉ À UNE IMPRIMANTE

Les appareils récents, vendus avec un logiciel, doivent être reliés à un ordinateur sur lequel est branchée une imprimante. Le spectrophotomètre infrarouge, le spectromètre de masse ou l'électrocardiographe en sont des exemples. Les informations contenues dans ces graphiques varient en fonction du logiciel utilisé, lequel offre souvent des menus permettant de personnaliser les inscriptions des données sur le graphique. On doit s'assurer que les renseignements qui permettent de connaître le contenu de l'enregistrement et de l'interpréter figurent sur le document imprimé. Si une zone permet l'inscription d'un texte, on peut insérer un numéro et un titre.

Il est parfois nécessaire d'ajouter à l'aide d'un crayon à mine les renseignements pertinents non imprimés par l'appareil. Ainsi, dans le graphique de la figure 3.5●, on a ajouté un titre, on l'a numéroté, et on a précisé les ondes d'une révolution cardiaque ainsi que l'endroit indiquant le numéro de la dérivation utilisée.

● FIGURE 3.4

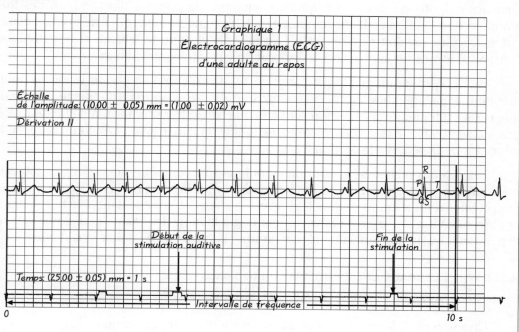

Graphique 1
Électrocardiogramme (ECG)
d'une adulte au repos

Échelle
de l'amplitude: (10,00 ± 0,05) mm = (1,00 ± 0,02) mV

Dérivation II

Début de la
stimulation auditive

Fin de la
stimulation

Temps: (25,00 ± 0,05) mm = 1 s

Intervalle de fréquence

0   10 s

● FIGURE 3.5

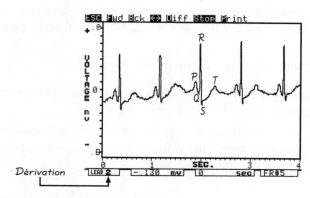

Graphique 2
ECG d'une adulte
au repos

ESC Fwd Bck ⟷ Diff Stop Print

Dérivation

```
Avg. Ventricular Rate = 67 / min.
Max. Ventricular Rate = 79 / min.
Min. Ventricular Rate = 34 / min.

PR Interval      172 ms
QRS Duration      82 ms
QT Interval      389 ms
```

3.2.2 Présentation d'un graphique cartésien

Dans les rapports de laboratoire, quand le nombre de points à illustrer n'est pas trop grand, on doit faire précéder le graphique du tableau de mesures qui a servi à son élaboration. De plus, on doit pouvoir établir un lien direct entre le tableau et le graphique. Nous reviendrons sur la question du rapport de laboratoire au chapitre 6.

Pour construire un graphique cartésien, on doit d'abord en choisir le format : millimétrique, semi-logarithmique ou logarithmique. Ce choix s'insère dans une démarche que nous expliquerons à la section 4.4. Quel que soit le format choisi, la façon de procéder est semblable. Examinons d'abord le format millimétrique. (Les formats logarithmiques sont présentés à la section 3.2.3.)

Les qualités recherchées pour un graphique sont les mêmes que pour un tableau, c'est-à-dire la clarté, la concision et l'intégralité des informations. À cet égard, voici les cinq éléments sur lesquels portent les règles qui régissent la présentation : le titre, le tracé et l'identification des axes ; l'étalonnage et la graduation des axes ; le tracé des valeurs expérimentales ; le tracé de la meilleure courbe ; la présence de points singuliers.

A. LE TITRE, LE TRACÉ ET L'IDENTIFICATION DES AXES

Cette première partie regroupe les éléments suivants.

- Un **numéro** : il facilite la consultation s'il y a plus d'un graphique.

- Un **titre** : il révèle au lecteur le contenu du graphique.

  Le titre doit être écrit en toutes lettres ; par exemple, au lieu de « v vs t », on écrit : « Vitesse d'une bille sur un plan incliné en fonction du temps ». La première variable énoncée doit être représentée sur l'axe vertical.

  Le titre permet d'associer le tableau contenant les informations qui servent à interpréter les données du graphique, par exemple l'angle d'inclinaison du plan, le rayon de la bille, etc.

  Le titre est inscrit dans la partie supérieure du graphique.

- Les **axes** : ils sont tracés à la limite extérieure du quadrillage, sauf si l'une ou l'autre des variables comprend des valeurs positives et négatives.

  Chaque axe doit être identifié par le nom ou le symbole de la grandeur variable. Les unités sont entre parenthèses et elles doivent être identiques aux unités utilisées dans le tableau.

B. L'ÉTALONNAGE ET LA GRADUATION DES AXES

Les règles de présentation de cette deuxième partie sont plus ou moins exigeantes, selon que des coordonnées de points doivent être lues sur un graphique ou non. Lorsqu'on doit lire des coordonnées de points sur un graphique, on doit prêter une attention particulière à l'étalonnage des axes, si on travaille à la main, ou au quadrillage, si on travaille à l'ordinateur.

Toutefois, la **graduation des axes** doit toujours respecter les règles suivantes.

- Elle doit comporter des intervalles réguliers et être suffisamment espacée pour ne pas surcharger le graphique.

- Elle doit être accompagnée de **chiffres** et de **marques** qui permettent de la lire ; la progression des chiffres indique **l'orientation** de l'axe.

- Le **premier** et le **dernier chiffre** de chaque axe doivent être choisis de manière à ce que l'espace disponible soit utilisé efficacement ; on évite notamment les chiffres ou les décimales inutiles.

Quand on doit lire des coordonnées de points *sur un graphique*, on doit choisir le quadrillage, les marques et les chiffres de la graduation des axes de manière à ne **jamais avoir à faire de calcul** pour lire les coordonnées de n'importe quel point. La méthode permettant d'atteindre cet objectif dépend de la manière de construire le graphique c'est-à-dire à la main ou à l'aide d'Excel.

Graphique construit à la main

- Les **valeurs d'étalonnage** acceptées pour chaque centimètre sur un axe sont 1, 2, 5, ou tout produit décimal de ces valeurs. L'étalonnage n'est pas forcément le même pour les deux axes.

- En tenant compte des valeurs d'étalonnage acceptées et de la contrainte qu'impose une utilisation maximale de la surface du papier, on doit décider d'orienter la feuille verticalement ou horizontalement, ce qui a pour effet de **placer la variable en ordonnée ou en abscisse** sur l'axe le plus long. Normalement, un graphique doit couvrir au moins la moitié de la surface du quadrillage.

Graphique construit à l'aide d'Excel

- Le quadrillage est déterminé à partir de la valeur minimum ainsi que des unités principales et secondaires de l'échelle de chaque axe, du format de la zone de traçage et du format du quadrillage. On doit choisir la **valeur minimum** de chaque axe de façon à éviter les chiffres ou les décimales inutiles. Le choix doit être judicieux puisqu'il détermine la valeur de départ des graduations principales. Par exemple : si les chiffres sur un axe varient entre 12,45 et 96,7, on choisit 10 et non pas 12 comme valeur minimum avec une unité principale de 10 ; de cette façon, on aura la graduation 10, 20, 30… Si on choisissait 12 comme valeur minimum, on aurait la graduation 12, 22, 32… Les contraintes sont moindres pour la **valeur maximum** ; en effet, il suffit qu'elle concorde avec une unité principale ou secondaire.

- Les **unités principales** sont 1, 2, 5 ou tout produit décimal de ces valeurs.

- Les **unités secondaires**, qui sont aussi 1, 2, 5 ou tout produit décimal de ces valeurs, doivent être choisies de manière que les divisions les plus fines du graphique, une fois imprimé, se rapprochent du millimètre. Il faut veiller en outre à ce que les unités secondaires soient compatibles avec les unités principales. Par exemple, une unité secondaire de 2 n'est pas compatible avec une unité principale de 5 parce que les divisions, dans ce cas, ne seraient pas espacées également!

- Les **quadrillages principal et secondaire** affichés doivent avoir des couleurs ou des teintes de gris différentes. On peut choisir, par exemple, un quadrillage principal gris foncé et un quadrillage secondaire gris pâle.

- Une fois **imprimé**, le graphique doit occuper toute une page.

Le document d'accompagnement du fichier «Modèles graphiques» contient plusieurs autres informations pour la construction d'un graphique à l'aide d'Excel. De plus, à la section 6.6, nous exposons la marche à suivre pour insérer un graphique Excel dans un document Word.

C. LE TRACÉ DES VALEURS EXPÉRIMENTALES

Le tracé des valeurs expérimentales doit permettre de bien visualiser à la fois les données et l'incertitude qui leur est associée.

- On choisit la **couleur** des points et de leurs incertitudes de manière à les mettre en évidence par rapport au quadrillage. Dans le cas d'un quadrillage en gris, le noir est de mise.

- Si on a plusieurs séries de données, il faut les distinguer et indiquer les critères dans une **légende**.

- On représente graphiquement chaque point et son incertitude en respectant la grandeur de l'incertitude et l'échelle du graphique. Dans un graphique cartésien, une mesure détermine un rectangle à l'intérieur duquel doit se situer la valeur que l'on cherche. C'est **ce rectangle** qui **doit être illustré** sur le graphique (voir les figures 3.6● et 3.7●). Si un point nuit à la visibilité d'un rectangle, on n'illustre pas ce point (voir la figure 3.12●, p. 99).

Examinons quelques exemples.

EXEMPLE 5

On veut illustrer le point de coordonnées $x = 1{,}0 \pm 0{,}4$ et $y = 0{,}5 \pm 0{,}3$.

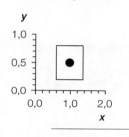

● **FIGURE 3.6**

La valeur que l'on recherche se situe à l'intérieur du rectangle illustré.

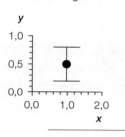

● **FIGURE 3.7**

Avec trois lignes, on imagine facilement ce rectangle.

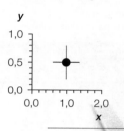

● **FIGURE 3.8**

Avec seulement deux lignes, on imagine difficilement ce rectangle.

Comme on peut le constater, il est difficile d'imaginer un rectangle avec la représentation de la figure 3.8●. On ne peut donc pas l'accepter. Les représentations des figures 3.6● et 3.7● sont basées sur les calculs des coordonnées de points auxquels on associe une barre d'erreur. Leur représentation sur une feuille de calcul doit se faire en plusieurs étapes. Pour voir ces étapes, consultez le fichier «Figures 3.6 et 3.7.xls» du disque compact joint au manuel.

EXEMPLE 6

On veut illustrer le point de coordonnées $x = 1{,}0 \pm 0{,}4$ et $y = 0{,}500 \pm 0{,}001$.

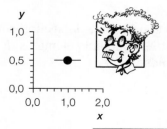

● **FIGURE 3.9**

L'incertitude sur y est trop petite pour être illustrée : le rectangle devient une ligne.

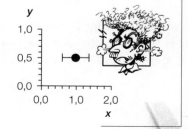

● **FIGURE 3.10**

Illustration du point de l'exemple selon le motif par défaut des barres d'incertitude d'Excel.

En comparant les figures 3.9● et 3.10●, on s'aperçoit que le motif par défaut des barres d'incertitude d'Excel illustre une incertitude en *y* qui est erronée. L'utilisation de ce motif est donc à proscrire. Pour le changer, il faut sélectionner une barre d'incertitude du graphique et, après avoir cliqué sur le bouton droit de la souris, accéder au format de barre d'erreur. Ensuite, pour obtenir une représentation identique à celle de la figure 3.9●, on choisit la marque du motif que l'on désire (voir la figure 3.11●).

● **FIGURE 3.11**
Motif de barres d'incertitude

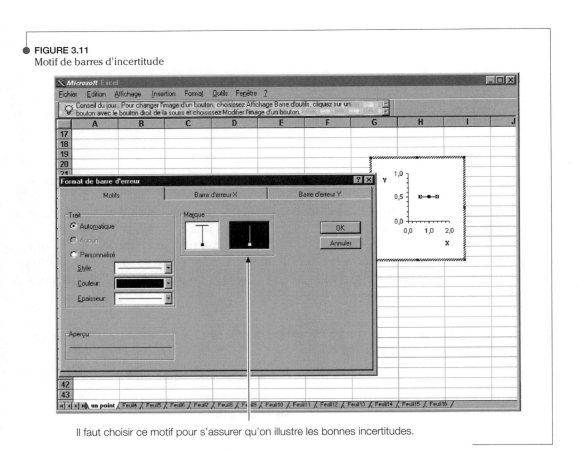

Il faut choisir ce motif pour s'assurer qu'on illustre les bonnes incertitudes.

Avant d'aborder le tracé de la meilleure courbe dans la section suivante, examinons les figures 3.12● et 3.13●, qui regroupent les différents éléments de présentation d'un graphique que nous avons vus précédemment.

● FIGURE 3.12

Le titre, en toutes lettres, est écrit dans la partie supérieure du graphique.

Le titre permet d'associer le graphique au tableau correspondant.
Les symboles utilisés pour identifier les axes sont définis dans ce tableau.

La première variable énoncée dans le titre est représentée sur l'axe vertical.

On illustre les incertitudes en respectant l'échelle du graphique.

L'orientation des axes est indiquée par la progression des chiffres ou par une flèche.

Les marques et les chiffres permettent de lire la graduation de chaque axe.

On identifie chaque axe par le nom ou le symbole de la grandeur variable et on met son unité entre parenthèses.

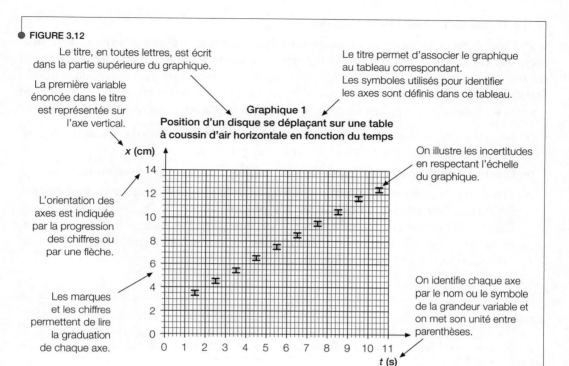

Graphique 1
Position d'un disque se déplaçant sur une table à coussin d'air horizontale en fonction du temps

● FIGURE 3.13

S'il y a plus d'un graphique, on doit les numéroter.

S'il y a plusieurs séries de points, une légende doit permettre de les distinguer.

◆ Essai 1
• Essai 2

Ici, l'axe horizontal est tracé à l'intérieur du quadrillage, mais les marques et les chiffres sont toujours à l'extérieur.

Pour utiliser efficacement l'espace disponible, il est ici préférable de ne pas faire partir les axes au point (0,0).

On exprime les unités sous la même forme que dans le tableau correspondant: les unités du tableau étant en (1/20) s, on ne les transforme pas ici en 0,5 s. Pour alléger l'écriture, au lieu de [(1/20) s], on peut écrire (1/20) s.

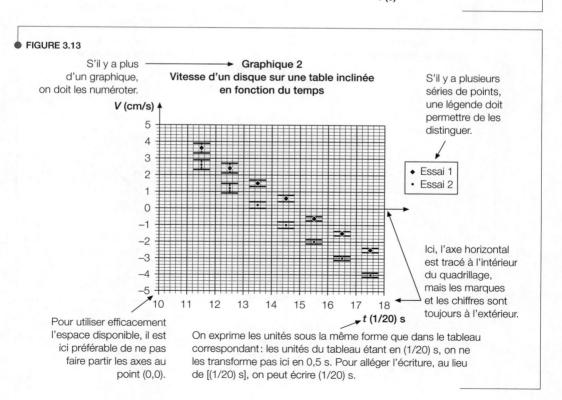

Graphique 2
Vitesse d'un disque sur une table inclinée en fonction du temps

D. Le tracé de la meilleure courbe

On ne peut tracer la meilleure courbe sans effectuer une analyse et exercer son juge-ment. Parfois, un ou des points ne suivent pas la même tendance que les autres et exigent un traitement spécial. Ce sont les points «singuliers» dont nous parlerons à la partie E. Dans les exemples que nous donnons ici, nous présentons le tracé de la meilleure courbe en l'absence de points singuliers. Celle-ci possède les caractéristiques suivantes :

- La meilleure courbe doit être une **courbe régulière**, et non pas une série de seg-ments de droites reliant tous les points d'un graphique.
- Elle doit **toucher le maximum de rectangles** illustrés sur le graphique.
- Elle doit passer, dans la mesure du possible, par le milieu de chacun des rectangles. De plus, il faut essayer d'**équilibrer les points** de part et d'autre de la courbe. Si Excel affiche une courbe de tendance de type linéaire comme à la figure 3.14●, cette droite est calculée par la méthode des moindres carrés (nous reviendrons sur cette question au chapitre 4, à la section 4.9).

● **FIGURE 3.14**

Les points sont équilibrés de part et d'autre de la courbe de tendance de type linéaire calculée par Excel.

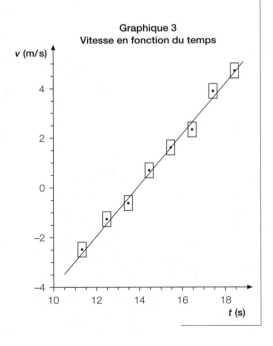

● **FIGURE 3.15**

Quand on ne peut pas illustrer les incertitudes, on doit veiller à ce que la courbe ne cache pas les mesures.

Lorsqu'on trace une courbe à la main, on lève son crayon au-dessus des points.

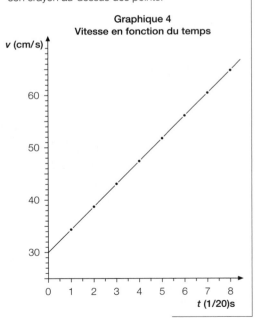

- Elle doit être tracée, selon le cas, à l'aide d'une **règle** ou d'un **pistolet** (courbe française), jamais à main levée. Avec Excel, le tracé de la meilleure courbe se fait soit au moyen d'une courbe de tendance (voir la figure 3.16●), soit au moyen d'une courbe constituée de segments lissés (voir la figure 3.17●).

- Le tracé de la courbe **ne doit pas masquer les données expérimentales**. Parfois les incertitudes sont trop petites pour être illustrées. Lorsqu'on trace une courbe à la main, on lève alors le crayon quand on arrive près d'un point (voir la figure 3.15). Dans le cas d'une courbe tracée par ordinateur, il faut choisir un trait fin. Dans Excel, on peut personnaliser l'épaisseur du trait.

On trouve sur le disque compact du *Guide* plusieurs modèles de graphiques construits avec Excel. Pour voir les étapes de la construction, consultez le fichier Excel «Modèles graphiques». On y voit la construction des rectangles associés aux mesures comme à la figure 3.6●. Vous pouvez modifier ce fichier à volonté; par exemple, si vous ne voulez pas les pentes extrêmes, il vous suffit de les effacer, ou encore si les mesures ne sont pas en ligne, vous pouvez changer le type de courbe de tendance. Si vous voulez

---

FIGURE 3.16

Avec Excel, on peut dessiner une courbe de tendance, en afficher l'équation mathématique et extrapoler jusqu'aux limites choisies. On procède comme suit.
– On sélectionne l'ensemble des points.
– On décide d'ajouter une courbe de tendance.
– On choisit le type de courbe et les options désirées, à savoir afficher l'équation sur le graphique, extrapoler en utilisant «P̲rospective», ou «R̲étrospective», etc.
– On choisit l'épaisseur du trait en sélectionnant la commande «Format».

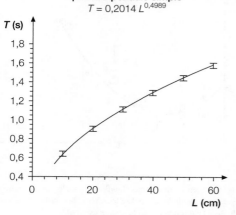

Période en fonction de la longueur pour un pendule simple
$T = 0{,}2014\,L^{0{,}4989}$

FIGURE 3.17

Avec Excel, on peut aussi faire le lissage des segments qui relient les points. Toutefois, on ne peut extrapoler dans ce cas. On procède comme suit.
– On sélectionne l'ensemble des points.
– On sélectionne la commande «Format de séries de données».
– On personnalise le trait et on demande le lissage des segments qui relient les points dans l'onglet «Motifs».

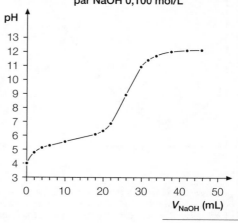

Titrage de 50,00 mL d'acide cyanhydrique par NaOH 0,100 mol/L

avoir un outil servant uniquement à construire un graphique, utilisez le fichier «Graphi-ques.xls». Il contient des macros qu'on ne peut pas modifier; le graphique obtenu, lui, peut être ajusté selon les besoins. Ces deux fichiers contiennent des calculs servant aussi à déterminer les paramètres de la meilleure droite (voir les sections 4.6.2 et 4.7.2). Quel que soit l'outil utilisé, il faut toujours choisir judicieusement les paramètres associés au for-mat de chaque axe, principalement ceux reliés à l'échelle: minimum, maximum, unités principales et secondaires.

E. LA PRÉSENCE DE POINTS SINGULIERS

Un point est dit «singulier» lorsqu'il ne suit pas la tendance. Il faut préciser que l'emploi du mot «point» est abusif: en effet, on ne travaille pas avec des points mais avec des rec-tangles dont les dimensions sont déterminées par les incertitudes sur les mesures. Un «point» est singulier quand la meilleure courbe ne touche pas le rectangle qui lui est associé* (voir les figures 3.18● et 3.19●). Quand les incertitudes sont petites, il est parfois nécessaire de zoomer sur un point pour déterminer s'il est singulier ou non. Avec Excel, on peut agrandir le graphique ou zoomer en changeant les valeurs minimum et maxi-mum des axes. Il faut être circonspect si on zoome avec Excel, car il arrive que le résultat obtenu soit erroné. On peut voir dans le fichier «Points singuliers.xls» du disque compact des exemples de recherche de points singuliers; dans ce fichier, l'exemple de la feuille 3 illustre un cas aux limites d'Excel.

Au point D, nous avons vu que, pour tracer la meilleure courbe sur un graphique, il faut la faire passer par le plus grand nombre possible de rectangles illustrés. Lorsqu'on suit cette règle, le graphique ne comporte généralement pas de point singulier. C'est pourquoi il faut toujours vérifier les points singuliers et reprendre les mesures, si besoin

● **FIGURE 3.18**

Ici, la meilleure courbe passe par tous les rectangles: il n'y a donc pas de point singulier.

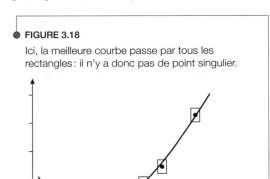

● **FIGURE 3.19**

Deux rectangles ne touchent pas la meilleure courbe: il y a donc deux points singuliers.

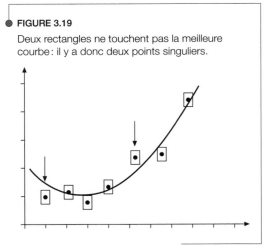

---

* Cette assertion est toujours vraie si on trace la meilleure courbe sans tenir compte des points singuliers; dans le cas contraire, elle peut être prise en défaut. Par exemple, le point singulier à l'extrémité de la droite de la figure 3.22 toucherait la courbe de tendance s'il était inclus dans son calcul. Il en est de même à la figure 3.23. Voir aussi l'exercice 3.8, sur le disque compact.

est. Si on obtient encore les mêmes valeurs, on doit prendre de nouvelles mesures autour de ces points. En vérifiant plus précisément la tendance qui se dégage d'un graphique comptant un ou plusieurs points singuliers, on découvre parfois que celle-ci diffère de celle qu'on avait imaginée au départ. En effet, si on compare les figures 3.20● et 3.21●, on s'aperçoit que le point qui semblait singulier dans la figure 3.20● fait partie d'un pic de résonance et que la fonction qui relie les deux variables n'est pas linéaire.

FIGURE 3.20

Quand un point ne suit pas la tendance dégagée, on dit qu'il est singulier.

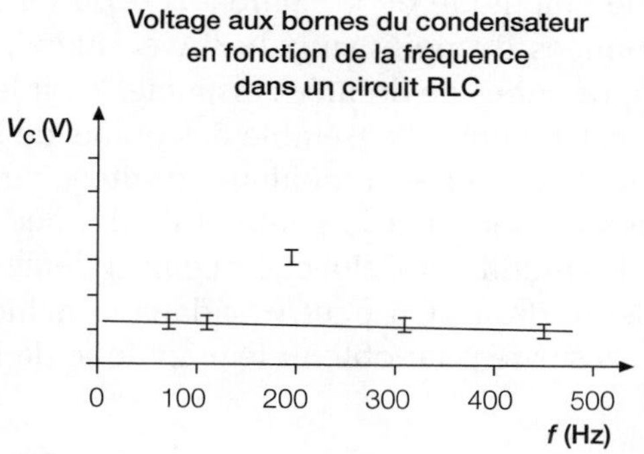

FIGURE 3.21

La vérification des mesures peut réserver des surprises.

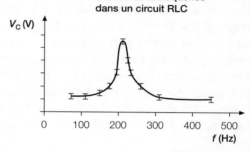

Le même genre de situation, à l'extrémité d'une zone de mesures cette fois-ci, peut être le signe d'un changement dans la tendance d'une courbe. En effet, lorsqu'on travaille dans la partie linéaire d'une courbe, on constate souvent que la présence d'un point singulier à une extrémité de la zone indique qu'on sort de la zone linéaire (voir les figures 3.22● et 3.23●).

FIGURE 3.22

Le point situé à l'extrême gauche sort de la zone linéaire; c'est un point singulier.

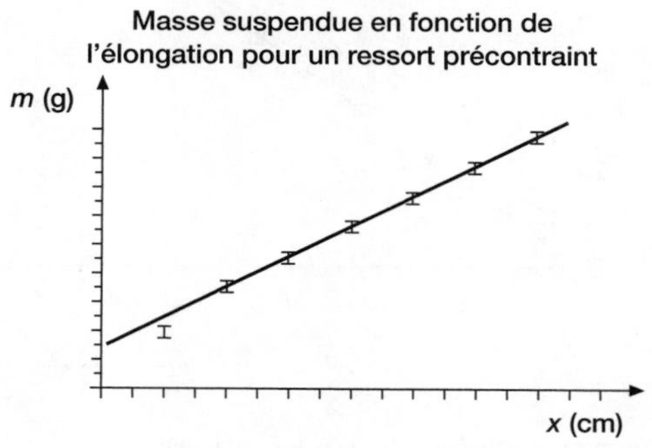

FIGURE 3.23

Le point situé à l'extrême droite est un point singulier, car il sort de la zone linéaire.

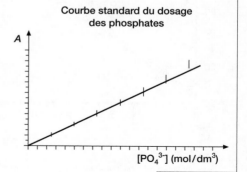

Un point singulier peut aussi provenir d'un instrument de mesure, d'un appareil ou de plusieurs autres facteurs. La présence d'un tel point n'est pas toujours facile à interpréter. En situation d'apprentissage, un point singulier est souvent dû à une erreur expérimentale. Si on trouve plus de 20 % de points singuliers dans l'étude d'un phénomène, cela signifie qu'on a peut-être sous-estimé l'incertitude sur une ou plusieurs variables.

Il faut toujours tenir compte de la présence des points singuliers dans l'interprétation des résultats. Il arrive qu'on ne puisse pas les vérifier ni les éliminer. Si on en trouve plus de 20 % dans un graphique, on doit considérer comme non fiables les données que l'on pourrait tirer de ce graphique. Si on en trouve moins de 20 %, on doit les exclure du traitement des données, sans toutefois les retirer des tableaux ou des graphiques*. Ainsi, pour déterminer la courbe de tendance dans le graphique de la figure 3.22● ou de la figure 3.23●, il ne faut pas utiliser les coordonnées du point singulier. Avec Excel, il faut que le ou les points singuliers fassent partie de séries de données distinctes (voir les figures 3.24● et 3.25●). De cette façon, on peut sélectionner l'ensemble des points de la première série et choisir d'ajouter une courbe de tendance – la meilleure droite – sans tenir compte des points singuliers. On peut alors déterminer la pente et l'ordonnée à l'origine sans que le ou les points singuliers ne les modifient. Celui-ci ou ceux-ci demeurent sur le graphique, à l'extérieur de la meilleure droite. On peut voir dans le fichier « Figure 3.25.xls » du disque compact, la marche à suivre pour obtenir le graphique de la figure 3.25●.

● **FIGURE 3.24**

Les points singuliers, s'ils sont inclus dans le traitement de la courbe de tendance, en faussent le résultat.

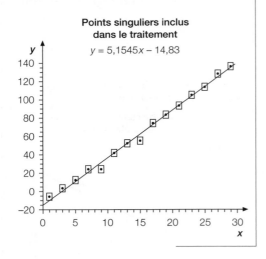

Points singuliers inclus dans le traitement

$y = 5,1545x - 14,83$

● **FIGURE 3.25**

On peut facilement traiter les points singuliers en utilisant la démarche proposée dans le fichier « Figure 3.25.xls ». Même s'ils sont illustrés, les points singuliers n'influent pas sur la courbe de tendance.

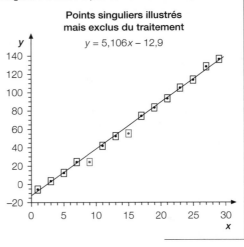

Points singuliers illustrés mais exclus du traitement

$y = 5,106x - 12,9$

....
* On se souviendra qu'il est important de respecter l'intégralité des informations dans les tableaux et les graphiques.

3.2.3 Échelles logarithmiques

L'analyse d'un problème peut nous amener à choisir un graphique qui comporte soit une soit deux échelles logarithmiques. C'est le cas lorsqu'une valeur s'étend sur plusieurs ordres de grandeur ou lorsque la fonction présumée est de type $y = Ae^{mx}$, $\ln y = mx + c$ ou $y = Bx^m$. Nous reviendrons sur cette question à la section 4.4.

Pour construire un graphique à échelle logarithmique, on procède de la même façon que pour tracer un graphique cartésien (voir la section 3.2.2, p. 94). La seule différence réside dans la graduation particulière de l'échelle. Un graphique qui comporte une seule échelle logarithmique est dit «semi-logarithmique» (voir la figure 3.26●), alors qu'un graphique qui en comporte deux, est dit «logarithmique» (voir la figure 3.27●). Il existe du papier avec un, deux, trois cycles ou plus. À chaque cycle correspond une puissance de 10.

Avec Excel, il n'est pas nécessaire de choisir le nombre de cycles des échelles logarithmiques: celui-ci s'ajuste automatiquement selon les valeurs minimale et maximale du tableau qui sert à construire le graphique. Il a fallu modifier la position par défaut de l'axe horizontal du graphique de la figure 3.27●, et préciser que l'axe des x coupe l'axe des y à 0,1, sinon les chiffres se seraient trouvés dans le quadrillé. De plus, Excel ne permet pas de multiplier une échelle par un facteur. Tous les cycles commencent toujours à un produit décimal de 1.

● **FIGURE 3.26**

Il y a deux cycles sur l'axe des y, un pour les unités, l'autre pour les dizaines. Si on faisait tourner ce graphique de 90° dans le sens des aiguilles d'une montre, l'échelle de l'axe horizontal deviendrait logarithmique.

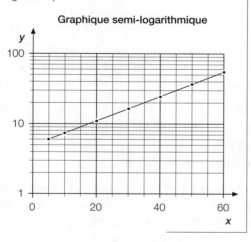

● **FIGURE 3.27**

Les deux axes de ce graphique ont une échelle logarithmique. Ici, l'axe horizontal a deux cycles, l'axe vertical, trois.

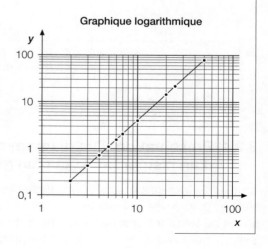

Si on travaille à la main, il faut choisir une feuille qui comporte le nombre de cycles dont on a besoin, en fonction de l'étendue des valeurs qu'on présente. De plus, en tenant compte des chiffres déjà imprimés (voir la figure 3.28●), on doit spécifier clairement quelle puissance de 10 est couverte par un cycle.

FIGURE 3.28

Le fabricant d'une feuille de papier logarithmique imprime des chiffres sur l'échelle logarithmique. Ici, on a ajouté un zéro à chaque chiffre pour indiquer que le cycle couvre des valeurs de 10 à 100.

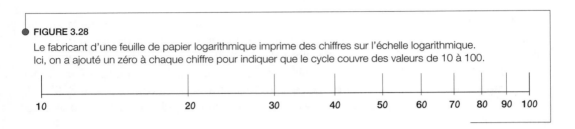

On peut coucher les feuilles de papier semi-logarithmique en les faisant tourner de 90° dans le sens des aiguilles d'une montre. On peut aussi multiplier chaque cycle par un facteur quelconque (ce qu'Excel ne permet pas de faire). Par exemple, des mesures qui vont de 3 à 180 s'étendent sur des unités, des dizaines et des centaines ; sans facteur multiplicatif, il faut trois cycles pour les présenter. On peut toutefois se restreindre à deux cycles en multipliant l'échelle par deux (voir la figure 3.29●).

Bien sûr, on doit rester vigilant et surveiller la présence de points singuliers. Si on en décèle, on procède comme nous l'avons expliqué dans la section 3.2.2 (point E).

FIGURE 3.29

On peut multiplier une échelle par un facteur. Ici, on a multiplié l'échelle par deux. Dans un graphique tracé à la main, on peut faire commencer un cycle par un chiffre différent de un, mais jamais par zéro.

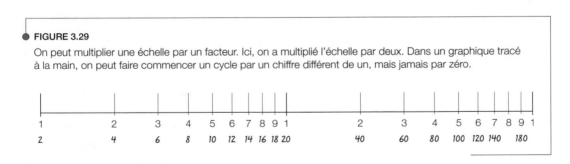

3.2.4 Présentation d'un diagramme en bâtonnets, d'un histogramme et d'un graphique circulaire

Le diagramme en bâtonnets, ou diagramme en barres, permet de représenter des données quantitatives discontinues, dites discrètes, ou des données qualitatives ; les intervalles ou les bâtonnets ne se touchent donc pas. L'ordonnée peut être une grandeur, par exemple la hauteur en mètres, une fréquence ou une fréquence relative.

Il doit comporter :

- un titre en toutes lettres et, au besoin, un numéro ;
- l'identification de l'axe des ordonnées – cet axe peut être gradué ou les valeurs de l'étiquette des données affichées ;
- l'identification de chaque paramètre sous le bâtonnet – dans le cas de données qualitatives, l'axe des abscisses n'est généralement pas identifié.

Avec Excel, il est facile de transposer un tableau en diagramme en bâtonnets. Pour ce faire, on sélectionne les cellules contenant les grandeurs ou les fréquences qui seront sur l'axe des ordonnées et, dans le menu « Insertion », on choisit « Graphique », puis on suit l'assistant graphique en choisissant « Histogramme ». À l'étape 2, sous l'onglet « Série », dans l'espace « Étiquettes des abscisses (X) », on sélectionne les cellules contenant les classes. On mène à terme les étapes 3 et 4 de l'assistant graphique. Dans le cas de la transposition d'un tableau de fréquences, si on se sert de l'utilitaire d'analyse pour calculer les fréquences des classes d'une série de données, on accède directement à la représentation graphique en cochant « Représentation graphique » dans les options de sortie. Comme pour les graphiques de type nuage de points, on peut modifier la présentation d'un élément à l'aide du menu accessible en cliquant avec le bouton droit de la souris sur l'élément à changer. Par exemple, on modifie la largeur des bâtonnets en cliquant avec le bouton droit de la souris sur un bâtonnet et on règle la largeur de l'intervalle dans le menu « Format de la série de données », sous l'onglet « Option ». La figure 3.30● illustre deux diagrammes en bâtonnets : celui de gauche représente des données qualitatives et celui de droite, des données quantitatives discontinues, ou discrètes.

● FIGURE 3.30

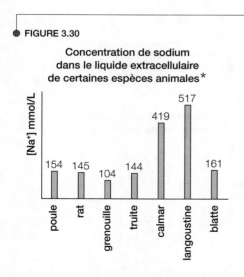

Concentration de sodium
dans le liquide extracellulaire
de certaines espèces animales *

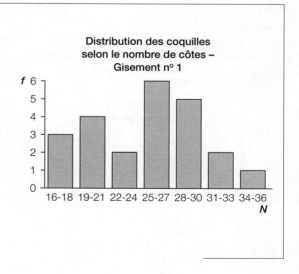

Distribution des coquilles
selon le nombre de côtes –
Gisement n° 1

---
* Données tirées de FLORENT et MATHIVET, 1995, p. 249.

L'histogramme permet de représenter des données quantitatives continues dont les intervalles se touchent. L'ordonnée peut être une fréquence ou une fréquence relative. Par exemple, on peut construire un histogramme pour montrer la distribution de la masse des œufs, compte tenu de la moulée consommée par les poules.

L'histogramme doit comporter :

- un titre en toutes lettres et, au besoin, un numéro ;
- l'identification de l'axe des abscisses et de l'axe des ordonnées ;
- la graduation de l'axe des abscisses et de l'axe des ordonnées.

Il est facile, à l'aide d'Excel, de transposer en histogramme un tableau de fréquences ou un tableau de fréquences relatives. On procède comme pour le diagramme en bâtonnets, mais on ajuste la largeur de l'intervalle à zéro. Malheureusement, les choix d'étiquettes de graduation ne permettent pas la représentation adéquate de données continues (voir l'illustration de gauche de la figure 3.31●). Pour un histogramme représentatif de données continues (voir l'illustration de droite de la figure 3.31●), il faut utiliser le modèle « Histogramme.xls », qu'on trouve sur le disque compact joint au manuel.

Le graphique circulaire, ou graphique en secteurs, sert à illustrer des proportions. Il est particulièrement approprié pour la transposition graphique d'un tableau de fréquences relatives, qu'il s'agisse de données qualitatives – par exemple l'illustration des fréquences relatives de différentes graminées sur un terrain –, de données quantitatives discontinues (ou discrètes) – par exemple l'illustration des fréquences relatives du nombre

● **FIGURE 3.31**

La position des chiffres sur l'axe T (°C), fixé par Excel, n'illustre pas des intervalles de données continues. Par exemple, comment interpréter l'espace vide au-dessus de 19,41 ?

La position des chiffres sur l'axe T (°C) montre bien des intervalles de données continues. Par exemple, on voit clairement qu'il n'y a aucune valeur entre 19,41 et 19,42.

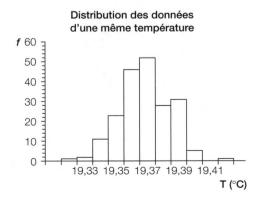

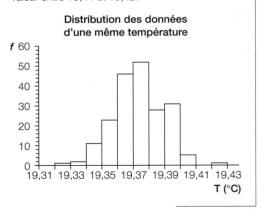

de lapereaux par portée d'un élevage –, ou de données quantitatives continues – par exemple l'illustration des fréquences relatives du poids de naissance de souris transgéniques.

Le graphique circulaire doit comporter :

- un titre en toutes lettres et, au besoin, un numéro ;
- une identification à côté de chacun des secteurs, ou une légende des motifs ou des couleurs les caractérisant ;
- les fractions décimales ou les pourcentages (facultatifs).

Autant la représentation à la main des zones proportionnelles à des grandeurs est difficile, autant la construction de ce type de graphique à l'aide d'Excel est facile. Il suffit de sélectionner les cellules contenant les données (paramètres dans la colonne de gauche et fréquences relatives dans la colonne de droite), de choisir « Graphique » dans le menu « Insertion », puis de suivre l'assistant graphique en optant pour « Secteurs » parmi les types de graphique. On peut modifier la présentation d'un élément d'un simple clic, à l'aide du menu accessible ; par exemple, en cliquant sur un secteur avec le bouton droit de la souris, le menu « Format de la série de données » s'affiche. Sous l'onglet « Étiquettes de données », on peut choisir d'afficher la valeur (fraction décimale apparaissant dans le tableau de fréquences relatives), le pourcentage, l'étiquette, ou l'étiquette et le pourcentage.

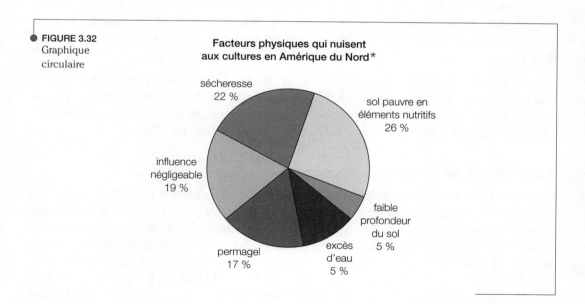

FIGURE 3.32
Graphique
circulaire

**Facteurs physiques qui nuisent
aux cultures en Amérique du Nord***

sécheresse
22 %

sol pauvre en
éléments nutritifs
26 %

influence
négligeable
19 %

faible
profondeur
du sol
5 %

permagel
17 %

excès
d'eau
5 %

---

* FLORENT et MATHIVET, 1995, p. 161.

3.3 SCHÉMAS

Un schéma est une représentation simplifiée qui fait ressortir les traits essentiels d'un objet ou d'un processus. Les qualités d'un schéma sont les mêmes que celles que l'on recherche pour un tableau ou un graphique : la clarté, la concision et l'intégralité de l'information.

Il existe plusieurs types de schémas. Les graphiques peuvent être considérés comme des schémas qui décrivent les variations d'un phénomène. Dans la littérature scientifique, on rencontre tous les types de schémas, qu'ils soient matériels ou idéels*. Le dessin des parties d'une plante ou d'une observation au microscope ainsi que les schémas de montage sont des schémas matériels. Un organigramme, un diagramme de forces, le schéma d'un circuit électrique ou du cycle de l'eau sont des schémas idéels.

Dans les sections suivantes, nous verrons deux genres de situations où les schémas permettent de reproduire des observations qualitatives. On utilise fréquemment les schémas en écologie ou en géologie, lors de recherches sur le terrain. En microscopie, le dessin constitue une façon indispensable d'exprimer des données.

3.3.1 Observation d'un milieu

Lorsqu'on procède à l'étude d'un milieu sur le terrain, on commence habituellement par faire une description sommaire des caractéristiques dominantes de ce milieu, par exemple celles d'un écosystème particulier comme la tourbière, illustrée à la figure 3.33●. À la main ou à l'ordinateur, on dessine un profil orienté de ce milieu (voir la figure 3.34●). En géologie, le schéma permet de présenter la stratification d'un affleurement. En écologie et en géologie, il permet d'illustrer clairement la succession des horizons d'un profil de sol.

Le profil de la figure 3.34●, établi d'est en ouest, illustre la succession des zones de végétation jusqu'au point d'eau situé au cœur de la tourbière. On remarque que ce schéma tient compte de la pente et du relief du terrain, de la proportion relative des zones de végétation et de l'orientation par rapport aux points cardinaux.

3.3.2 Observation au microscope

Pour observer des cellules ou des tissus au microscope, on utilise la plupart du temps des préparations industrielles, ou encore, on effectue un montage en couche mince sur une lame de verre. Les préparations industrielles offrent certains avantages. En effet, les lames issues d'un même lot de production présentent généralement les tissus dans la même position et avec les mêmes colorations, ce qui facilite la mesure et le repérage. De plus, ces préparations comportent un jeu de couleurs plus varié que les préparations maison, ce qui permet d'observer plus étroitement les structures que l'on veut étudier. Les

....
* FOURNIER et DENYER, 1997, p. 21-22.

FIGURE 3.33
Photographie d'une toubière de l'île Quarry

FIGURE 3.34
Dessin du profil d'une tourbière de l'île Quarry (Archipel de Mingan)

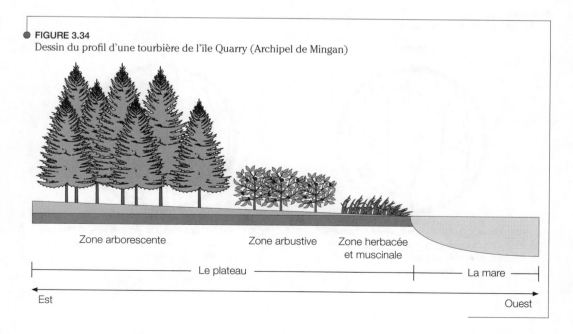

préparations maison offrent aussi des avantages : elles sont peu coûteuses et permettent d'observer des cellules (comme des bactéries ou du zooplancton) ou des tissus vivants (comme l'épiderme d'une feuille).

Quelle que soit la préparation utilisée, il importe d'abord de choisir une zone d'observation qui soit représentative de l'objet étudié. En règle générale, une zone représentative est une image nette et détaillée de l'objet, sans plis ni déchirure de tissus, sans bulles d'air ni taches de colorant. Dans la plupart des tissus, on trouve plusieurs zones d'observation représentatives (voir la figure 3.35●). Parfois, les structures recherchées n'apparaissent pas toutes lors de la première observation. Il faut, par conséquent, changer de champ en déplaçant horizontalement la platine, ou modifier la profondeur de champ, en tournant la vis micrométrique ou en choisissant un autre objectif.

Après avoir décidé d'un grossissement, et après avoir bien ciblé et identifié les structures que l'on cherche, on consigne ses observations sur un dessin. Le dessin est un schéma qui représente une synthèse de l'observation, c'est-à-dire qu'il comporte toutes les structures cellulaires observées à une valeur de grossissement donnée, même s'il a fallu déplacer la platine (voir la figure 3.36●).

Lorsqu'on fait un dessin, on doit s'assurer qu'on respecte bien les formes, les proportions et la disposition dans le champ d'observation. On dessine à l'intérieur d'un cercle, celui-ci représentant le champ d'observation du microscope. Connaissant le diamètre du champ d'observation à la valeur de grossissement choisie (selon la méthode

● **FIGURE 3.35**
Choix d'une zone d'observation

Région A

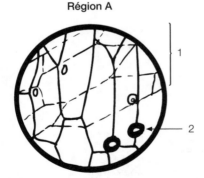

Région B

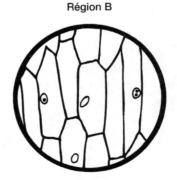

Lorsqu'on veut dessiner des cellules végétales, on doit éviter la région A, car on y trouve des artefacts (phénomènes artificiels) : tissu replié sur lui-même (1) et bulles d'air (2).

On choisit la région B, car les cellules végétales y sont semblables à celles qui sont décrites dans les ouvrages de référence.

décrite dans la section 1.6, p. 13), on établit la proportion du diamètre du champ occupée par la structure la plus grande ; celle-ci devient alors la structure de référence. Ensuite, on dispose adéquatement sur le schéma les autres structures observées, en respectant leurs proportions par rapport à la structure de référence (voir la figure 3.37●).

FIGURE 3.36
Synthèse de l'observation

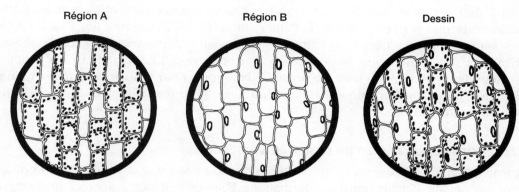

Région A   Région B   Dessin

Sur une préparation de cellules végétales, on voit dans deux sections des structures différentes. Dans la région A, on peut voir des chloroplastes dans certaines cellules et, dans la région B, des noyaux. Dans une autre région, qui n'est pas représentée ici, on peut voir les noyaux à une profondeur de champ et les chloroplastes à une autre. Cette observation des différentes profondeurs de la préparation microscopique se fait en tournant la vis micrométrique. Le dessin est alors une synthèse de l'observation ; on y représente des cellules végétales contenant chloroplastes et noyaux. Auparavant, on n'oubliera pas de vérifier que ces deux structures se retrouvent dans ce type de cellules végétales.

FIGURE 3.37
Proportions dans un dessin

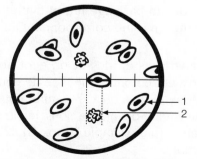

1
2

Dans ce dessin, le cercle représente le champ microscopique. On a respecté les proportions des deux types de cellules l'une par rapport à l'autre et leurs proportions par rapport au champ microscopique. Pour ce faire, on a estimé que chaque cellule nucléée (1) couvre le sixième du diamètre de champ. Par la suite, on estime la grosseur des autres structures (2) par rapport à la cellule nucléée.

Parfois, il est impossible de terminer le dessin dans le temps alloué. Voici une méthode de repérage qui permet, dans le cas d'une préparation industrielle, de poursuivre ce travail à un autre moment. Tout d'abord, on note les données inscrites sur la lame histologique ainsi que le grossissement utilisé. Ensuite, on centre une structure de la zone représentative dans le champ d'observation. Sur la base de ces mêmes données, à l'aide des échelles graduées et de leur vernier, on établit les coordonnées cartésiennes de la structure à représenter ou de l'endroit où on a interrompu le dessin.

Par exemple, on observe une cellule en métaphase, à un grossissement de 400×. Tout d'abord, on place la cellule au centre du champ d'observation et on note les informations inscrites sur l'étiquette de la lame (Turtox B 7.1872, *Vicia root tip*). Puis, à l'aide des deux échelles graduées et de leur vernier, situés sur la platine, on lit les coordonnées, (47,3; 112,9), tel que nous l'avons expliqué à la section 1.9.5 (p. 33). Grâce à cette manière de procéder, il est toujours possible de retrouver par la suite la structure qu'on cherche. On peut également y recourir, en histologie, pour préparer un examen d'identification de structures.

RÈGLES DE PRÉSENTATION D'UN DESSIN EN MICROSCOPIE

Lorsqu'il s'apprête à dessiner, l'observateur doit d'abord se préoccuper de la clarté, de la concision et de l'intégralité des informations. Pour cela, il doit respecter un certain nombre de règles, qui sont généralement celles qu'on suit dans les collèges et les universités (voir la figure 3.38●).

- On fait le dessin et on y inscrit les informations pertinentes au crayon à mine de graphite.
- Le dessin doit respecter les formes et les proportions, en fonction de la valeur de grossissement demandée. Si, à un grossissement donné, le champ d'observation est couvert d'informations détaillées, on dessine une portion de l'ensemble qui en constitue une zone représentative ou la structure unitaire.
- Il doit y avoir un seul dessin par page. Il doit figurer au centre, dans un cercle de 9 cm de diamètre environ (mesure correspondant au diamètre du couvercle d'une boîte de Pétri).
- En haut de la page, au-dessus du dessin, on écrit un titre qui permet d'identifier l'objet que l'on observe et de nommer le type de coupe, s'il y a lieu (par exemple, «Feuille de dicotylédone (C.T.)», où C.T. signifie *coupe transversale*). Si on utilise une préparation industrielle, on ajoute sous le titre le nom du fabricant et le numéro de la préparation (par exemple, Turtox, B1.423), pour que l'observation soit vérifiable et reproductible.
- Si on a plusieurs dessins à produire, on prend soin de les numéroter.
- On répartit le texte de la légende (ensemble des mots désignant les structures) de chaque côté du dessin, pour améliorer la lisibilité. Les traits qui relient les différentes structures à la légende ne doivent ni se croiser ni se chevaucher. On peut les orienter

FIGURE 3.38
Présentation d'un dessin en microscopie

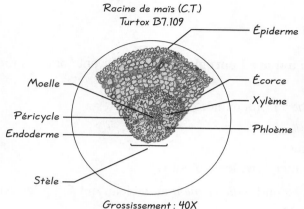

Racine de maïs (C.T.)
Turtox B7.109

Épiderme

Moelle

Écorce

Xylème

Péricycle

Endoderme

Phloème

Stèle

Grossissement : 40X

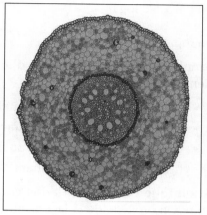

À gauche, dessin produit après observation au microscope photonique de la racine de maïs. À droite, micrographie (photographie obtenue à l'aide d'un microscope) de la racine de maïs. Quoiqu'il reproduise seulement une partie de la micrographie, le dessin représente bien la structure unitaire, tout en respectant les règles de présentation.

différemment pour bien répartir la légende autour du dessin, mais ils doivent toujours rejoindre les termes de la légende à l'horizontale.

- En bas de la page, sous le dessin, on précise la valeur du grossissement utilisé pour l'observation.

3.4 RÉSUMÉ

TABLEAUX

Un tableau doit comporter les éléments suivants :

- Un titre descriptif en toutes lettres et, au besoin, un numéro.
- Un encadré dans lequel les données sont ordonnées en lignes ou en colonnes. Il faut faire attention à la position relative des colonnes. Les variables, les unités ainsi que les incertitudes y sont indiquées.
- Une légende dans laquelle sont définis les variables, les symboles et les autres signes conventionnels utilisés dans l'encadré ou plus loin dans le rapport.
- Les valeurs uniques qui sont nécessaires aux calculs dans le traitement des observations ou à l'interprétation des résultats.

Dans la construction d'un tableau, on applique les règles relatives aux chiffres significatifs.

Le tableau de fréquences est une organisation par classes qui permet de visualiser la distribution des données. On définit le nombre de classes en fonction du nombre de données n, le nombre de classes étant l'entier le plus près de k obtenu par la formule $k = 1 + 3,322 \log n$.

GRAPHIQUES

Graphiques obtenus à l'aide d'un appareil enregistreur – Ils doivent comporter les éléments suivants :

- Un titre en toutes lettres et, au besoin, un numéro.
- L'identification de chaque tracé.
- Les paramètres à l'origine du tracé.
- Les informations permettant d'interpréter le graphique.

Graphique cartésien – Il doit correspondre *directement* au tableau qui sert à le construire. On procède de la façon suivante :

- On lui donne un titre en toutes lettres et, au besoin, un numéro.
- On trace les axes et on les identifie (symboles des variables et des unités).
- On inscrit des chiffres et des marques sur la graduation, à intervalles réguliers.
- Si on doit lire des coordonnées sur le graphique, on construit le quadrillage ou l'étalonnage de telle sorte qu'on puisse effectivement les lire sans faire de calcul.
- On choisit le premier et le dernier chiffre de chaque axe de manière à utiliser l'espace au maximum, en veillant à ce que le graphique soit facile à lire.
- On représente chaque mesure en incluant l'incertitude. Il faut toujours vérifier la présence de points singuliers et, au besoin, reprendre les mesures. Si on ne peut les éliminer, on les représente au même titre que les autres mesures.
- S'il y a plusieurs séries de mesures, on les distingue.
- On trace la meilleure courbe de façon à ne pas cacher les mesures. S'il y a un ou plusieurs points singuliers, on n'en tient pas compte.

Diagramme en bâtonnets, ou diagramme en barres – Il permet de représenter la distribution des données quantitatives discontinues dont les intervalles ne se touchent pas ou des données qualitatives. Il doit comporter les éléments suivants :

- Un titre en toutes lettres et, au besoin, un numéro.
- L'identification de l'axe des ordonnées ; on peut soit graduer celui-ci, soit afficher les valeurs de l'étiquette des données.
- L'identification de chaque paramètre sous le bâtonnet (l'axe des abscisses n'est généralement pas identifié).

Histogramme – Il permet de représenter la distribution des données quantitatives continues dont les intervalles se touchent. Il doit comporter les éléments suivants :

- Un titre en toutes lettres et, au besoin, un numéro.
- Une légende, si des symboles sont utilisés.
- L'identification de l'axe des abscisses et de l'axe des ordonnées.
- La graduation de l'axe des abscisses et de l'axe des ordonnées.

Graphique circulaire, ou graphique en secteurs – Il sert à illustrer des proportions. Il doit comporter les éléments suivants :

- Un titre en toutes lettres et, au besoin, un numéro.
- Une identification à côté de chacun des secteurs, ou une légende des motifs ou des couleurs les caractérisant ;
- les fractions décimales ou les pourcentages (facultatifs).

SCHÉMAS

Le schéma de l'**observation d'un milieu** tient compte de la pente du terrain, du relief, des points cardinaux et de la proportion relative des zones de végétation. Le schéma de l'**observation au microscope** exige que l'on choisisse une zone représentative de l'objet étudié.

La présentation du dessin doit respecter les règles suivantes :

- On s'assure qu'on respecte les formes, les proportions et la disposition dans le champ d'observation, selon la valeur de grossissement demandée.
- Au-dessus du dessin, en haut de la page, on écrit un titre qui comporte le numéro du dessin, l'identification de l'objet observé et le type de coupe. Si on utilise une préparation industrielle, on ajoute, sous l'identification, le nom du fabricant et le numéro de la préparation.
- On répartit de chaque côté du dessin la légende qui permet d'identifier les structures observées. On veille à ce que les traits reliant les termes et les structures ne se croisent pas.
- En bas de la page, sous le dessin, on note la valeur du grossissement utilisé pour l'observation.

Utilisations
D'UN GRAPHIQUE

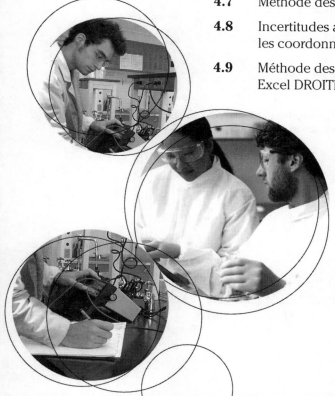

Nous distinguons quatre utilisations possibles d'un graphique. Tout d'abord, par sa nature, un graphique sert à illustrer la relation entre des variables. On peut aussi y lire une ou plusieurs valeurs. Un graphique peut servir à déterminer l'équation de la relation entre des variables. Finalement, on peut utiliser un graphique pour illustrer le comportement qu'on a observé expérimentalement et le comparer à celui d'un modèle théorique.

4.1 ILLUSTRATION DE LA RELATION ENTRE DEUX VARIABLES

4.1.1 Graphique d'illustration

Lorsqu'on veut illustrer une relation entre deux variables, on commence par choisir le type de papier sur lequel on tracera le graphique. La plupart du temps, on travaille avec du papier millimétrique. Si les mesures à placer sur un axe s'étendent sur plusieurs puissances de dix, on peut utiliser une échelle logarithmique (voir la figure 4.1●). Avec Excel, au lieu de choisir le type de papier, on choisit pour chaque axe (format de l'axe à l'onglet échelle) d'avoir ou non une échelle logarithmique. Ensuite, on trace le graphique et on observe l'agencement des points qui nous donne une illustration du phénomène qu'on étudie.

L'agencement des points donne des informations intéressantes sur le phénomène étudié : il permet de vérifier si la relation entre des variables est linéaire ou encore de trouver les caractéristiques de la forme d'une courbe. Par exemple, sur un électrocardiogramme (voir la figure 4.2●), on peut constater différentes formes d'infarctus en observant, entre autres, les modifications des ondes R et T.

● **FIGURE 4.1**
Les mesures de fréquence s'étendent sur plusieurs puissances de dix : on utilise alors une échelle logarithmique.

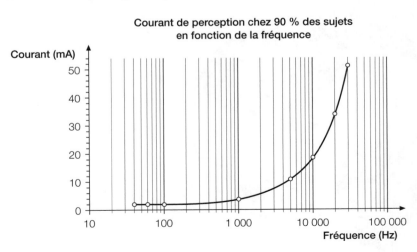

● FIGURE 4.2
Modifications des ondes R et T – Électrocardiogramme, dérivation V_1

Tracé normal

**Infarctus
antéro-latéral**

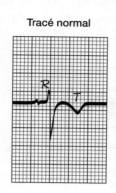
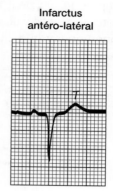

Dans un autre ordre d'idées, la forme d'une courbe de titrage renseigne sur la présence d'une espèce faible et sur l'existence d'une zone tampon (voir les figures 4.3● et 4.4●).

● FIGURE 4.3
Une courbe de titrage d'un acide fort tel l'acide chlorhydrique (HCl) par une base forte tel l'hydroxyde de sodium (NaOH) a une forme caractéristique.

Courbe de titrage de 40 cm³ d'une solution aqueuse de HCl 0,001 mol/dm³ par une solution aqueuse de NaOH 0,001 mol/dm³

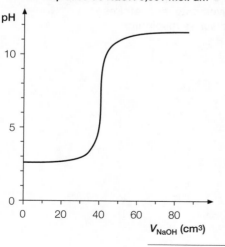

● FIGURE 4.4
Une courbe de titrage d'un acide faible tel l'acide acétique (CH₃COOH) par une base forte telle l'hydroxyde de sodium (NaOH) a aussi une forme caractéristique. De plus, la forme de la courbe dans la région T nous donne un renseignement important : dans cette région (après l'ajout d'environ 40 cm³ de NaOH), la solution obtenue a un pouvoir tampon.

Courbe de titrage de 100 cm³ d'une solution aqueuse de CH₃COOH 0,1 mol/dm³ par une solution aqueuse de NaOH 0,1 mol/dm³

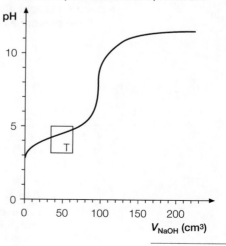

4.1.2 Graphiques obtenus à l'aide d'appareils enregistreurs

Lorsqu'une courbe est tracée par un appareil, on ne trouve généralement pas de zones d'incertitude sur le graphique. On peut lire des valeurs sur ce type de graphique, mais l'évaluation de l'incertitude sur ces valeurs peut nécessiter un traitement statistique. Prenons par exemple le pneumogramme illustré à la figure 4.5●.

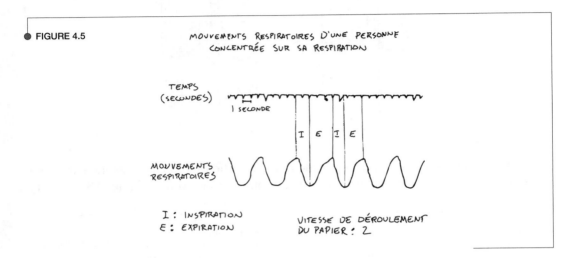

● FIGURE 4.5

Ce graphique permet d'effectuer des calculs sur la durée de la respiration et sur la fréquence du rythme respiratoire chez un sujet placé dans des conditions expérimentales déterminées (au repos, concentré sur sa respiration). Les valeurs que nous avons obtenues à partir de ce graphique sont indiquées dans le tableau 4.1.

Tableau 4.1
**Durées de l'inspiration et de l'expiration calculées
à partir du graphique des mouvements respiratoires
d'une personne concentrée sur sa respiration**

R	I	E
	s	s
1	0,17	0,20
2	0,20	0,35
3	0,16	0,29
4	0,16	0,24
5	0,17	0,32
6	0,17	0,24
7	0,21	0,24
Moyenne	0,18	0,27
Écart type	0,02	0,05

R = numéro du cycle respiratoire
I = inspiration
E = expiration

Dans le tableau 4.1 construit à l'aide du logiciel Excel, nous avons inséré les fonctions MOYENNE et ÉCARTYPE dans les cellules situées sous chacune des plages de valeurs correspondant aux deux variables. Si l'on regarde ces moyennes et leur écart type, on a l'impression que la durée de l'inspiration est plus courte que la durée de l'expiration. Cependant avec sept mesures, nous n'avons pas le nombre de valeurs conseillées (voir la section 1.11, p. 40) pour utiliser en toute confiance les outils statistiques d'une distribution normale. Il serait bon d'appliquer le test d'hypothèses sur deux moyennes que nous présentons au chapitre 5 et qui sert à comparer deux moyennes obtenues à partir d'un petit nombre de valeurs.

Lorsque l'on compare des mesures prises à partir de deux graphiques réalisés dans des conditions différentes, on doit s'assurer que tous les paramètres influant sur les mesures sont identiques. Ainsi, dans le cas d'un pneumogramme, on peut comparer la durée de l'inspiration chez un sujet dans deux situations différentes (au repos et à la suite d'un exercice physique intense). Cependant, on ne pourrait pas comparer l'amplitude de la respiration sur les deux graphiques, parce que l'appareil utilisé modifie les amplitudes d'une situation expérimentale à l'autre.

Dans certains cas, il n'est pas pertinent d'évaluer l'incertitude sur les valeurs lues sur un graphique obtenu à partir d'un appareil enregistreur. Par exemple, lors de l'interprétation d'un spectre infrarouge, comme celui de la figure 4.6●, on doit analyser la position des bandes – déterminée par le nombre d'ondes lu en cm^{-1} –, leur intensité – faible, moyenne, forte ou très forte – et leur forme – étroite ou large. En se guidant sur des tables publiées dans la littérature, qui associent les caractéristiques des bandes à des fonctions chimiques, on confirmera la présence ou l'absence de ces dernières dans le composé analysé. Ici, l'incertitude sur la lecture de la position de la bande sur le graphique est

● **FIGURE 4.6**
Lors de l'interprétation d'un spectre infrarouge,
on doit analyser la position, l'intensité et la forme des bandes.

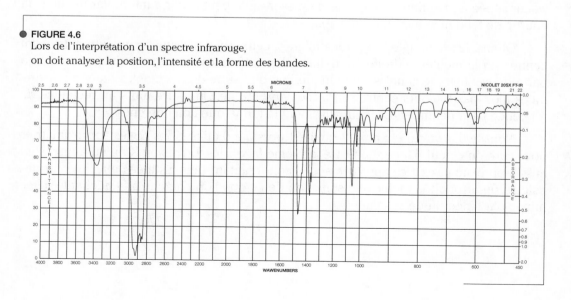

sans intérêt, puisque les tables n'indiquent que la région des nombres d'ondes où on s'attend à trouver la bande caractéristique d'une fonction. Par contre, pour faire cette analyse graphique, on doit bien observer l'intensité et la forme de la bande, comme nous l'avons expliqué à la section précédente.

4.2 GRAPHIQUES TRACÉS À PARTIR DE MESURES – FORME EN X ET FORME EN TUNNEL

Nous savons qu'une mesure est donnée par sa meilleure estimation assortie d'une incertitude, et nous avons vu au chapitre 3 (p. 97) qu'un couple de mesures est représenté par un rectangle. Un graphique tracé à partir de mesures contient donc des rectangles représentant les incertitudes. On peut utiliser ces rectangles pour délimiter des zones dans lesquelles il est possible de trouver soit une courbe reliant les mesures, soit une valeur en abscisse ou en ordonnée.

Lorsque des mesures sont alignées, il est possible de faire passer une infinité de droites par leurs zones d'incertitude (voir la figure 4.7●). En augmentant le nombre de droites illustrées, on parvient à visualiser la zone où il est possible d'en trouver une (voir la figure 4.8●). La figure 4.9● montre qu'on peut ainsi dégager deux formes, une forme en X et une forme en tunnel.

La forme en X est utilisée quand la courbe de tendance est une droite. Elle sert à deux fins : soit pour déterminer les droites de pentes extrêmes passant par les rectangles associés aux mesures (nous reviendrons sur cette notion à la section 4.5), soit pour déterminer une valeur qui se situe en dehors de la zone de mesure ; on fait alors une extrapolation. La forme en tunnel est utilisée essentiellement quand on veut déterminer une valeur située à l'intérieur de la zone de mesure. Elle peut servir à interpoler, même si la courbe de tendance n'est pas linéaire.

Quand les rectangles sont tous alignés, ceux qui sont situés aux extrémités sont centrés sur la meilleure droite. On délimite les différentes formes (en tunnel ou en X) à partir de ces deux rectangles. En pratique, l'un ou l'autre des rectangles situés aux extrémités n'est pas toujours centré sur la meilleure droite. On utilise alors un rectangle de référence pour délimiter approximativement la forme que l'on cherche.

Nous avons vu au chapitre 2 qu'il est possible d'utiliser des règles approximatives pour faire du calcul d'incertitude. De la même façon, les formes en X ou en tunnel sont aussi approximatives. Ces approximations sont d'autant plus justifiées que, à la fin des calculs, on arrondit la meilleure estimation de ce que l'on cherche à la décimale déterminée par l'incertitude absolue.

FIGURE 4.7
Si les mesures sont parfaitement alignées, chaque droite possible passe par toutes les zones d'incertitude.

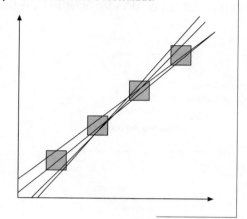

FIGURE 4.8
Il est possible de tracer un nombre infini de droites passant par toutes les zones d'incertitude.

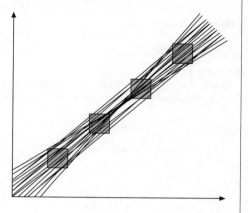

FIGURE 4.9
Forme en tunnel et forme en X dégagées par l'infinité de droites. Ces formes sont délimitées par les deux rectangles aux extrémités.

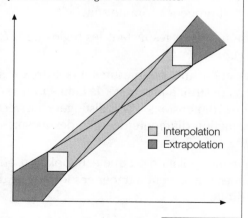

☐ Interpolation
■ Extrapolation

Le fichier Excel «Graphiques.xls» permet la construction rapide de la forme en X ou en tunnel (voir la figure 4.10●). Les étapes de construction de ces formes avec Excel sont indiquées dans le fichier du disque compact «Modèles graphiques.doc». On y voit, entre autres, que les rectangles de référence situés aux extrémités de la zone de mesure sont calculés mais ne sont pas illustrés; ainsi on ne peut les confondre avec les mesures expérimentales.

● **FIGURE 4.10**
Le fichier «Graphiques.xls» permet la construction rapide de la forme en X ou en tunnel quand la relation entre les deux variables est linéaire.

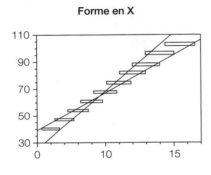

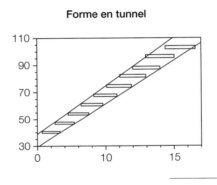

Quand on peut illustrer les incertitudes et que l'on veut tracer une forme en X ou en tunnel à la main, on doit procéder comme suit:

1. On construit le graphique en respectant les règles de présentation énoncées à la section 3.2.2 (p. 94).

2. Si le rectangle associé à une des mesures aux extrémités n'est pas centré sur la meilleure droite, on construit à proximité de celui-ci, en le centrant, un rectangle de référence de mêmes dimensions. Pour distinguer ce rectangle de référence, on choisit une représentation différente de celle des mesures expérimentales (voir la figure 4.13●, p. 128).

3. Selon qu'on fait une interpolation ou une extrapolation, on trace une forme en tunnel ou en X. Les lignes qui servent à tracer ces formes ne doivent pas se confondre avec la meilleure droite.

Si on veut déterminer une valeur par interpolation grâce à une forme en tunnel et que la relation entre les variables n'est pas linéaire, il est toujours possible de construire cette forme en utilisant les extrémités des rectangles associés aux mesures. La figure 4.11●, qu'on retrouve sur le disque compact, donne un exemple de forme en tunnel pour une courbe de titrage. On a obtenu les deux côtés du tunnel en reliant par un trait lissé, d'une part, les coins supérieurs gauches et, d'autre part, les coins inférieurs droits des rectangles.

● **FIGURE 4.11***
En reliant les extrémités appropriées des rectangles associés aux mesures, il est possible de construire une forme en tunnel même si la relation reliant les deux variables n'est pas linéaire.

Titrage d'un acide par une base

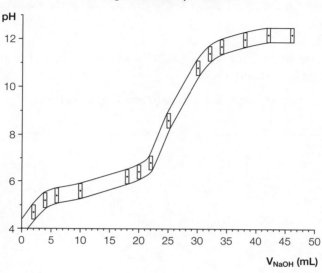

4.3 LECTURE D'UNE VALEUR ET DE SON INCERTITUDE SUR UN GRAPHIQUE

On peut lire une ou plusieurs valeurs sur une courbe tracée à partir de mesures expérimentales. Si la valeur que l'on veut déterminer se trouve à l'intérieur de la zone des mesures, il s'agit d'une interpolation; on peut alors la lire directement sur le graphique. Si cette valeur se trouve à l'extérieur de la zone des mesures, il s'agit d'une extrapolation. L'extrapolation comporte toujours un risque d'erreur puisque rien ne garantit que la tendance d'une courbe demeure la même en dehors de la zone des mesures. Ainsi, on n'extrapole jamais en utilisant une courbe standard, car la relation n'est plus linéaire lorsqu'on augmente la concentration (voir la figure 3.23●, p. 103).

Comme nous l'avons mentionné à la section 4.2, il est possible d'utiliser la forme en X pour extrapoler et la forme en tunnel pour interpoler. Dans chaque cas, après avoir construit la forme appropriée, il suffit de trouver les points extrêmes associés à la valeur que l'on cherche et d'en lire les coordonnées. Voyons ici deux exemples pour illustrer, à la fois, la démarche proposée et les trois étapes de la construction d'une forme en tunnel

....
* Les incertitudes dans ce graphique sont exagérées; une vraie courbe de titrage aurait des incertitudes plus petites.

dont il a été question à la section 4.2 (p. 126). Les mentions entre parenthèses (étape__) font référence à ces trois étapes. Sur le disque compact, le fichier « Figure 4.11.xls » donne un autre exemple, soit celui d'une interpolation avec une courbe de titrage.

EXEMPLE **1**

Interpolation

On cherche la valeur de x, si $y = 0,64 \pm 0,02$. Voici un graphique obtenu avec un instrument étalonné à $y = 0$ pour $x = 0$.

Les incertitudes sur x et y sont croissantes (étape 1, figure 4.12●).

● **FIGURE 4.12**

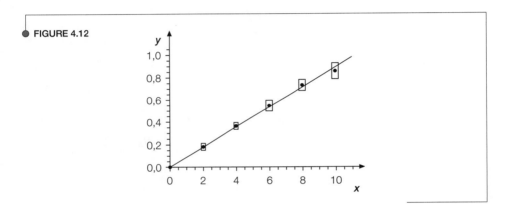

Le rectangle situé à l'extrémité droite n'est pas centré sur la meilleure droite. On construit alors un rectangle de référence (étape 2, figure 4.13●).

● **FIGURE 4.13**

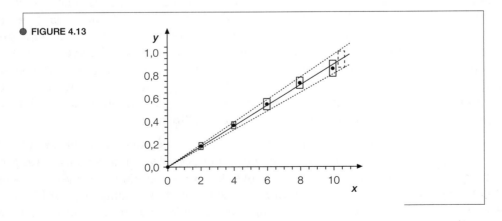

On construit un tunnel à partir de ce rectangle et du point (0,0). Ce tunnel, tracé pour l'interpolation, prend ici la forme d'un triangle (étape 3, figure 4.13●).

Comme la fonction illustrée est croissante, x_{min} est donné par y_{min} (0,62) et x_{max} par y_{max} (0,66)*. En tenant compte des droites pour tracer les lignes correspondant à ces valeurs de y, on trouve x_{min} = 6,5 et x_{max} = 8,3. On trouve ($\bar{x} \pm \Delta x$) par la méthode des extrêmes. Ici, x = 7,4 ± 0,9 (figure 4.14●).

● FIGURE 4.14
On trouve la valeur
de x si y se situe
entre 0,62 et 0,66.

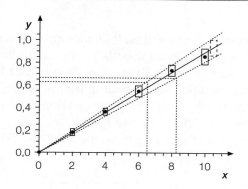

 EXEMPLE (**2**)

Extrapolation

On cherche dans cet exemple l'ordonnée à l'origine.

Les rectangles situés aux deux extrémités de la courbe ne sont pas centrés sur la meilleure droite. On doit donc construire des rectangles de référence à chaque extrémité (étape 2, figure 4.15●).

● FIGURE 4.15
Forme en X servant
à trouver une valeur
par extrapolation

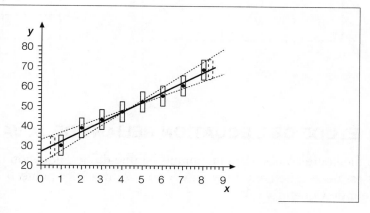

....
* Nous avons rencontré une situation analogue à la figure 2.1, p. 52.

À partir des rectangles de référence, on trace un X en pointillés ou en couleurs (étape 3).

On lit les valeurs extrêmes de y: si $x = 0$, $y_{max} = 33$ et $y_{min} = 21$.

On trouve l'ordonnée à l'origine: $y = 27 \pm 6$.

Quand les incertitudes sont petites, les lignes qui pourraient servir à délimiter la forme en X ou en tunnel se confondent avec la meilleure droite. Dans ce cas, on utilise un zoom ou on étire le graphique dans Excel pour lire les coordonnées recherchées. La figure 4.16● en donne un exemple: on ne peut utiliser le graphique de gauche tel quel pour déterminer la valeur de x à $y = 60$; par contre, en copiant ce graphique, en zoomant dans la partie appropriée et en changeant le format des axes x et y, on peut lire que, à $y = 60$, x est compris entre 22,2 et 22,8, ce qui donne $x = 22,5 \pm 0,3$.

● **FIGURE 4.16**
Un zoom permet de déterminer une valeur, même si les incertitudes sont petites.

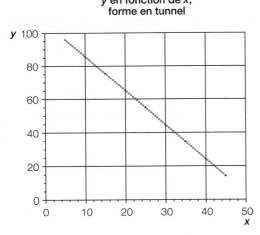

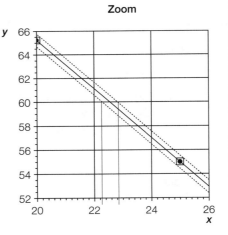

4.4 ÉTUDE DE L'ÉQUATION RELIANT DEUX VARIABLES

Si la meilleure courbe d'un graphique est une droite, l'équation qui relie les deux variables est nécessairement de type: $y = mx + b$ avec m = pente, b = ordonnée à l'origine (valeur de y quand $x = 0$).

Pour déterminer l'équation, il suffit donc de trouver les valeurs de m et de b*. Par contre, en présence d'un phénomène non linéaire entre deux paramètres, il devient difficile de trouver la fonction précise qui les relie (voir la figure 4.17●). En fait, on ne peut être certain du type de fonction que lorsqu'on obtient une droite.

En effet, qui peut dire avec certitude que telle représentation graphique correspond à une équation du second degré (parabole), ou encore à une fonction trigonométrique ou exponentielle (voir la figure 4.18●)?

On peut chercher à représenter graphiquement une fonction non linéaire par une droite en effectuant un changement de variable ou un changement d'échelle. On peut aussi faire des simulations à l'aide de l'ordinateur pour trouver ou pour vérifier un modèle mathématique qui correspond aux mesures expérimentales.

● **FIGURE 4.17**

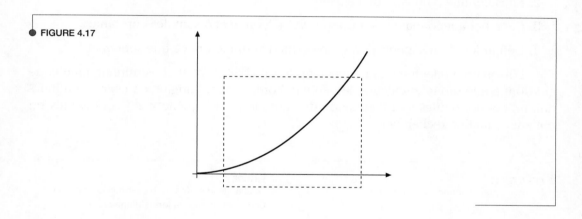

● **FIGURE 4.18**

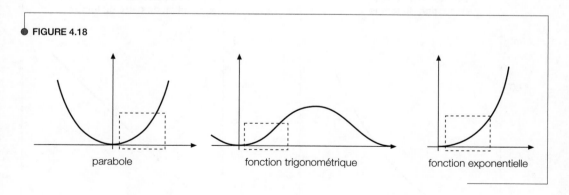

parabole   fonction trigonométrique   fonction exponentielle

....
*   Aux sections 4.5 à 4.8, nous verrons comment déterminer l'ordonnée à l'origine et la pente d'une droite avec leur incertitude.

4.4.1 Changement de variable

On utilise le changement de variable quand on a une idée de la relation qui existe entre des variables expérimentales. Le changement de variable a pour but de ramener une fonction quelconque sous la forme $y = mx + b$. Par exemple, à partir des mesures de temps et de position d'un objet en chute libre, on trace le graphique de la position en fonction du temps (voir la figure 4.19●). Ce graphique ne représente pas une droite. Par contre, si on calcule t^2 et qu'on trace le graphique de la position de cet objet en fonction du carré du temps, on obtient une droite (voir la figure 4.20●). On a changé la variable en abscisse par t^2.

Pour effectuer un changement de variable, il faut :

1. Repérer les variables.

2. En isoler une d'un côté de l'égalité.

3. Chercher à reconnaître la forme $y = mx + b$, où m et b sont des constantes.

4. Définir les changements de variables qui détermineront ce que sont m et b.

Lorsqu'on a effectué un changement de variable, on peut construire un graphique qui donne une droite et calculer la pente et l'ordonnée à l'origine de celle-ci. En introduisant ces constantes dans l'équation de la droite pour laquelle x et y sont définis, on obtient l'équation recherchée.

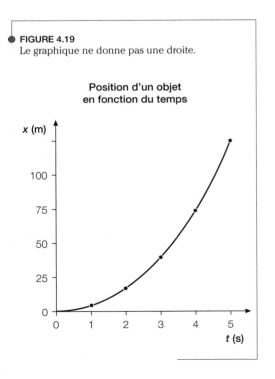

● FIGURE 4.19
Le graphique ne donne pas une droite.

Position d'un objet en fonction du temps

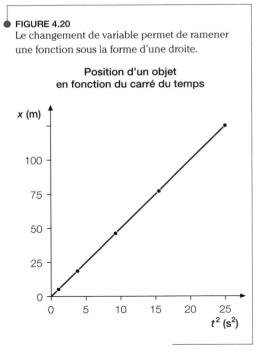

● FIGURE 4.20
Le changement de variable permet de ramener une fonction sous la forme d'une droite.

Position d'un objet en fonction du carré du temps

EXEMPLE 3

Recherche de la forme $y = mx + b$

On mesure la concentration d'un réactif $[A]$ en fonction du temps t. On présume que l'ordre de la réaction par rapport à A est deux. L'équation aurait donc la forme suivante :

$$\frac{1}{[A]} = \frac{1}{[A_0]} + kt$$

où $[A_0]$ et k sont des constantes.

1. On sait que $[A]$ et t sont les variables.

2. Ici, l'une de ces variables est déjà isolée d'un côté de l'égalité.

On reconnaît la variable y.

L'une des variables étant t, on reconnaît mx.

On reconnaît la constante b.

3. $$\frac{1}{[A]} = \frac{1}{[A_0]} + kt$$

4. En changeant la variable $y = \dfrac{1}{[A]}$ et en faisant un graphique de y en fonction de t, on devrait obtenir une droite dont la pente sera k et l'ordonnée à l'origine $\dfrac{1}{[A_0]}$.

EXEMPLE 4

Recherche de la forme $y = mx + b$

On mesure la position de l'image q pour différentes positions p d'un objet. On s'attend à avoir l'équation suivante :

$$\frac{1}{p} + \frac{1}{q} = \frac{1}{f},$$

où f est une constante.

1. p et q sont les variables.

2. En isolant une de ces variables d'un côté de l'égalité, on obtient $\dfrac{1}{q} = -\dfrac{1}{p} + \dfrac{1}{f}$.

3. On reconnaît la variable y.

L'une des variables étant p, $x = \dfrac{1}{p}$.

Puisque $x = \dfrac{1}{p}$, la pente m est égale à -1.

$$\frac{1}{q} = -\frac{1}{p} + \frac{1}{f}$$

$\dfrac{1}{f}$ sera l'ordonnée à l'origine b.

4. En changeant les variables $y = \dfrac{1}{q}$ et $x = \dfrac{1}{p}$ et en faisant un graphique de y en fonction de x, on devrait obtenir une droite dont la pente sera égale à -1 et l'ordonnée à l'origine à $\dfrac{1}{f}$.

EXEMPLE 5

Détermination d'une équation par un changement de variable

En étudiant la décharge d'un condensateur dans un circuit RC, on mesure la tension aux bornes de ce condensateur en fonction du temps, pour en déterminer l'équation.

Tableau 1
Temps et tension
aux bornes
d'un condensateur

t	V
s	V
±0,1	±0,01
10,0	6,61
20,0	4,65
30,0	3,28
40,0	2,32
50,0	1,62

t = temps
V = tension

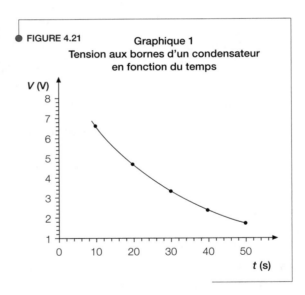

● FIGURE 4.21   Graphique 1
Tension aux bornes d'un condensateur
en fonction du temps

On voit que la relation n'est pas linéaire. On présume que l'on a

$$V = V_0 e^{-\frac{t}{RC}},$$

où R et C sont des constantes, ce qui peut s'écrire

$$\ln V = \ln V_0 - \frac{t}{RC}.$$

On reconnaît la forme $y = mx + b$, où y devient $\ln V$ et x devient t.

Alors :

$$m = -\frac{1}{RC} \quad \text{et} \quad b = \ln V_0.$$

Tableau 2
Temps et logarithme
de la tension aux bornes
d'un condensateur

t	$\ln V$
s	
±0,1	
10,0	1,889 ± 0,002
20,0	1,537 ± 0,002
30,0	1,188 ± 0,003
40,0	0,842 ± 0,004
50,0	0,482 ± 0,006

t = temps
V = tension

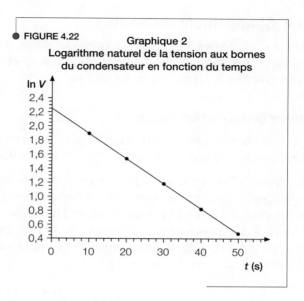

FIGURE 4.22

Graphique 2
Logarithme naturel de la tension aux bornes
du condensateur en fonction du temps

En lisant deux points aux extrémités de la meilleure droite (0 s ; 2,25) et (50 s ; 0,48), on trouve une ordonnée à l'origine b de 2,25 et on calcule la pente* :

$$m = \frac{2,25 - 0,48}{(0 - 50)\ \text{s}} = -0,0354\ \text{s}^{-1}.$$

L'équation que l'on cherche est $\ln V = -0,0354t + 2,25$, si t est en secondes et V en volts. Ayant $\ln V_0 = 2,25$, donc $V_0 = 9,49$ V. On peut écrire l'équation sous la forme :

$$V = 9,49e^{-0,0354t}, \text{ avec } V \text{ (V) et } t \text{ (s)}.$$

Dans l'exemple 5, le changement de variable nécessite le calcul de logarithmes. Toutefois, on peut éviter cette étape en faisant un changement d'échelle, sujet que nous aborderons dans la prochaine section.

---

* Comme nous n'avons pas calculé l'incertitude, le nombre de chiffres significatifs de ces valeurs est arbitraire. Les sections 4.5 à 4.8 seront consacrées au traitement de l'incertitude dans une analyse graphique.

4.4.2 Changement d'échelle

Comme il existe des feuilles graphiques qui comportent une ou deux échelles logarithmiques*, il est possible de ramener certaines fonctions à une apparence linéaire sans avoir à calculer le changement de variable.

FORMAT SEMI-LOGARITHMIQUE

Ce format convient aux fonctions de type $\ln y = mx + \ln B$, où m et B sont des constantes. On rencontre souvent ces fonctions sous la forme $y = Be^{mx}$.

Prenons le cas d'une relation de ce type entre deux variables. Si on utilise un format semi-logarithmique, en mettant y sur l'échelle logarithmique et x sur l'échelle linéaire, on obtient une droite dont la pente est m et l'ordonnée à l'origine B. Avec ce changement d'échelle, il n'est pas nécessaire de calculer $\ln y$ (et leur incertitude) pour tous les points. Toutefois, lorsqu'on cherche la pente de la droite, on doit calculer les logarithmes des deux valeurs de y nécessaires. On a :

$$\text{pente} = \frac{\ln y_2 - \ln y_1}{x_2 - x_1}$$

EXEMPLE (5) (SUITE)

Détermination d'une équation par un changement d'échelle sur un axe

Nous avons déterminé l'équation de l'exemple 5 en effectuant un changement de variable. Nous aurions pu aussi la déterminer en utilisant un format semi-logarithmique, puisque

$$V = V_0 e^{-\frac{t}{RC}} \quad \text{ou} \quad \ln V = -\frac{t}{RC} + \ln V_0.$$

Un graphique semi-logarithmique de V en fonction de t donne une droite de pente

$$-\frac{1}{RC}.$$

V_0 correspond à l'ordonnée à l'origine, qu'on peut trouver ici directement sur l'échelle logarithmique.

---

* Voir la section 3.2.3, p. 105.

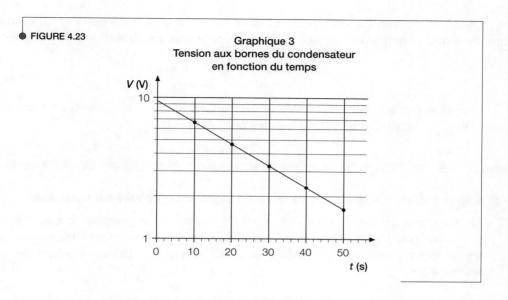

FIGURE 4.23

Graphique 3
Tension aux bornes du condensateur
en fonction du temps

Sur une feuille, les divisions fines permettraient de lire deux points aux extrémités de la meilleure droite (10 s ; 6,61 V) et (50 s ; 1,62 V). On obtiendrait alors*:

$$\text{pente} = \frac{(\ln 1{,}62 - \ln 6{,}61)}{(50 - 10)\ \text{s}} = \frac{\ln\left(\dfrac{1{,}62}{6{,}61}\right)}{40\ \text{s}} = -0{,}0352\ \text{s}^{-1}$$

et on lirait la valeur de V, si $t = 0$ $V_0 = 9{,}5$ V.

On pourrait alors écrire cette équation sous la forme suivante :

$$V = 9{,}5e^{-0{,}0352t},\ \text{avec}\ V\ (\text{V})\ \text{et}\ t\ (\text{s}).$$

FORMAT LOGARITHMIQUE

Ce format convient aux fonctions de type $\log y = m \log x + \log B$, où m et B sont des constantes. La base que l'on utilise pour calculer le logarithme n'a pas d'importance, car le facteur qu'on introduirait pour la changer serait le même de part et d'autre de l'égalité. On rencontre souvent ces fonctions sous la forme $y = Bx^m$.

....

* Comme nous n'avons pas calculé l'incertitude, le nombre de chiffres significatifs de ces valeurs est arbitraire. Les sections 4.5 à 4.8 seront consacrées au traitement de l'incertitude dans une analyse graphique.

Quand la relation qui unit deux variables est de ce type et qu'on utilise un format logarithmique, un graphique de y en fonction de x donne une droite, dont la pente est :

$$m = \frac{\ln y_2 - \ln y_1}{\ln x_2 - \ln x_1} = \frac{\ln(y_2/y_1)}{\ln(x_2/x_1)}.$$

On obtient B en trouvant la valeur de y quand $x = 1$, sans toutefois lui associer l'unité de y. L'unité de B correspond à celles de (y/x^m).

EXEMPLE 6

Détermination d'une équation par un changement d'échelle sur deux axes

On mesure la période T pour différentes longueurs L d'un pendule simple. On présume que la relation entre ces variables prend la forme $T = AL^n$. Un graphique sur format logarithmique de T en fonction de L doit donner une droite permettant de trouver A et n.

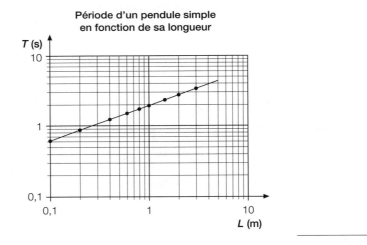

● FIGURE 4.24

Ici, la pente correspond à n. Sur une feuille, les divisions fines permettraient de lire deux points aux extrémités de la meilleure droite (0,1 m ; 0,635 s) et (3 m ; 3,45 s). On calcule la pente* :

$$\text{pente} = \frac{\log 3{,}45 - \log 0{,}635}{\log 3 - \log 0{,}1} = \frac{\log \dfrac{3{,}45}{0{,}635}}{\log \dfrac{3}{0{,}1}}$$

$$= 0{,}498 \approx 0{,}5.$$

....
* Comme nous n'avons pas calculé l'incertitude, le nombre de chiffres significatifs de ces valeurs est arbitraire. Les sections 4.5 à 4.8 seront consacrées au traitement de l'incertitude dans une analyse graphique.

Pour trouver le facteur multiplicatif A, puisque $T = AL^n$, on doit trouver T pour $L = 1$. Pour cette valeur de L, $T = A$, quelles que soient les unités. Pour trouver l'unité de A, il faut connaître n. On lit $T = 2$ s si $L = 1$ m, donc $A = 2$ s/m$^{1/2}$.

L'équation est $T = 2\sqrt{L}$, avec T (s) et L (m).

4.4.3 Simulations avec l'ordinateur

Comme au chapitre 3, le logiciel dont nous traiterons dans cette section est le logiciel d'usage courant Excel. Nous nous limiterons à présenter deux moyens simples d'étudier une équation : les courbes de tendance et la superposition de graphiques.

COURBE DE TENDANCE

Excel calcule, trace et donne l'équation de cinq types de courbes : linéaire, logarithmique, polynomiale, puissance et exponentielle. Ainsi, il est possible de vérifier certaines formes de relation entre les valeurs expérimentales, sans avoir besoin de ramener la courbe à une forme linéaire.

Par contre, puisque le logiciel Excel ne tient pas compte de l'existence possible de points singuliers, on ne doit pas utiliser la courbe de tendance lorsqu'un graphique en contient. Pour contourner cette limite, on trace, à l'aide du logiciel, un graphique de la courbe de tendance sans les points singuliers*. On doit ensuite superposer ce graphique à celui qui contient tous les points.

EXEMPLE 7

Utilisation de la courbe de tendance

On a placé des valeurs expérimentales sur un graphique. On suppose qu'il y a une décroissance exponentielle.

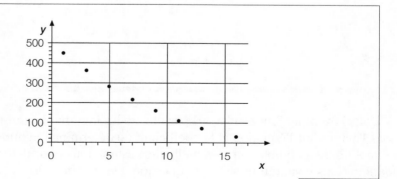

● FIGURE 4.25

---

* La méthode consistant à exclure les points singuliers du traitement, tout en les illustrant, est expliquée au chapitre 3 (p. 104) et dans les fichiers « Figure 3.25 » du disque compact.

On demande au logiciel d'afficher la courbe de tendance selon le type exponentiel, l'équation et le coefficient de détermination* R^2. Une tendance est d'autant plus fiable que R^2 se rapproche de un. Ici, bien que R^2 soit près de un, le nombre de points singuliers est très grand.

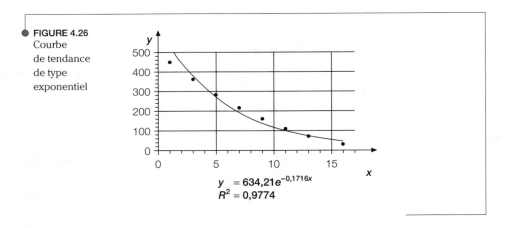

FIGURE 4.26
Courbe
de tendance
de type
exponentiel

$$y = 634{,}21e^{-0{,}1716x}$$
$$R^2 = 0{,}9774$$

Avec une courbe de tendance de type polynomiale d'ordre 2, aucun point n'est singulier. On remarque que R^2 est ramené à 1.

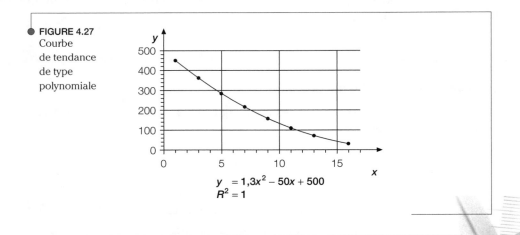

FIGURE 4.27
Courbe
de tendance
de type
polynomiale

$$y = 1{,}3x^2 - 50x + 500$$
$$R^2 = 1$$

Dans l'exemple 7, nous n'avons pas illustré les incertitudes sur le graphique. Même si nous l'avions fait, l'équation et le coefficient de détermination auraient été les mêmes, car Excel ne tient compte que des meilleures estimations pour déterminer la courbe de tendance. Nous reviendrons sur cette question à la section 4.9.

....
* Le coefficient de détermination est le carré du coefficient de corrélation.

On peut suivre la même démarche avec des graphiques qui comportent des échelles logarithmiques. Cependant, si les points sont alignés, pour obtenir la bonne courbe de tendance, il ne faut pas sélectionner une droite parmi les types de régression proposés. Il faut plutôt choisir une exponentielle, dans le cas du format semi-logarithmique, ou une puissance, dans le cas du format logarithmique.

SUPERPOSITION DE GRAPHIQUES

Il existe une méthode qui permet de vérifier l'équation reliant deux variables : la superposition de graphiques. Cette méthode, applicable à tous les cas, est particulièrement avantageuse lorsqu'on a une bonne idée de l'équation et que celle-ci ne correspond pas aux types de courbes de tendance prédéterminés dans Excel.

Cette méthode est basée sur la possibilité qu'offre Excel de calculer des valeurs de y en fonction de x à partir d'une formule qui correspond à l'équation présumée. On peut ensuite, dans le format de série de données, demander à l'ordinateur d'afficher une courbe, en choisissant un trait personnalisé qui fait le lissage des segments reliant les points, sans toutefois lui demander d'afficher les marques de données. On obtient ainsi la courbe qui correspond à l'équation présumée. Il est alors possible de superposer ce graphique à un premier graphique où ne figurent que les valeurs expérimentales.

S'il est possible d'ajuster le tracé d'une courbe aux valeurs expérimentales, on peut vérifier si l'équation qui relie les deux variables traduit bien le comportement expérimental. Il suffit pour cela de modifier les paramètres de la formule (comme dans l'exemple 8, où on a changé les valeurs de B et de L).

EXEMPLE (8)

Superposition de graphiques

Seules les valeurs expérimentales ainsi que leur incertitude servent à construire le graphique de la figure 4.28●. Ici, les incertitudes sur x et y sont respectivement :

$$\Delta x = \pm 0,2 \quad \text{et} \quad \Delta y = \pm 0,001.$$

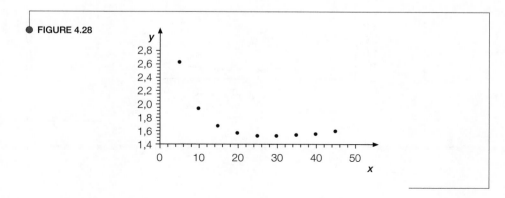

● FIGURE 4.28

À la figure 4.29●, la courbe présumée est superposée au graphique de la figure 4.28●. L'équation présumée est :

$$y = B\sqrt{\frac{L^2}{12x} + x}.$$

On a tracé une courbe à partir de cette équation avec : $B = 0,2$ et $L = 95$. On voit que cette courbe n'est pas ajustée.

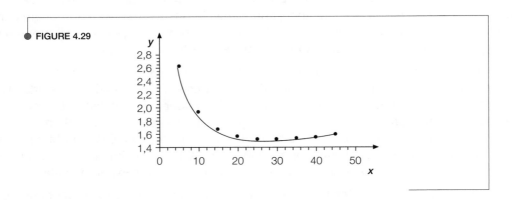

● FIGURE 4.29

Si on remplace les valeurs de B et de L, en restant à l'intérieur des limites fixées par les incertitudes, par $B = 0,2007 \pm 0,0001$ et $L = 100,0 \pm 0,2$, on vérifie la validité de l'équation présumée.

Le fichier « Figures 4.28 à 4.30.xls » vous permet d'essayer les valeurs de B et de L de votre choix. Ici, $B = 0,2008$, $L = 100,2$. Le tracé de la courbe est ajusté aux valeurs expérimentales.

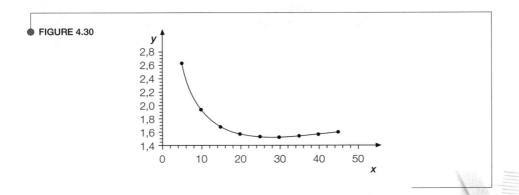

● FIGURE 4.30

4.5 DÉTERMINATION GRAPHIQUE DES PARAMÈTRES D'UNE ÉQUATION REPRÉSENTÉE PAR UNE DROITE

À la section 4.2 (voir p. 124), nous avons vu qu'il est possible de faire passer une infinité de droites par des zones d'incertitude alignées. Quand les incertitudes sur les mesures sont suffisamment grandes, il est possible de dessiner une forme en X ou en tunnel (voir la figure 4.10●, p. 126). La forme en X permet de déterminer les droites de pentes extrêmes ainsi que les valeurs extrapolées. On utilise la forme en tunnel pour les interpolations.

4.5.1 La pente et son incertitude – méthode des pentes extrêmes

La méthode que nous proposons dans cette section pour calculer l'incertitude sur une pente consiste à déterminer la valeur des pentes extrêmes m_{max} et m_{min} et à calculer

$$\Delta m = \frac{m_{max} - m_{min}}{2}.$$

Pour trouver une pente et son incertitude, on procède comme suit*:

1. On fait un graphique incluant la meilleure droite (voir la section 3.2.2, p. 94).

2. Si le rectangle associé à une des mesures aux extrémités n'est pas centré sur la meilleure droite, on construit à proximité de celui-ci, en le centrant, un rectangle de référence de mêmes dimensions. Pour distinguer un rectangle de référence, on choisit une représentation différente de celle des mesures expérimentales.

3. On trace une forme en X en utilisant deux lignes qui se distinguent du tracé de la meilleure droite et qui passent par les limites extérieures des rectangles centrés aux extrémités.

4. On lit les coordonnées de deux points situés aux extrémités de chacune de ces deux lignes et on les note.

5. Avec ces coordonnées, on calcule les pentes m_{max} et m_{min}.

6. On calcule l'incertitude de la pente de la meilleure droite $\Delta m = \frac{m_{max} - m_{min}}{2}$.

7. Pour trouver la pente $\overline{m}$ de la meilleure droite, on peut:

   • en calculer la valeur à partir des coordonnées de deux points qu'on lit à ses extrémités;

   • calculer $\overline{m} = \frac{m_{max} + m_{min}}{2}$ (voir la section 2.1, p. 50);

* Le fichier «Graphiques.xls» produit l'analyse d'une droite obtenue à l'aide de cette méthode. Le fichier «Modèles graphiques.doc» en explique les étapes de réalisation avec Excel.

- s'il n'y a pas de points singuliers, prendre la valeur que donne l'équation de la courbe de tendance calculée par l'ordinateur, selon la méthode des moindres carrés (voir la section 4.8, p. 158).

8. On écrit $\overline{m} \pm \Delta m$, en utilisant les conventions d'écriture des mesures (voir la section 1.7, p. 13).

Cette démarche s'applique à tous les formats de graphique. Les graphiques des exemples qui suivent sont grossièrement gradués et leurs quadrillages ne sont pas affichés. Pour faire une lecture à plusieurs chiffres significatifs des coordonnées nécessaires aux calculs de l'exemple 9, nous avons utilisé dans Excel un zoom à 400 % et modifié la graduation secondaire. Dans l'exemple 10, nous avons dû refaire le graphique sur papier, car Excel ne permet pas de diviser finement une échelle logarithmique.

EXEMPLE 9

La pente et son incertitude dans un graphique de format linéaire

Le graphique suivant illustre un point singulier, lequel est cependant exclu du tracé de la courbe de tendance et de l'équation qui en résulte.

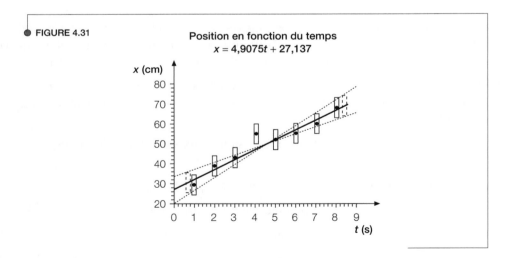

● FIGURE 4.31

Position en fonction du temps
$x = 4{,}9075t + 27{,}137$

Sur la droite de pente maximum, on lit* : (0 s ; 20,2 cm) et (8 s ; 71,5 cm),

$$m_{max} = \frac{(71{,}5 - 20{,}2) \text{ cm}}{(8 - 0) \text{ s}} = 6{,}412 \text{ cm/s}.$$

....
* Dans un vrai rapport, le graphique occuperait une pleine page et serait finement gradué ; le quadrillage serait affiché.

Sur la droite de pente minimum, on lit: (0 s; 33,5 cm) et (9 s; 64,7 cm),

$$m_{min} = \frac{(64,7 - 33,5) \text{ cm}}{(9 - 0) \text{ s}} = 3,467 \text{ cm/s.}$$

$$\Delta m = \frac{m_{max} - m_{min}}{2} = \pm 1,47 \text{ cm/s.}$$

On peut trouver $\overline{m}$ de l'une ou l'autre des façons suivantes:

- à partir des coordonnées (0 s; 27,1 cm) et (8 s; 66,4 cm), lues aux extrémités de la meilleure droite, et qui donnent $\overline{m}$ = 4,9125 cm/s;

- en faisant la moyenne entre m_{max} et m_{min}, qui donne $\overline{m}$ = 4,939 cm/s;

- en prenant la valeur de $\overline{m}$ calculée par l'ordinateur, soit $\overline{m}$ = 4,9075 cm/s.

On remarque que les valeurs sont différentes au troisième chiffre significatif: cette différence est due à la précision de la lecture sur le graphique. On écrit:

$$\overline{m} \pm \Delta m = (5 \pm 1) \text{ cm/s.}$$

EXEMPLE 10

La pente et son incertitude dans un graphique de format semi-logarithmique

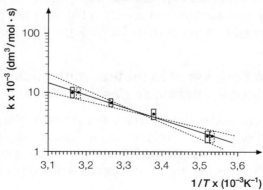

● **FIGURE 4.32**
Les pentes extrêmes sont déterminées par la forme en X,
même si on utilise un format semi-logarithmique

Illustration de l'équation d'Arrhenius

Aux extrémités de la pente maximum, on lit* :

$$(3{,}18 \times 10^{-3} \text{ K}^{-1}; 12{,}0 \times 10^{-3} \text{ dm}^3/\text{mol}\bullet\text{s})$$

et

$$(3{,}51 \times 10^{-3}\text{K}^{-1}; 1{,}6 \times 10^{-3} \text{ dm}^3/\text{mol}\bullet\text{s}).$$

On calcule la pente maximum :

$$\frac{\ln(1{,}6/12{,}0)}{(3{,}51 - 3{,}18) \times 10^{-3} \text{ K}^{-1}} = -6106 \text{ K}.$$

Aux extrémités de la pente minimum, on lit :

$$(3{,}17 \times 10^{-3} \text{ K}^{-1}; 8{,}0 \times 10^{-3} \text{ dm}^3/\text{mol}\bullet\text{s})$$

et

$$(3{,}52 \times 10^{-3} \text{ K}^{-1}; 2{,}4 \times 10^{-3} \text{ dm}^3/\text{mol}\bullet\text{s}).$$

Après calcul, on trouve la pente minimum −3440 K,

$$\Delta m = \frac{|m_{max} - m_{min}|}{2} = 1333 \text{ K}.$$

En appliquant l'une ou l'autre des trois méthodes pour trouver $\overline{m}$, et en tenant compte de l'incertitude, on trouve :

$$\overline{m} \pm \Delta m = (-5 \pm 1) \times 10^3 \text{ K}.$$

Quel que soit le format d'un graphique, on peut donc suivre la même démarche. Cependant, dans le cas d'un format semi-logarithmique, il faut calculer les logarithmes des coordonnées lues sur l'échelle logarithmique pour déterminer la pente d'une droite**. De plus, pour tracer un rectangle de référence, on doit conserver les dimensions numériques de la mesure expérimentale la plus rapprochée. Par conséquent, lorsqu'on déplace un rectangle selon l'axe logarithmique, on modifie du même coup les dimensions de la figure géométrique qui servent à l'illustrer. Les mêmes considérations valent pour les deux axes des graphiques de format logarithmique.

4.5.2 L'ordonnée à l'origine et le facteur multiplicatif, et leur incertitude – méthode des extrêmes

À la section 4.4 (p. 130), nous avons vu que, dans le cas des graphiques de format linéaire et semi-logarithmique, l'ordonnée à l'origine est nécessaire pour déterminer l'équation qui relie deux variables. Quant au facteur multiplicatif B, on le retrouve dans les fonctions de type $y = Bx^m$, illustrées par une droite sur un graphique de format logarithmique.

....

* Dans un vrai rapport, le graphique occuperait une pleine page et serait finement gradué ; le quadrillage serait affiché.

** Voir à la section 4.4.2 (p. 136), les explications qui portent sur le changement d'échelle.

Quand on peut lire l'ordonnée à l'origine ou le facteur multiplicatif par extrapolation, on utilise la forme en X pour en déterminer les valeurs extrêmes, et ce, quel que soit le format d'un graphique (voir l'exemple 2, p. 129). Lorsque l'on connaît ces valeurs, on trouve l'incertitude sur l'ordonnée à l'origine ou le facteur multiplicatif. Par contre, si on lit l'ordonnée à l'origine ou le facteur multiplicatif par interpolation, on doit tracer la forme en tunnel pour en lire les valeurs extrêmes.

EXEMPLE 11

Le facteur multiplicatif et son incertitude

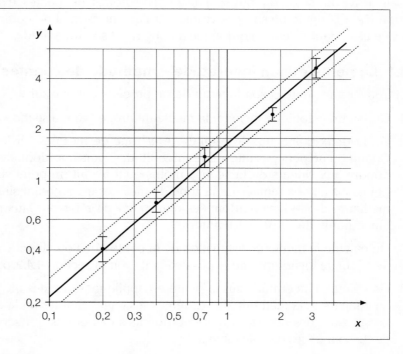

● **FIGURE 4.33**
Valeur de B
trouvée par
interpolation

Ici, l'échelle verticale a été multipliée par un facteur 0,2.

Comme on a une droite sur format logarithmique, l'équation qui relie les deux variables est de type $y = Bx^m$. Pour déterminer le facteur multiplicatif B par interpolation, on trace un tunnel.

On lit les valeurs extrêmes possibles de y, quand $x = 1^*$, $B_{max} = 2,0$ et $B_{min} = 1,4$. On obtient $B = 1,7 \pm 0,3$.

....
* Voir à la section 4.4.2 (p. 136) les explications qui portent sur le changement d'échelle et le format logarithmique.

Si on ne peut lire les valeurs extrêmes de l'ordonnée à l'origine ou du facteur multiplicatif, on doit procéder par calcul : ce sera le sujet de la section suivante.

4.6 DÉTERMINATION PAR CALCULS DES PARAMÈTRES D'UNE ÉQUATION REPRÉSENTÉE PAR UNE DROITE

Dans certains cas, les mesures sont si précises qu'il devient impossible d'illustrer les incertitudes sur un graphique ou que les droites extrêmes se confondent avec la meilleure droite. Si on veut déterminer les paramètres d'une équation, il faut le faire par des calculs.

Il arrive aussi qu'on puisse illustrer les droites de pentes extrêmes, mais que l'ordonnée à l'origine ne soit pas visible, car l'axe horizontal ne commence pas à zéro. Dans ce cas, il faut calculer l'ordonnée à l'origine et son incertitude.

4.6.1 La pente et son incertitude – méthode des pentes extrêmes

Pour trouver une pente et son incertitude, on procède comme suit :

1. On fait un graphique incluant la meilleure droite (voir la section 3.2.2, p. 94).

2. On lit deux points aux extrémités de la zone de mesures sur la meilleure droite. Quand on ne peut pas illustrer les incertitudes, leurs coordonnées devraient correspondre aux valeurs du tableau, à moins qu'il n'y ait un point singulier. Si un des points lus aux extrémités de la zone de mesures est un point singulier, on lit sur la meilleure droite les coordonnées d'un point de référence auxquelles on associe l'incertitude de ce point singulier.

3. On calcule la meilleure estimation de la pente que l'on cherche en tenant compte de l'échelle logarithmique, le cas échéant (voir la section 4.4.2, p. 136).

4. On calcule l'incertitude sur la pente en appliquant une des méthodes expliquées au chapitre 2 : la méthode des extrêmes, les règles simples ou le calcul différentiel. Les incertitudes associées aux coordonnées des points qui servent à calculer la pente sont prises dans le tableau.

5. On écrit $\overline{m} \pm \Delta m$, en respectant les conventions d'écriture des mesures (voir la section 1.7, p. 13).

Pour les étapes 3 et 4 de cette démarche, on utilise des formules différentes, selon le format du graphique (linéaire, semi-logarithmique ou logarithmique). On retrouvera ces formules dans les exemples 12, 13 et 14, qui sont des cas particuliers de chacun des formats de graphique. Toutes les formules reliées à la méthode des pentes extrêmes seront regroupées dans la section 4.7, p. 154.

Calcul de la pente d'une droite illustrée avec un format linéaire

Vitesse en fonction du temps

t	v
(1/20) s	cm/s
±0,01	±0,1
1,00	34,3
2,00	38,7
3,00	43,0
4,00	47,4
5,00	51,7
6,00	56,1
7,00	60,4
8,00	64,7

v = vitesse
t = temps

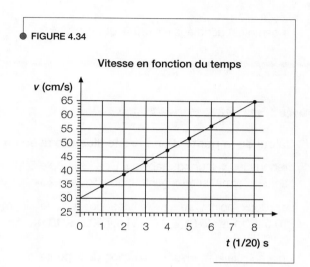

● FIGURE 4.34

On lit la meilleure estimation de deux points ($\bar{t}_1$; $\bar{v}_1$) et ($\bar{t}_2$; $\bar{v}_2$) aux extrémités de la droite [1,00 (1/20) s; 34,3 cm/s] et [8,00 (1/20) s; 64,7 cm/s].

On calcule la meilleure estimation de la pente $\bar{a}$:

$$\bar{a} = \frac{\bar{v}_2 - \bar{v}_1}{\bar{t}_2 - \bar{t}_1} = \frac{(64,7 - 34,3)\ \text{cm/s}}{(8 - 1)(1/20)\ \text{s}} = 86,86\ \text{cm/s}^2.$$

L'expression de la pente étant un quotient, on applique la règle 2 (voir la section 2.2, p. 57); le numérateur et le dénominateur de ce quotient étant des différences, on leur applique la règle 1 (voir la section 2.2, p. 57).

$$\bar{a} = \frac{B}{C}, \text{ où } B = \bar{v}_2 - \bar{v}_1 \text{ et } C = \bar{t}_2 - \bar{t}_1.$$

Alors $\qquad \dfrac{\Delta a}{|\bar{a}|} = \dfrac{\Delta B}{|B|} + \dfrac{\Delta C}{|C|}$, où $\Delta B = \Delta v_2 + \Delta v_1$ et $\Delta C = \Delta t_2 + \Delta t_1$.

On obtient par substitution :

$$\frac{\Delta a}{|\bar{a}|} = \frac{\Delta v_2 + \Delta v_1}{|\bar{v}_2 - \bar{v}_1|} + \frac{\Delta t_2 + \Delta t_1}{|\bar{t}_2 - \bar{t}_1|},$$

soit :

$$\frac{\Delta a}{|86,86 \text{ cm/s}^2|} = \frac{0,1 + 0,1}{|64,7 - 34,3|} + \frac{0,01 + 0,01}{|8 - 1|}$$

$$\Rightarrow \Delta a = 0,820 \text{ cm/s}^2.$$

La pente est donc égale à $(86,9 \pm 0,8)$ cm/s^2.

EXEMPLE 13

Calcul de la pente d'une droite illustrée avec un format semi-logarithmique

Prenons les valeurs du tableau 1 de l'exemple 5 (p. 134) et le graphique correspondant sur format semi-logarithmique (figure 4.23●, p. 137).

Les deux points aux extrémités de la zone de mesures sont (t_1, V_1) et (t_2, V_2) ; $[(10,0 \pm 0,1)$ s ; $(6,61 \pm 0,01)$ V$]$ et $[(50,0 \pm 0,1)$ s ; $(1,62 \pm 0,01)$ V$]$.

On a calculé la meilleure estimation de la pente $\overline{p} = \dfrac{\ln \overline{V}_2 - \ln \overline{V}_1}{\overline{t}_2 - \overline{t}_1} = -0,0352$ s^{-1}.

Pour trouver une expression permettant de calculer l'incertitude sur la pente Δp, on applique à la fois les règles simples et le calcul différentiel.

L'expression de la pente étant un quotient, on applique la règle 2 ; le numérateur et le dénominateur de ce quotient étant des différences, on applique la règle 1.

$$\overline{p} = \frac{B}{C}, \text{ où } B = \ln \overline{V}_2 - \ln \overline{V}_1 \text{ et } C = \overline{t}_2 - \overline{t}_1.$$

Alors

$$\frac{\Delta p}{|\overline{p}|} = \frac{\Delta B}{|B|} + \frac{\Delta C}{|C|}, \text{ où } \Delta B = \Delta(\ln V_2) + \Delta(\ln V_1) \text{ et } \Delta C = \Delta t_2 + \Delta t_1.$$

On peut trouver $\Delta(\ln V)$, en utilisant le calcul différentiel. Comme il est impossible d'illustrer les incertitudes sur V, celles-ci sont certainement petites.

Ayant $d(\ln V) = \dfrac{dV}{V}$, on obtient $\Delta(\ln V) = \dfrac{\Delta V}{|\overline{V}|}$,

donc

$$\Delta B = \frac{\Delta V_2}{|\overline{V}_2|} + \frac{\Delta V_1}{|\overline{V}_1|}.$$

On obtient par substitution

$$\frac{\Delta p}{|\bar{p}|} = \frac{\dfrac{\Delta V_2}{|\bar{V}_2|} + \dfrac{\Delta V_1}{|\bar{V}_1|}}{|\ln \bar{V}_2 - \ln \bar{V}_1|} + \frac{\Delta t_2 + \Delta t_1}{|\bar{t}_2 - \bar{t}_1|}.$$

En utilisant les valeurs de $(\bar{t}_1 \pm \Delta t_1;\ \bar{V}_1 \pm \Delta V_1)$ et de $(\bar{t}_2 \pm \Delta t_2;\ \bar{V}_2 \pm \Delta V_2)$ ainsi que la valeur de $\bar{p}$, on calcule $\Delta p = 3{,}68 \times 10^{-4}\ \text{s}^{-1}$. On écrit :

$$\bar{p} \pm \Delta p = (-0{,}0352 \pm 0{,}0004)\ \text{s}^{-1}.$$

EXEMPLE 14

Calcul de la pente d'une droite illustrée avec un format logarithmique

À la section 4.4.2 (p. 136), nous avons vu que la pente m d'une droite sur un graphique de format logarithmique est obtenue, quelle que soit la base du logarithme, par une expression de la forme :

$$\overline{m} = \frac{\ln \bar{y}_2 - \ln \bar{y}_1}{\ln \bar{x}_2 - \ln \bar{x}_1}.$$

Pour simplifier le calcul d'incertitude, on utilise un logarithme dans la base e. De cette manière, en suivant la même stratégie qu'à l'exemple 13, on obtient la formule :

$$\frac{\Delta m}{|\overline{m}|} = \frac{\dfrac{\Delta y_2}{|\bar{y}_2|} + \dfrac{\Delta y_1}{|\bar{y}_1|}}{|\ln \bar{y}_2 - \ln \bar{y}_1|} + \frac{\dfrac{\Delta x_2}{|\bar{x}_2|} + \dfrac{\Delta x_1}{|\bar{x}_1|}}{|\ln \bar{x}_2 - \ln \bar{x}_1|}.$$

4.6.2 L'ordonnée à l'origine et le facteur multiplicatif, et leur incertitude – méthode des extrêmes

Suivant les cas, on peut trouver ces valeurs par interpolation ou par extrapolation.

Dans le cas d'une **interpolation**, il est possible de faire des calculs reliés aux équations des droites qui délimitent la forme en tunnel. On peut voir des exemples de ces calculs dans le fichier «Modèles graphiques.xls». Cependant, avec Excel, on peut aussi facilement étirer un graphique ou faire un zoom.

Le graphique de la figure 4.35● est construit avec le fichier «Graphiques.xls», qui calcule les ordonnées à l'origine des deux droites formant le tunnel, et qui donne $o = 16{,}0 \pm 0{,}4$. On lit sur le zoom que l'ordonnée à l'origine se situe entre 15,6 et 16,3, ce qui donne $16{,}0 \pm 0{,}4$.

y en fonction de x
forme en tunnel

● FIGURE 4.35
Dans le cas d'une interpolation, on peut zoomer pour obtenir l'ordonnée à l'origine.

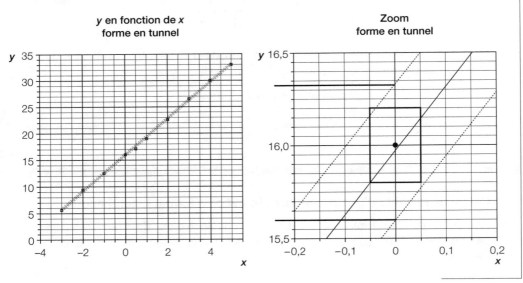

Dans le cas d'une **extrapolation**, on utilise le concept de forme en X que nous avons défini à la section 4.2. (p. 124). Nous avons vu que cette forme est construite à partir de deux rectangles centrés sur la meilleure droite, et situés aux extrémités de la zone de mesures (voir la figure 4.36●).

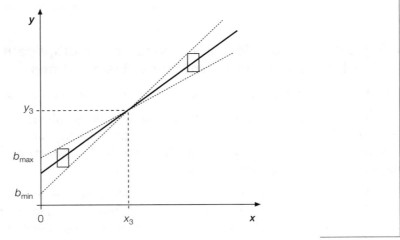

● FIGURE 4.36
La meilleure droite et les deux pentes extrêmes ont le point de coordonnées (x_3, y_3) en commun.

Supposons une droite d'équation $y = \overline{m}x + b$.

On voit que les valeurs extrêmes de l'ordonnée à l'origine correspondent aux ordonnées à l'origine des droites de pentes extrêmes. On voit aussi que le point de coordonnées (x_3, y_3) est commun aux trois droites qui permettent de trouver $\overline{b}$, b_{max} et b_{min}. On peut écrire :

$$y_3 = \overline{m}x_3 + \overline{b}$$
$$y_3 = m_{max}x_3 + b_{min}$$
$$y_3 = m_{min}x_3 + b_{max}$$
$$\Delta b = \frac{b_{max} - b_{min}}{2} = \frac{(y_3 - m_{min}x_3) - (y_3 - m_{max}x_3)}{2} = \frac{(m_{max} - m_{min})x_3}{2}$$

Donc l'incertitude sur l'ordonnée à l'origine est : $\Delta b = \Delta m(x_3)$.

À partir de ces notions, nous proposons la démarche suivante pour trouver l'ordonnée à l'origine et son incertitude dans le cas d'un graphique de **format linéaire** :

1. On fait un graphique incluant la meilleure droite (voir la section 3.2.2, p. 94).
2. On détermine la pente $\overline{m} \pm \Delta m$.
3. On trace les droites de pentes extrêmes et on lit les coordonnées (x_3, y_3) du point qui se trouve à l'intersection de ces deux droites. Au besoin, on étire le graphique ou on fait un zoom dans Excel.

   Si on n'a pas les droites de pentes extrêmes, on ne peut connaître leur point d'intersection. On prend alors les coordonnées (x_3, y_3) d'un point situé à peu près au milieu de la zone de mesures. Il faut éviter de faire cette approximation qui s'ajoute aux autres approximations reliées au calcul d'incertitude.
4. Si possible, on détermine graphiquement la meilleure estimation de l'ordonnée à l'origine $\overline{b}$; sinon, on calcule : $\overline{b} = y_3 - \overline{m}x_3$.
5. Dans le cas d'une extrapolation, on calcule l'incertitude $\Delta b = \Delta m(x_3)$.
6. On écrit $\overline{b} \pm \Delta b$ en respectant les conventions d'écriture des mesures (voir la section 1.7, p. 13).

On a démontré les deux formules $b = y_3 - mx_3$ et $\Delta b = \Delta m(x_3)$. Si on considère que x_3 et y_3 sont des constantes, on peut retrouver la deuxième formule en appliquant le calcul d'incertitude à la première. On utilise cette stratégie pour les graphiques qui comportent une échelle logarithmique.

Dans le cas d'un graphique de **format semi-logarithmique** y en fonction de x, on sait que, si on a une droite, l'équation qui relie les deux variables est de type $y = y_0\, e^{mx}$ ou $\ln y = \ln y_0 + mx$. En considérant un point de coordonnées (x_3, y_3) à l'intersection des droites de pentes extrêmes, on obtient $\ln y_3 = \ln \overline{y}_0 + \overline{m}x_3$, qui donne $\ln \overline{y}_0 = \ln y_3 - \overline{m}x_3$. Pour déterminer l'incertitude sur y_0, puisqu'on a une fonction quelconque, on utilise le calcul différentiel, en considérant que x_3 et y_3 sont des constantes.

$$\Delta(\ln y_0) = \Delta m(x_3) \Rightarrow \frac{\Delta y_0}{|\overline{y}_0|} = \Delta m(x_3) \Rightarrow \Delta y_0 = |\overline{y}_0 \Delta m(x_3)|.$$

Pour calculer l'ordonnée à l'origine, nous proposons donc une démarche semblable à celle qui permet de calculer l'ordonnée à l'origine d'un graphique de format linéaire, à la différence près que les étapes 4 et 5 sont remplacées par les suivantes :

4. Si possible, on détermine graphiquement $\bar{y}_0$; sinon, on le calcule à partir de la formule $\ln \bar{y}_0 = \ln \bar{y}_3 - \bar{m}x_3$.

5. Dans le cas d'une extrapolation, on calcule l'incertitude $\Delta y_0 = |\bar{y}_0 \Delta m(x_3)|$.

Dans le cas d'un graphique de **format logarithmique** y en fonction de x, on sait que, si on a une droite, l'équation qui relie les deux variables est nécessairement de type $y = B x^m$ ou $\ln y = \ln B + m \ln x$. En considérant un point de coordonnées (x_3, y_3) à l'intersection des droites de pentes extrêmes, on obtient $\ln y_3 = \ln B + m \ln x_3$, qui donne $\ln B = \ln y_3 - m \ln x_3$. Pour déterminer l'incertitude sur B, puisqu'on a une fonction quelconque, on utilise le calcul différentiel, en considérant que x_3 et y_3 sont des constantes :

$$\Delta(\ln B) = \Delta m (\ln x_3) \Rightarrow \frac{\Delta B}{|\bar{B}|} = \Delta m (\ln x_3) \Rightarrow \Delta B = |\bar{B}\Delta m(\ln x_3)|.$$

Pour calculer le facteur multiplicatif B, nous proposons donc une démarche semblable à celle qui permet de calculer l'ordonnée à l'origine d'un graphique de format linéaire, à la différence près que les étapes 4 et 5 sont remplacées par les suivantes :

4. Si possible, on détermine graphiquement $\bar{B}$; sinon, on le calcule à partir de la formule $\ln \bar{B} = \ln y_3 - \bar{m} \ln x_3$.

5. Dans le cas d'une extrapolation, on calcule l'incertitude $\Delta B = |\bar{B}\Delta m(\ln x_3)|$.

4.7 MÉTHODE DES PENTES EXTRÊMES – RÉSUMÉ

La méthode des pentes extrêmes permet d'évaluer les incertitudes sur les paramètres d'une équation représentée par une droite et de déterminer une valeur en abscisse ou en ordonnée. Elle est basée sur l'idée qu'il est possible de construire plusieurs droites passant par les zones d'incertitudes des mesures mises en graphique. De l'ensemble de ces droites, on peut dégager une forme en X et une forme en tunnel, comme nous l'avons expliqué à la section 4.2.

Ces notions s'appliquent à tous les formats de graphique, que les axes soient linéaires ou logarithmiques. Pour les utiliser, il faut déterminer au préalable :

1. la meilleure droite ;

2. les coordonnées (x_1, y_1) et (x_2, y_2) des deux points situés aux extrémités de la zone de mesure sur la meilleure droite ;

3. les incertitudes $\Delta x_1, \Delta y_1, \Delta x_2$ et Δy_2 qui correspondent à celles des coordonnées des valeurs du tableau les plus rapprochées de x_1, y_1, x_2 et y_2 ;

4. les pentes extrêmes et, si on doit interpoler, la forme en tunnel ;

5. les coordonnées (x_3, y_3) du point d'intersection des droites de pentes extrêmes et de la meilleure droite.

Dans les figures présentées dans l'encadré qui suit, on a supposé un graphique de y en fonction de x. Si les incertitudes sont petites, on peut utiliser les formules qui suivent pour calculer les incertitudes. Nous avons vu au chapitre 2 qu'on peut utiliser la différentielle ou des règles simples pour des incertitudes relatives allant jusqu'à 10 %. Si les incertitudes sont trop grandes, il faut utiliser la méthode des extrêmes ; par exemple, pour trouver l'incertitude sur une pente m, on calcule m_{max} et m_{min} à partir des coordonnées lues sur le graphique en X, alors

$$\Delta m = \frac{m_{max} - m_{min}}{2}.$$

MÉTHODE DES PENTES EXTRÊMES

a) Échelles linéaires en x et en y

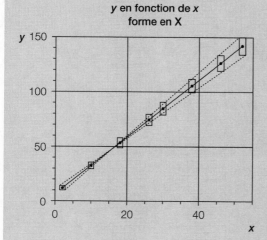

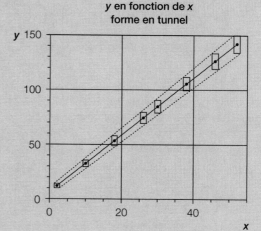

Équation : $y = m\,x + b$

$$\overline{m} = \frac{(y_2 - y_1)}{(x_2 - x_1)} \qquad \frac{\Delta m}{|\overline{m}|} = \frac{(\Delta x_2 + \Delta x_1)}{|x_2 - x_1|} + \frac{(\Delta y_2 + \Delta y_1)}{|y_2 - y_1|}$$

$$\overline{b} = y_3 - \overline{m}x_3 \qquad \text{Dans le cas d'une extrapolation, } \Delta b = |\Delta m\, x_3|$$

$\rightarrow$

b) Échelles linéaire en x et logarithmique en y

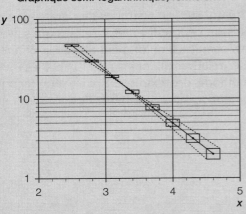

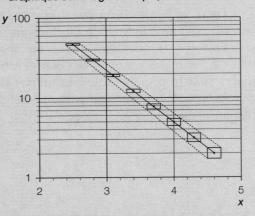

Équation : $\ln y = m\,x + \ln y_0$ ou $y = y_0\,e^{mx}$

$$\overline{m} = \frac{\ln(y_2/y_1)}{(x_2 - x_1)} \qquad \frac{\Delta m}{|\overline{m}|} = \frac{(\Delta x_2 + \Delta x_1)}{|x_2 - x_1|} + \frac{\left(\dfrac{\Delta y_2}{y_2} + \dfrac{\Delta y_1}{y_1}\right)}{|\ln y_2 - \ln y_1|}$$

$$\overline{y_0} = y_3\,e^{-\overline{m}\,x_3} \qquad \text{Dans le cas d'une extrapolation,} \quad \Delta y_0 = \left|\overline{y_0}\,\Delta m\,x_3\right|$$

c) Échelles logarithmiques en x et en y

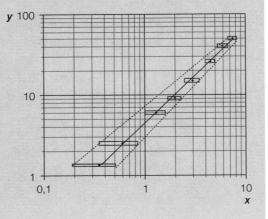

Équation : $\ln y = m \ln x + \ln B$ ou $y = Bx^m$

$$\overline{m} = \frac{\ln(y_2/y_1)}{\ln(x_2/x_1)} \qquad \frac{\Delta m}{|\overline{m}|} = \frac{\left(\dfrac{\Delta x_2}{x_2} + \dfrac{\Delta x_1}{x_1}\right)}{|\ln x_2 - \ln x_1|} + \frac{\left(\dfrac{\Delta y_2}{y_2} + \dfrac{\Delta y_1}{y_1}\right)}{|\ln y_2 - \ln y_1|}$$

$$\overline{B} = y_3 \, x_3^{-\overline{m}} \qquad \text{Dans le cas d'une extrapolation, } \Delta B = |\overline{B}\Delta m \ \ln x_3|$$

4.8 INCERTITUDES ALÉATOIRES ET SYSTÉMATIQUES SUR LES COORDONNÉES DES POINTS D'UN GRAPHIQUE

La méthode des pentes extrêmes accorde beaucoup d'importance aux incertitudes Δx_1, Δy_1, Δx_2 et Δy_2. Il faut donc les choisir correctement. Si les incertitudes Δx et Δy restent constantes pour toute la zone de mesure, il va de soi qu'il faut les accorder aux coordonnées des deux points situés aux extrémités de la zone de mesure. Cependant, il arrive souvent que les incertitudes sur une variable x ou y changent lors de l'étude d'un phénomène, par exemple, l'appareil de mesure peut changer d'échelle, l'incertitude peut provenir d'un pourcentage, etc. Si l'incertitude sur une variable évolue progressivement, on peut à juste raison accorder les incertitudes des coordonnées du tableau qui sont les plus rapprochées à celles des deux points situés aux extrémités de la zone de mesure.

Cependant, il se peut que les incertitudes ne varient pas progressivement, par exemple, quand on construit un graphique avec des points provenant de différentes sources ou d'appareils différents. La méthode des pentes extrêmes n'est pas conçue pour de tels cas et risque de donner de mauvais résultats. Si on veut quand même l'utiliser pour avoir une idée de la valeur des incertitudes, on devra analyser chaque situation au cas par cas. Par exemple, il peut être possible d'accorder la moyenne des incertitudes à une variable ou l'incertitude la plus grande à une autre.

Par ailleurs, nous avons vu à la section 1.11 (p. 38) que l'incertitude sur une mesure est donnée par la somme des incertitudes systématiques et aléatoires. On peut tirer profit de cette distinction quand on calcule les paramètres d'une droite.

Une incertitude systématique influe sur le résultat d'une mesure dans un sens. Si une série de mesures utilisée dans un graphique est affectée d'une incertitude systématique constante, celle-ci augmente ou diminue toutes les valeurs de la série d'une même quantité. Une incertitude systématique constante translate la droite (voir la figure 4.37● à la page suivante). Par conséquent, **une incertitude systématique constante n'a aucun effet sur la pente d'un graphique ; elle modifie seulement l'ordonnée à l'origine**.

Si une variable est assortie d'une incertitude systématique constante, on peut utiliser uniquement les incertitudes aléatoires pour évaluer la pente d'un graphique contenant cette variable. Cette propriété, valable aussi bien pour une variable en abscisse qu'en ordonnée, peut améliorer sensiblement la précision d'une pente. Dans l'exemple fourni sur le disque compact, «Section 4.8.xls», la pente calculée avec les incertitudes systématiques et aléatoires donne 0,60 ± 0,03 ; en retirant les incertitudes systématiques, on trouve 0,60 ± 0,02.

● FIGURE 4.37
Ici, une incertitude systématique constante en y augmente ou diminue toutes les valeurs de la série. Elle influe sur l'ordonnée à l'origine mais pas sur la pente.

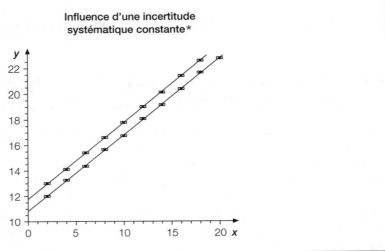

Influence d'une incertitude systématique constante*

4.9 MÉTHODE DES MOINDRES CARRÉS ET FONCTION EXCEL DROITEREG

4.9.1 Méthode des moindres carrés

La méthode des moindres carrés consiste à trouver la pente m et l'ordonnée à l'origine b d'une droite qui minimise la somme des carrés des erreurs (voir la figure 4.38●).

En statistique, l'erreur** e est égale à l'écart entre une valeur observée y_i et celle donnée par la meilleure droite $\hat{y}_i$: $e_i = y_i - \hat{y}_i$. La meilleure droite est $\hat{y} = mx + b$. Si on nomme S la somme des carrés des erreurs,

$$S = \sum_{i=1}^{n} (e_i)^2 = \sum_{i=1}^{n} (y_i - \hat{y}_i)^2.$$

En remplaçant les $\hat{y}_i$ par $mx_i + b$, on obtient :

$$S = \sum_{i=1}^{n} (y_i - mx_i - b)^2.$$

....
* Les dimensions des rectangles illustrés dans ce graphique correspondent aux incertitudes aléatoires seulement.
** Nous avons vu à la section 1.12.2 (p. 46) que, en statistique, le mot *erreur* est utilisé dans le sens d'*écart*.

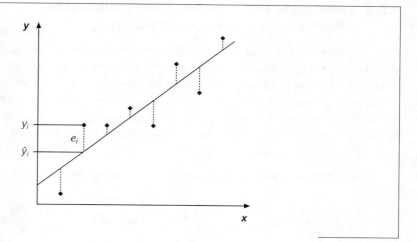

FIGURE 4.38
Le principe des moindres carrés consiste à trouver la droite qui minimise la somme des carrés des erreurs $(e_i)^2$.

On cherche m et b qui minimisent S. Il faut donc que les dérivées partielles de S par rapport à m et à b soient nulles,

$$\frac{\partial S}{\partial b} = -2\sum_{i=1}^{n} (y_i - mx_i - b) = 0 \quad \text{et} \quad \frac{\partial S}{\partial m} = -2\sum_{i=1}^{n} (y_i - mx_i - b)x_i = 0,$$

d'où on tire le système d'équations suivant:

$$\sum_{i=1}^{n} y_i = nb + m\sum_{i=1}^{n} x_i \quad \text{et} \quad \sum_{i=1}^{n} x_iy_i = b\sum_{i=1}^{n} x_i + m\sum_{i=1}^{n} (x_i)^2 .$$

En cherchant la solution de ce système d'équations, on trouve les formules pour la pente m et l'ordonnée à l'origine b. Les indices étant identiques pour toutes les sommations, nous les omettrons désormais afin de simplifier l'écriture. Pour la suite, le symbole Σ devra se lire $\sum_{i=1}^{n}$.

$$m = \frac{n\sum x_iy_i - \sum x_i \sum y_i}{D} \quad \text{et} \quad b = \frac{\sum x_i^2 \sum y_i - \sum x_i \sum x_iy_i}{D}$$

où $D = n\sum x_i^2 - \left(\sum x_i\right)^2$.

 Dans le fichier «Étude stat.xls», vous verrez que les valeurs calculées avec ces formules correspondent à celles données par Excel. Le logiciel utilise ces formules dans les fonctions PENTE et ORDONNEE.ORIGINE de même que dans la fonction DROITEREG utilisée à la section suivante.

La méthode des moindres carrés est une manière ingénieuse d'équilibrer un ensemble de points de part et d'autre d'une droite. Elle fonctionne sans égard au nombre de points inscrits dans un graphique.

4.9.2 Incertitude sur la pente et sur l'ordonnée à l'origine – somme quadratique

Pour calculer m et b, nous utilisons la méthode des moindres carrés. Celle-ci donne des formules qui dépendent de variables (les x_i et les y_i) provenant de mesures affectées d'incertitudes. On peut donc calculer comment ces incertitudes se propagent jusqu'à la pente et l'ordonnée à l'origine. Pour ce faire, la méthode des pentes extrêmes se fonde sur la différentielle ou les règles simples ainsi que sur les concepts de formes en X ou en tunnel, formes qui dépendent des incertitudes Δx_i et Δy_i. On peut aussi utiliser la somme quadratique pour évaluer Δm et Δb.

En appliquant la somme quadratique* sur les formules de m et de b, on a :

$$\Delta m = \sqrt{\sum\left(\frac{\partial m}{\partial x_i}\,\Delta x_i\right)^2 + \sum\left(\frac{\partial m}{\partial y_i}\,\Delta y_i\right)^2} \quad \text{et} \quad \Delta b = \sqrt{\sum\left(\frac{\partial b}{\partial x_i}\,\Delta x_i\right)^2 + \sum\left(\frac{\partial b}{\partial y_i}\,\Delta y_i\right)^2}$$

Ces calculs donnent des résultats particulièrement simples**, si on suppose qu'il n'y a pas d'incertitude sur les x_i et que tous les y_i ont la même incertitude (alors tous les $\Delta y_i = \Delta y$).

$$\text{Si } \Delta\boldsymbol{x_i} = \boldsymbol{0} \text{ et } \Delta\boldsymbol{y_i} = \Delta\boldsymbol{y}, \text{ alors } \Delta m = \Delta y\sqrt{\frac{n}{D}} \text{ et } \Delta b = \Delta y\sqrt{\frac{\sum x_i^2}{D}}$$

$$D \text{ provient des moindres carrés, } D = n\sum x_i^2 - \left(\sum x_i\right)^2.$$

Les incertitudes Δm et Δb dépendent de l'incertitude Δy qu'il faut évaluer. Pour ce faire, il faut revenir sur la section 2.6.

La somme quadratique provient du calcul de la propagation des écarts types de données dont la distribution s'insère dans une gaussienne. Quand c'est le cas pour les variables x_i et y_i, les pentes ou les ordonnées à l'origine possibles se distribuent, elles aussi, selon des gaussiennes dont les écarts types sont σ_m et σ_b.

En remplaçant Δm, Δb et Δy par σ_m, σ_b et σ_y, on obtient les résultats suivants, si $\sigma_{x_i} = 0$ et si tous les $\sigma_{y_i} = \sigma_y$:

$$\sigma_m = \sigma_y\sqrt{\frac{n}{D}} \quad \text{et} \quad \sigma_b = \sigma_y\sqrt{\frac{\sum x_i^2}{D}}.$$

* Voir la section 2.6, p. 70.
** Les détails de ces calculs apparaissent dans le corrigé de l'exercice 2.9, sur le disque compact.

La somme quadratique permet de voir la façon dont se propage l'incertitude aléatoire. Il faut donc que Δy soit aléatoire ; or, une incertitude aléatoire dépend de l'écart type d'une distribution normale. Il est possible d'évaluer cet écart type σ_y, sans répéter la prise de données de chaque y_i plusieurs fois. En effet, les incertitudes aléatoires devraient répartir les y_i autour de la meilleure droite, comme elles distribuent un grand nombre de données de chaque y_i autour d'une moyenne. Pour trouver σ_y, on utilise les écarts entre les y_i et les $\hat{y}_i$ prédits par la meilleure droite ; on a nommé ces écarts e_i. La somme S du carré de ces écarts ($S = \Sigma e_i^2$), qu'on minimise pour trouver m et b, sert à évaluer σ_y. Ainsi :

$$\sigma_y = \sqrt{\frac{1}{n-2}S}$$

Il est donc possible de calculer les meilleures estimations de la pente m et de l'ordonnée à l'origine b ainsi que les écarts types* des distributions des pentes et des ordonnées à l'origine possibles, σ_m et σ_b, à partir des valeurs des x_i et des y_i. Un exemple est donné dans le fichier « Étude stat.xls » du disque compact. La valeur des incertitudes Δy, Δm et Δb associées à leurs écarts types relève d'un choix, comme nous l'avons indiqué dans la section 1.11 (p. 38). Si on veut être prudent, on utilise le double de l'écart type pour évaluer l'incertitude aléatoire.

Toutes les formules données plus haut font partie des statistiques de régression d'une droite par la méthode des moindres carrés. Grâce à la fonction DROITEREG, Excel calcule rapidement les résultats de ces formules et donne en plus d'autres informations statistiques.

Pour obtenir ces informations, il faut commencer par sélectionner une matrice ayant deux colonnes de cinq lignes et demander de coller la fonction DROITEREG. Ensuite, on inscrit les informations demandées, comme dans l'illustration ci-dessous :

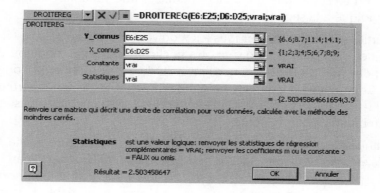

---

* En fait, ne connaissant pas les diverses valeurs possibles de m et de b, nous ne pouvons construire leurs distributions. Nous ne déterminons donc pas l'écart type de ces distributions directement. En statistique, on utilise alors le terme « erreur type ».

Finalement, pendant qu'on garde enfoncées les touches «Ctrl» et «Majuscule», on appuie sur la touche «Entrée». Si on oublie de garder enfoncées les deux touches, Excel n'affiche pas les résultats dans la matrice sélectionnée au départ. Les chiffres affichés correspondent aux valeurs suivantes:

Meilleure estimation de la pente $\overline{m}$	Meilleure estimation de l'ordonnée à l'origine $\overline{b}$
Erreur type sur la pente σ_m	Erreur type sur l'ordonnée à l'origine σ_b
Coefficient de détermination R^2	Erreur type sur la valeur y estimée σ_y
Statistique F	Degré de liberté
Somme de régressions des carrés	Somme résiduelle des carrés

On note qu'on retrouve le coefficient de détermination R^2 mentionné à l'exemple 7 (p. 139). C'est un indice de la qualité de l'ajustement de la droite aux points expérimentaux. Ce coefficient varie entre 0 (aucun ajustement linéaire) et 1 (ajustement linéaire parfait). Dans le fichier «Étude stat.xls» du disque compact, on voit la correspondance entre les valeurs calculées par Excel et le résultat des formules montrées plus haut.

Avant d'utiliser les valeurs de σ_m et de σ_b, pour évaluer les incertitudes Δm et Δb, il faut s'assurer que les conditions données plus haut sont respectées. On doit bien comprendre ces conditions, assez restrictives, si on veut utiliser les résultats renvoyés par DROITEREG à bon escient. Revoyons ces conditions qui permettent d'utiliser les écarts types σ_y, σ_m et σ_b.

1. Les incertitudes sur les x_i doivent être nulles ou négligeables, comparativement aux incertitudes selon y_i. Il faut donc que les incertitudes sur une variable soient beaucoup plus petites que les incertitudes sur la deuxième variable. On met alors en ordonnée la variable qui a les incertitudes les plus grandes.

2. Les incertitudes sur tous les y_i doivent être identiques. Cette restriction est à surveiller car il n'est pas rare que l'incertitude sur une variable change, comme nous l'avons indiqué à la section 4.8 (p. 157).

3. Les incertitudes identiques sur tous les y_i doivent être aléatoires, c'est-à-dire que les incertitudes systématiques doivent être négligeables. Cette condition doit être respectée, pour qu'on puisse évaluer l'incertitude sur l'ordonnée à l'origine (voir la section 4.8). Cependant, dans le calcul de la pente et de son incertitude, on peut tolérer la présence sur les y_i d'une incertitude systématique constante, puisque celle-ci n'influe pas sur la pente.

4. L'incertitude aléatoire Δy répartit les y_i autour de la meilleure droite. Les écarts e_i observés entre les y_i et la meilleure droite permettent d'évaluer l'écart type σ_y, dont dépend Δy. Les e_i doivent être aléatoires et suivre une distribution normale autour de zéro, sinon nous ne pourrons pas considérer comme fiable la valeur calculée par la formule:

$$\sigma_y = \sqrt{\frac{1}{n-2}\, S}$$

Comment vérifier cette condition avec quelques points seulement? Pour vérifier si un histogramme des e_i s'insère dans une gaussienne, il faut avoir plusieurs valeurs. En statistique, la taille de l'échantillon est importante. On recommande (voir la section 1.11, p. 38) d'utiliser 30 valeurs et plus.

5. Quand les quatre conditions données plus haut sont respectées, il reste à choisir le facteur de proportionnalité entre Δm et σ_m ainsi qu'entre Δb et σ_b. Certaines personnes choisissent $\Delta m = \sigma_m$ et $\Delta b = \sigma_b$. Par mesure de prudence, dans le *Guide*, nous recommandons de choisir $\Delta m = 2\sigma_m$ et $\Delta b = 2\sigma_b$.

Lorsque toutes ces conditions sont réunies, on doit recourir aux statistiques de régression linéaire pour évaluer les incertitudes plus justement qu'on ne le ferait avec la méthode des pentes extrêmes. La situation est semblable à celle que nous avons rencontrée dans le calcul d'incertitude au chapitre 2 : quand certaines conditions sont remplies, il est préférable d'utiliser la somme quadratique parce que la méthode des extrêmes exagère alors l'incertitude.

4.9.3 Utilisation de DROITEREG quand l'incertitude systématique sur *y* provient d'un pourcentage

Dans l'analyse d'une droite reliant deux variables, il arrive souvent que l'incertitude sur une variable soit négligeable mais que l'incertitude systématique sur la deuxième provienne d'un pourcentage. Alors, si on veut calculer l'incertitude sur la pente, la troisième condition d'utilisation de DROITEREG expliquée plus haut n'est pas respectée : n'étant pas constante, l'incertitude systématique influe sur la pente. La figure 4.39● illustre la variation possible d'une pente causée par une incertitude systématique sur *y* de 20 %.

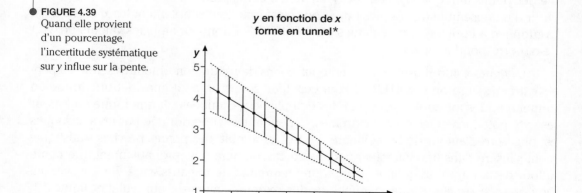

● **FIGURE 4.39**
Quand elle provient d'un pourcentage, l'incertitude systématique sur *y* influe sur la pente.

y en fonction de *x*
forme en tunnel*

---

* Dans ce graphique, on ne voit que les incertitudes systématiques.

Sur cette figure, on voit que les droites délimitant la forme en tunnel donnent les pentes maximale et minimale produites par l'incertitude systématique en pourcentage. On peut donc évaluer la partie systématique de l'incertitude sur la pente en calculant la demi-différence des pentes extrêmes de la forme en tunnel*,

$$\Delta m \text{ systématique} = \frac{m \text{ maximum} - m \text{ minimum}}{2}.$$

Dans une telle situation, on tire profit de la distinction entre incertitude systématique et aléatoire en calculant $\Delta m = \Delta m$ systématique $+ \Delta m$ aléatoire. On obtient Δm aléatoire grâce à DROITEREG si on vérifie que les incertitudes selon x sont négligeables et que les écarts e_i entre les y_i et la meilleure droite suivent une distribution normale autour de zéro (condition 4). L'exercice 4.6 sur le disque compact donne un exemple de calcul de pente utilisant cette procédure.

4.9.4 Comparaison des résultats obtenus par DROITEREG et par la méthode des pentes extrêmes

Dans la méthode des pentes extrêmes, on dit qu'une valeur prédite par un ensemble de points se situe dans une forme en X, si elle est extrapolée, et dans une forme en tunnel, si elle est interpolée. Ces deux formes donnent la zone où peuvent être situées les valeurs prédites. La figure 4.40● illustre une zone de prédiction obtenue par la méthode des pentes extrêmes quand il n'y a pas d'incertitude selon x et quand tous les y ont la même incertitude.

Il existe aussi une zone de prédiction selon DROITEREG. Si on connaît les valeurs $\bar{y} \pm \Delta y$ prédites en fonction de x, cette zone est délimitée, d'une part, par les y maximum et, d'autre part, par les y minimum. Pour obtenir les $\bar{y} \pm \Delta y$, il suffit de translater l'ensemble des points afin que la valeur de $\bar{y}$ cherchée corresponde à l'ordonnée à l'origine. À partir d'un ensemble de couples (x_i, y_i), on transforme tout simplement les x_i en $(x_i - x)$. L'ordonnée à l'origine et σ_b, calculés par DROITEREG, donnent alors les valeurs de $\bar{y}$ et de σ_y correspondant à x.

La figure 4.40● illustre, côte à côte, les zones de prédiction obtenues selon les pentes extrêmes et selon DROITEREG. Pour ces deux zones, on peut imaginer une forme en tunnel pour les interpolations (entre les deux lignes pointillées) et une forme en X pour les extrapolations et les pentes extrêmes. Cependant, la zone donnée par les statistiques est plus serrée autour de la meilleure droite. L'ensemble des pentes prévues statistiquement s'insère dans une gaussienne; dans ce cas, on aura plus probablement une pente autour de la moyenne qu'une pente à une extrémité de la gaussienne. On constate ici l'importance exagérée que la méthode des extrêmes accorde aux valeurs limites**. Cette méthode pèche par excès de prudence. De plus, elle ne tient pas compte du nombre n de valeurs obtenues pour faire le graphique. Les incertitudes Δy_i doivent être éva-

---

*   Attention, ne pas confondre avec les pentes extrêmes de la forme en X.
** Voir la section 2.7 et, sur le disque compact, la feuille « v1 + v2 » du fichier « Somme quadratique.xls ».

FIGURE 4.40

Les lignes en pointillés délimitent la zone où se
trouvent les mesures ; cette zone sert à l'interpolation.

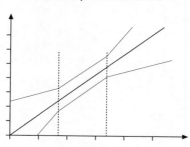
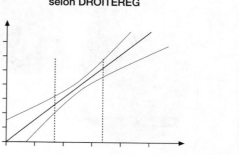

**Zone de prédiction
selon les pentes extrêmes**

**Zone de prédiction
selon DROITEREG**

FIGURE 4.41

La zone de prédiction prévue par la méthode des pentes extrêmes
ne change pas avec *n*, tandis que celle prévue par DROITEREG
se resserre autour de la meilleure droite à mesure que *n* augmente.

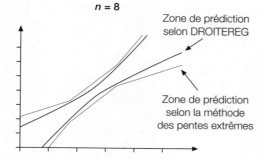
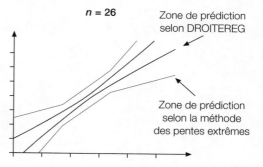

luées au préalable ; les incertitudes Δm et Δb proviennent de ces Δy_i ; elles ne dépendent donc pas de n. En statistique, par contre, la taille de l'échantillon n est importante, et les valeurs de σ_y, de σ_m et de σ_b dépendent de n. Comme l'illustre la figure 4.41●, la zone de prédiction prévue par les statistiques se resserre si n augmente.

Quand n est grand, les incertitudes évaluées sont beaucoup plus petites avec DROITEREG qu'avec la méthode des pentes extrêmes. Pour que ces prédictions soient fiables, il est important que les conditions d'utilisation de DROITEREG soient bien respectées. Si ce n'est pas le cas, la précision sur les résultats donnée par DROITEREG est illusoire. C'est notamment le cas si DROITEREG est utilisée quand les incertitudes selon x ne sont pas négligeables.

Chapitre 5

Comparaisons,
ANALYSE DES RÉSULTATS
ET STRATÉGIE EXPÉRIMENTALE

Le scientifique accomplit des activités qui demandent diverses habiletés. Ainsi, pour mener à bien une expérimentation, il doit tout d'abord élaborer la stratégie expérimentale qui lui permettra d'atteindre le but qu'il s'est fixé, puis faire les manipulations nécessaires pour obtenir les résultats qu'il cherche et, finalement, effectuer l'analyse de ces résultats. Pour élaborer une stratégie expérimentale, il lui faut maîtriser les outils qui sous-tendent cette stratégie, entre autres ceux dont il aura besoin pour analyser les résultats. Souvent, lors des étapes d'exploration et de test de l'expérimentation de la démarche scientifique, dont il a été question au chapitre 1, l'analyse ne pourra se faire sans une comparaison. Dans ce chapitre, nous commencerons par explorer les comparaisons non quantitatives et les comparaisons quantitatives, ensuite nous traiterons de l'analyse des résultats et, pour finir, nous mettrons au point une stratégie expérimentale.

5.1 COMPARAISONS NON QUANTITATIVES

Les comparaisons non quantitatives font appel à nos sens. Au niveau le plus élémentaire, si un produit de réaction dégage une odeur caractéristique, la perception de cette odeur nous révèle que la réaction a bien eu lieu. Notre sens de l'odorat nous amène à comparer qualitativement l'odeur perçue avec l'odeur mémorisée de ce composé. De même, avant d'entreprendre des calculs d'analyse graphique, nous comparons la forme d'un graphique obtenu expérimentalement avec celle que nous avions prévue. Pour effectuer cette comparaison, il est utile de compter les points singuliers et de s'assurer qu'ils ne sont pas trop nombreux (moins de 20 % du nombre de points). Dans ce cas, puisque nous nous appuyons sur une norme, que nous avons fixée arbitrairement à 20 % (voir la section 3.2.2, p. 102), nous sommes en train de faire une comparaison semi-quantitative.

Que notre comparaison soit qualitative ou semi-quantitative, nous travaillons à partir d'observations qualitatives. En général, pour interpréter ces observations, on doit les comparer à des témoins. Par exemple, pendant la synthèse de l'aspirine, l'acide salicylique se transforme en acide acétylsalicylique (aspirine). Le test qualitatif au chlorure ferrique ($FeCl_3$) permet de détecter la présence ou l'absence d'acide salicylique comme impureté dans le produit résultant de la synthèse et de la purification. L'interprétation de ce test est schématisée à la figure 5.1●. Dans cet exemple, en comparant la couleur obtenue à celle des témoins, nous pouvons vérifier si le produit résultant contient ou non de l'acide salicylique.

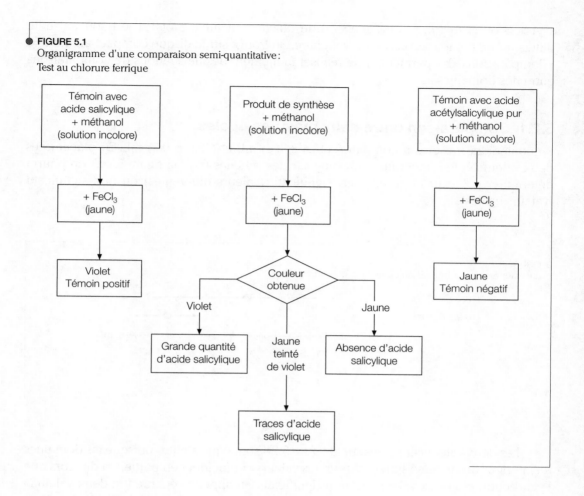

FIGURE 5.1
Organigramme d'une comparaison semi-quantitative :
Test au chlorure ferrique

5.2 COMPARAISONS QUANTITATIVES : COMPARAISONS DE DOMAINES

Quand on fait des comparaisons quantitatives, on confronte des valeurs en tenant compte de leur incertitude ; autrement dit, on est amené à comparer des domaines de part et d'autre des meilleures estimations. On doit souvent faire des comparaisons entre les valeurs expérimentales de plusieurs essais*, entre des valeurs expérimentales et des valeurs indiquées dans des ouvrages de référence, entre des résultats d'analyse et des normes, entre des valeurs expérimentales et des valeurs issues d'un modèle théorique, etc. Une comparaison entre deux mesures A et B devrait nous permettre de dire si $A = B$,

....

* Pour déterminer, par exemple, si des mesures sont reproductibles ou non, voir la section 1.10.1, p. 37.

si $A > B$ ou si $A < B$. Selon l'adage «une image vaut mille mots», il est souvent utile d'illustrer les comparaisons qu'on veut faire. On trouve sur le disque compact un modèle «Comparaisons.xls» permettant de réaliser facilement des illustrations de comparaisons entre des domaines.

5.2.1 Comparaison entre deux mesures égales

Prenons deux mesures à comparer : (18,4 ± 0,6) mL et (18,9 ± 0,2) mL. En plaçant ces deux valeurs et leur incertitude absolue sur des échelles (voir la figure 5.2●), on pourra déterminer si l'écart entre elles est significatif (valeurs différentes) ou non significatif (valeurs égales).

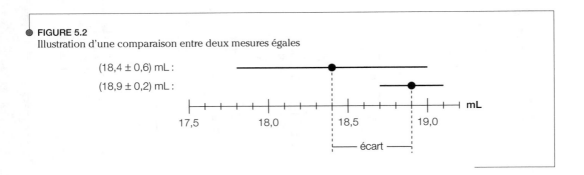

● **FIGURE 5.2**
Illustration d'une comparaison entre deux mesures égales

Les deux valeurs illustrées sur la figure 5.2● sont équivalentes puisque les domaines à l'intérieur desquels se situent les «vraies valeurs» coïncident en partie. On dit alors que l'écart entre ces deux valeurs est non significatif. On appelle «écart entre deux valeurs» la différence entre les deux meilleures estimations (l'écart est toujours positif). Dans cet exemple, l'écart est de 0,5 mL. On peut donc énoncer ce qui suit :

> Deux quantités sont considérées comme *égales*, si l'écart entre elles est inférieur ou égal à la somme de leurs incertitudes absolues. Dans ce cas, l'écart est non significatif ; la différence entre les deux meilleures estimations ne signifie rien, car elle est due aux incertitudes.

Ici,   écart ≤ somme des incertitudes absolues,

c'est-à-dire   0,5 mL ≤ (0,6 + 0,2) mL,

ou   0,5 mL ≤ 0,8 mL.

5.2.2 Comparaison entre deux mesures inégales

Comparons $(18,4 \pm 0,2)$ mL et $(18,9 \pm 0,2)$ mL (voir la figure 5.3●).

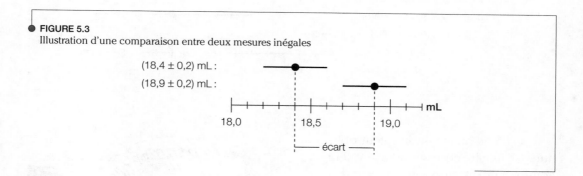

● **FIGURE 5.3**
Illustration d'une comparaison entre deux mesures inégales

Ici, les domaines à l'intérieur desquels se trouvent les «vraies valeurs» ne coïncident pas, et l'écart est plus grand que la somme des incertitudes absolues :

$$0,5 \text{ mL} > (0,2 + 0,2) \text{ mL} \quad \text{ou} \quad 0,5 \text{ mL} > 0,4 \text{ mL}.$$

On constate aussi que la deuxième mesure est plus grande que la première. On peut donc énoncer ce qui suit :

Deux quantités sont considérées comme *inégales*, si l'écart entre elles est supérieur à la somme de leurs incertitudes absolues. Dans ce cas, l'écart est significatif, c'est-à-dire qu'il y a une différence entre les deux mesures. Si les deux mesures à comparer ne sont pas égales alors qu'elles devaient l'être, cela signifie que l'une ou l'autre de ces mesures est erronée.

5.2.3 Comparaison entre trois valeurs

Juliette et Jules ont mesuré, chacun de son côté, la valeur de l'accélération gravitationnelle. Juliette a trouvé la valeur $g_A = (9,9 \pm 0,1)$ m/s^2, et Jules, $g_B = (9,72 \pm 0,02)$ m/s^2.

De plus, si on considère que l'accélération gravitationnelle est : $g = (9,81 \pm 0,01)$ m/s^2, il est possible de comparer en même temps les deux résultats et la valeur de référence. Cette comparaison est illustrée dans la figure 5.4●.

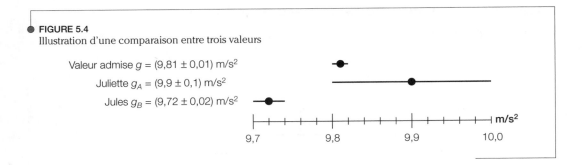

FIGURE 5.4
Illustration d'une comparaison entre trois valeurs

Comme on le voit, la valeur obtenue par Juliette correspond à la valeur admise. On dit alors que $g_A = g$. Par contre, la valeur obtenue par Jules ne correspond ni à celle que Juliette a obtenue ni à la valeur admise. Jules a obtenu une valeur d'accélération plus petite que ces deux valeurs.

5.3 COMPARAISONS QUANTITATIVES : TESTS STATISTIQUES DE VÉRIFICATION D'HYPOTHÈSES

Dans la démarche scientifique, énoncer une hypothèse et en vérifier la validité sont deux étapes bien distinctes. Si on utilise les statistiques pour vérifier la validité d'une hypothèse, on doit utiliser un test approprié, celui-ci variant selon que l'on veut tester la valeur d'un paramètre ou la conformité à une théorie ou à une loi. Si, lors d'un test, on doit supposer que la variable en jeu suit une loi particulière, le plus souvent la loi normale, alors le test est dit *paramétrique*. Si aucune hypothèse de ce genre n'est requise, le test est dit *non paramétrique*.

Nous présentons dans cette section quelques tests statistiques disponibles dans Excel et fréquemment utilisés. Avec ce logiciel, il n'est pas nécessaire d'avoir à sa disposition différentes tables de probabilités, ni de connaître les formules. Cependant, il est important de connaître les conditions d'application des différents tests et de savoir comment interpréter leurs résultats.

Un échantillon peut être constitué de façon aléatoire ou non aléatoire. Pour qu'il soit le plus représentatif possible d'une population, il est recommandé de le constituer de façon aléatoire. Un test statistique permet de juger la validité de l'hypothèse relative à la population d'où l'échantillon est tiré.

Les tests d'hypothèses servent à résoudre les problèmes de décision binaire. Le nouvel insecticide biologique qu'on se propose d'utiliser offre-t-il la même protection pour les récoltes de blé que l'insecticide chimique employé jusqu'alors ? Un additif pour l'essence prolonge-t-il la durée de vie de la chambre de combustion du moteur ? La première étape d'un test d'hypothèse est de définir l'hypothèse nulle notée H_0 et l'hypothèse alternative notée H_a, cette dernière étant aussi appelée *hypothèse du chercheur*, alors notée H_1. L'hypothèse nulle fixe a priori la valeur du paramètre à tester ou le modèle théorique de la population visée. C'est celle qu'on accepte jusqu'à preuve du contraire. Le test statistique permet de décider du rejet ou du non-rejet de l'hypothèse nulle. Ainsi, dans le premier exemple, comme on cherche à savoir si l'insecticide biologique apporte une protection différente ou non de celle de l'insecticide chimique, on formule l'hypothèse nulle H_0 en affirmant qu'il n'y a pas de différence entre les deux traitements (H_0 : protection par le traitement 1 – protection par le traitement 2 = 0). Selon l'hypothèse alternative, il y a une différence entre les deux traitements (H_a : protection par le traitement 1 – protection par le traitement 2 ≠ 0). Dans le deuxième exemple, on veut savoir si l'additif prolonge la durée de vie de la chambre à combustion. On formule l'hypothèse nulle en affirmant que la durée de vie avec ajout de l'additif est plus courte ou égale à celle sans ajout de l'additif (H_0 : durée avec utilisation de l'additif – durée sans utilisation de l'additif ≤ 0). Selon l'hypothèse alternative, la durée de vie avec ajout de l'additif est plus longue que celle sans l'ajout d'additif (H_a : durée avec utilisation d'additif – durée sans utilisation de l'additif > 0). Ces deux exemples illustrent qu'un test peut être bilatéral (différence ≠ 0) ou unilatéral (différence > 0 ou < 0).

Les tests statistiques peuvent cependant inclure une constante δ différente de zéro. Pour vérifier (traitement$_1$ – traitement$_2$ > δ), il faudrait poser comme hypothèse nulle (traitement$_1$ – traitement$_2$ ≤ δ). Par exemple, on veut tester si un nouveau régime alimentaire produit une augmentation de poids supérieure à 2 kg par rapport au régime habituel, l'hypothèse alternative étant (poids obtenu par le régime$_2$ – poids obtenu par le régime$_1$ > 2), l'hypothèse nulle serait (poids obtenu par le régime$_2$ – poids obtenu par le régime$_1$ ≤ 2). Un test est bilatéral, s'il sert à vérifier une différence ≠ δ, et unilatéral, s'il sert à vérifier une différence > δ ou < δ.

Les tests d'hypothèses font appel à des courbes de distribution. Pour un nombre d'observations plus grand que 30, un test d'hypothèse peut être basé sur la distribution normale centrée réduite z (distribution normale, dont la moyenne est 0 et l'écart type est 1). Plus les échantillons sont grands, plus la distribution de nombreuses statistiques est *normale*. Pour un nombre d'observations plus petit que 30, la distribution normale centrée réduite n'est souvent plus appropriée. Les distributions de Student t et du khideux χ^2 sont importantes pour étudier la distribution des statistiques des petits échantillons. Ajoutons que les résultats obtenus selon ces dernières sont aussi valables pour les grands échantillons.

Dans les tests d'hypothèses, on cherche à savoir si la statistique z ou t ou χ^2, calculée à partir des données de l'échantillon ou des échantillons, est dans la zone de rejet ou de non-rejet de l'hypothèse nulle, celle-ci ayant une distribution propre au test effectué. Que l'on veuille tester la valeur d'un paramètre ou la conformité à une théorie ou à une loi, la distribution de la statistique du test représente l'ensemble des différences qui résulteraient de la comparaison effectuée par le test, si on l'effectuait sur un grand nombre d'échantillons, alors que la différence réelle, jamais vérifiable, est nulle. La statistique du test calculée sur des échantillons se situe quelque part le long de cette distribution. Reprenons l'exemple de l'étude de la protection offerte par le nouvel insecticide biologique. Même s'il n'y avait en réalité aucune différence par rapport à l'insecticide chimique employé jusqu'alors, si on effectuait des expérimentations sur un grand nombre d'échantillons, on observerait des différences qui se distribueraient de façon *normale*. Évidemment, pour la plupart des échantillons, la différence se situerait très près de zéro, et très peu d'échantillons montreraient une différence extrême. Le chercheur fixe un seuil à partir duquel la différence est trop grande pour être considérée comme nulle. Ce seuil définit la zone de rejet de l'hypothèse nulle. Ainsi, lors d'une expérimentation comparant deux échantillons réels, on trouve une différence qui se situe plus ou moins près de zéro, une différence grande pouvant se situer dans une zone de rejet de l'hypothèse nulle.

Comme l'illustre la figure 5.5●, dans le cas particulier de la distribution normale centrée réduite d'une statistique, les zones de rejet et de non-rejet de l'hypothèse nulle se présentent différemment selon que le test est bilatéral ou unilatéral. Il en est de même de la distribution de Student, dont la forme ressemble à la distribution normale centrée réduite (voir la figure 5.9●, p. 183). Le cas de la distribution du khi-deux sera abordé à la section 5.3.1. Ajoutons que l'aire sous une courbe de distribution représente une probabilité exprimée en fraction décimale, l'aire totale sous la courbe étant égale à 1.

Les valeurs qui définissent les limites entre les zones de rejet et de non-rejet, appelées valeurs critiques, sont fonction d'une erreur α qu'on choisit, appelée *seuil de signification*. Celui-ci représente la probabilité de rejeter l'hypothèse nulle lorsqu'elle est vraie. Par exemple, un seuil α de 0,01 signifie que le risque de commettre ce type d'erreur est de 1 %. Les seuils α le plus fréquemment utilisés sont 0,05 et 0,01. Le seuil α est choisi

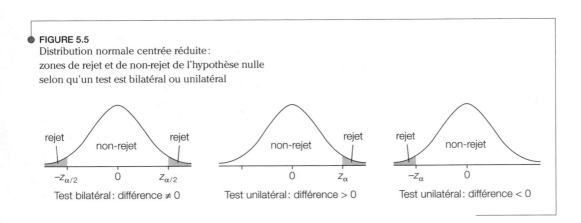

● **FIGURE 5.5**
Distribution normale centrée réduite :
zones de rejet et de non-rejet de l'hypothèse nulle
selon qu'un test est bilatéral ou unilatéral

Test bilatéral : différence $\neq 0$

Test unilatéral : différence > 0

Test unilatéral : différence < 0

au moment d'élaborer la stratégie expérimentale, avant d'entreprendre l'expérimentation (voir la section 5.6). Les tables de probabilités* permettent de trouver les valeurs critiques, c'est-à-dire les valeurs qui définissent les limites entre les zones de rejet et de non-rejet en fonction du seuil α. Une fois l'expérimentation réalisée, à partir des données de l'échantillon ou des échantillons, on se trouve devant le choix suivant : soit on calcule la statistique z, t ou χ^2 du test effectué, soit on calcule la valeur p, qui peut être interprétée comme le degré de conviction qu'on a de ne pas rejeter l'hypothèse nulle. Dans le premier cas, on devra vérifier si la valeur obtenue se trouve dans la zone de rejet ou de non-rejet de l'hypothèse nulle ; dans le second, on devra vérifier si la valeur obtenue est inférieure ou supérieure au seuil de signification choisi. Si la valeur p est inférieure au seuil α, l'hypothèse nulle est rejetée, donc la différence est considérée comme significative, alors que si la valeur p est supérieure à ce seuil, l'hypothèse nulle n'est pas rejetée, donc la différence est considérée comme non significative.

Excel permet de faire des tests d'hypothèses sans utiliser les formules de calcul des statistiques z, t ou χ^2, ni les tables de probabilités des différentes distributions. On obtient directement la valeur p en insérant la fonction TEST.STUDENT, pour effectuer un test d'hypothèse sur deux moyennes (comparaison de deux moyennes) ou la fonction TEST.KHIDEUX, pour effectuer un test du khi-deux. Si on veut obtenir les statistiques t ou χ^2, une fois qu'on a calculé avec Excel la valeur p, on choisit la fonction LOI.STUDENT.INVERSE ou la fonction KHIDEUX.INVERSE. La fonction LOI.STUDENT. INVERSE fait le calcul de la statistique t pour un test bilatéral. Si on effectue un test unilatéral, on doit fournir la valeur p multipliée par deux dans la boîte de dialogue. Dans les cas des tests d'hypothèses faisant appel à la distribution z ou à la distribution t, on peut mettre à profit une option plus intéressante d'Excel : les utilitaires d'analyse, plus précisément le test de la différence significative minimale (z-test) et les tests d'égalité des espérances. Si on effectue un test d'égalité des espérances unilatéral, on doit se fonder sur l'hypothèse alternative Ha : variable 1 − variable 2 > 0. On doit donc être prudent lorsqu'on sélectionne les variables 1 et 2 dans la boîte de dialogue. Cette contrainte est incontournable si le test vérifie une différence égale à une constante δ différente de zéro.

Dans les sections suivantes, nous présenterons des particularités de ces tests statistiques et donnerons pour chacun un exemple concret d'application.

5.3.1 Test d'ajustement du khi-deux

Le test d'ajustement du khi-deux** est un test non paramétrique, car il n'exige pas que la variable en jeu dans la population d'où est tiré l'échantillon présente une distribution normale. Il est utilisé pour les données nominales (observations qualitatives) et pour les

---

*   On peut consulter ces tables dans une des éditions du *Handbook of chemistry and physics*, CRC Press.

**   Afin d'alléger le texte, nous ne répéterons pas des informations pertinentes d'une sous-section à l'autre. Pour appliquer correctement un test d'hypothèse donné, il faut avoir lu toutes les pages de la section 5.3 qui précèdent la sous-section présentant des particularités de ce test et en donnant un exemple d'application.

données numériques (observations quantitatives), regroupées par classes ou par catégories, dans le cas de l'étude d'une seule variable. Il permet de prendre une décision fondée sur la probabilité que la différence entre les résultats théoriques (ceux qu'on s'attend à obtenir selon une théorie, une loi ou un modèle) et les résultats observés est attribuable au hasard. Les résultats théoriques sont calculés à partir d'une hypothèse émise pour expliquer un phénomène ou à partir d'un modèle. Selon l'hypothèse nulle H_0, la divergence entre les valeurs observées et les valeurs théoriques est nulle pour toutes les classes. Le test d'ajustement du khi-deux est basé sur la distribution khi-deux. Cette distribution d'une variable aléatoire, illustrée à la figure 5.6●, ne peut prendre que des valeurs positives. Sa forme dépend du nombre de degrés de liberté : plus il augmente, plus la courbe s'aplatit et se décale vers la droite.

Le nombre de degrés de liberté est $dl = n - 1$, où n représente le nombre de classes ou de catégories d'observations. De façon plus générale, $dl = n - k - 1$, où k représente le nombre de paramètres estimés de la population à partir de l'échantillon, lorsqu'on a besoin de ceux-ci pour calculer les fréquences théoriques. Ces paramètres peuvent être, par exemple, la moyenne ou l'écart type de la population. Pour que le test puisse être considéré comme valable, la fréquence théorique de chaque catégorie doit être supérieure ou égale à 5. Si on trouve des catégories où les fréquences théoriques sont inférieures à 5, on essaie de regrouper des catégories, lorsque le contexte le permet, et on calcule à nouveau la fréquence théorique.

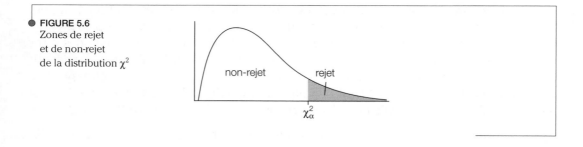

● **FIGURE 5.6**
Zones de rejet
et de non-rejet
de la distribution χ^2

Pour effectuer le test, on cherche la valeur critique, χ^2_α, dans la table de probabilités de la distribution χ^2, selon le degré de liberté et le seuil de signification α choisi. On calcule la statistique du test à l'aide de la formule suivante :

$$\chi^2 = \sum_1^N \frac{(f_o - f_t)^2}{f_t}$$

où f_o = fréquence observée,

  f_t = fréquence théorique et

  N = nombre de classes ou de catégories.

On vérifie ensuite si la statistique χ^2 calculée se trouve dans la zone de rejet ou de non-rejet de l'hypothèse nulle.

Si on travaille avec Excel, on obtient directement la valeur p en choisissant la fonction TEST.KHIDEUX. On compare cette valeur à celle du seuil de signification α choisi. On rejette H_0 si elle est inférieure à α; on ne la rejette pas si elle lui est supérieure*.

EXEMPLE D'APPLICATION DU TEST D'AJUSTEMENT DU KHI-DEUX

Nous allons appliquer le test d'ajustement du khi-deux à une expérience visant à démontrer que la loi du dihybridisme de Mendel s'applique.

Un étudiant observe en laboratoire des épis de maïs issus de la deuxième génération d'un croisement entre deux variétés. Il émet l'hypothèse que les caractères relatifs à la couleur et à la surface des grains se transmettent selon la loi du dihybridisme de Mendel. Autrement dit, il s'attend à trouver quatre catégories de phénotypes dans les rapports de $9:3:3:1$. Selon l'hypothèse nulle, la différence entre la fréquence observée et la fréquence théorique est nulle pour chaque classe; selon l'hypothèse alternative, la différence entre la fréquence observée et la fréquence théorique n'est pas nulle, pour au moins une classe. L'étudiant fixe le seuil de signification α à 0,05.

Ensuite l'étudiant observe les grains de deux épis de maïs et les compte. Les données qu'il recueille sont-elles conformes à l'hypothèse de la répartition des grains selon la loi du dihybridisme? Les différences entre les fréquences observées et les fréquences escomptées ne relèvent-elles que du hasard? Pour le savoir, il applique le test d'ajustement du khi-deux. Pour rejeter ou non l'hypothèse nulle, il a le choix entre deux méthodes : soit il applique la formule de calcul pour obtenir la valeur de la statistique χ^2, situant alors celle-ci par rapport à la valeur critique χ^2_α, trouvée dans la table** de probabilité de la distribution χ^2; soit il recours à Excel pour obtenir la valeur p, situant alors celle-ci par rapport au seuil de signification α choisi.

A. Utilisation de la formule de calcul de la statistique χ^2 et de la table de probabilités de la distribution χ^2

L'étudiant calcule la fréquence théorique pour chaque classe à partir des proportions escomptées et du nombre total de grains observés, et la statistique χ^2 du test. Le tableau qui suit montre les étapes du calcul de la statistique χ^2, à partir du modèle théorique et des données de l'échantillon.

....
* Si on veut obtenir la valeur χ^2 associée au test, une fois qu'on a fait le calcul de la valeur p, on choisit la fonction KHIDEUX.INVERSE.
** Il doit alors consulter la table de probabilités de la distribution χ^2 présentée, entre autres, dans une des éditions du *Handbook of Chemistry and Physics*, CRC Press.

Étapes du calcul de la statistique χ^2

Phénotypes	Fréquences observées (f_o)	Fréquences théoriques (f_t)[a]	$\dfrac{(f_o - f_t)^2}{f_t}$
Grains violets lisses	632	(9/16)1094 : 615,4	0,4478
Grains violets ridés	198	(3/16) 1094 : 205,1	0,2458
Grains jaunes lisses	206	(3/16) 1094 : 205,1	0,0039
Grains jaunes ridés	58	(1/16) 1094 : 68,40	1,5813
Total	1094		$\Sigma = 2,2788 = \chi^2$

a. Le calcul de χ^2 se fait toujours à partir des fréquences théoriques et non des proportions. Pour obtenir les fréquences théoriques, on multiplie chaque proportion par le nombre total des observations.

La statistique χ^2 obtenue est donc : 2,2788.

L'étudiant est maintenant prêt à consulter la table de probabilités de la distribution χ^2 pour vérifier la validité de l'hypothèse nulle. Voici l'extrait d'une table permettant d'en illustrer l'usage.

Probabilités correspondant à différentes valeurs de khi-deux (χ^2) pour différents degrés de liberté

Degrés de liberté	Valeurs de probabilité (p)								
	0,95	0,90	0,70	0,50	0,30	0,20	0,10	0,05	0,01
1	0,004	0,02	0,15	0,46	1,07	1,64	2,71	3,84	6,64
2	0,10	0,21	0,71	1,39	2,41	3,22	4,60	5,99	9,21
3	0,35	0,58	1,42	2,37	3,66	4,64	6,25	7,82	11,34
4	0,71	1,06	2,20	3,36	4,88	5,99	7,78	9,49	13,28
5	1,15	1,61	3,00	4,35	6,06	7,29	9,24	11,070	15,09

Puisque les données sont regroupées en quatre classes et que le nombre de degrés de liberté est égal à (nombre de classes − 1), on a trois degrés de liberté. Pour le seuil de signification $\alpha = 0{,}05$, on obtient la valeur critique $\chi_\alpha^2 = 7{,}82$. Cette valeur indique la limite entre les zones de rejet et de non-rejet de l'hypothèse nulle. Comme $\chi^2 < \chi_\alpha^2 (2{,}2788 < 7{,}82)$, on ne rejette pas l'hypothèse nulle : les différences entre les fréquences observées et les fréquences escomptées relèvent vraisemblablement du hasard. La répartition des grains de maïs semble se faire selon la loi du dihybridisme.

B. Utilisation d'Excel

L'étudiant calcule la fréquence théorique pour chaque classe à partir des proportions escomptées et du nombre total de grains observés. Il applique la fonction TEST.KHIDEUX d'Excel (voir la figure 5.7●) aux fréquences théoriques et aux fréquences observées pour obtenir directement la valeur p.

FIGURE 5.7
Fonction
TEST.KHIDEUX
dans Excel

La probabilité cherchée est affichée dans la cellule D8

Cette valeur supérieure au seuil de signification α qu'il a choisi, 0,516 595 94 > 0,05, l'incite à ne pas rejeter l'hypothèse nulle. Vraisemblablement, la loi du dihybridisme de Mendel s'applique à son échantillon.

C. Utilisation de la formule et de la table de probabilité comparée à l'utilisation d'Excel

L'utilisation d'Excel permet d'effectuer le test plus rapidement et donne directement la valeur p. Cependant, si le contexte d'apprentissage exige que l'étudiant trouve la statistique χ^2, Excel le permet aussi. Une fois la valeur p déterminée par la fonction TEST. KHIDEUX, il se sert ensuite de la fonction KHIDEUX.INVERSE. Il obtient alors 2,278 791 52, valeur qui, une fois arrondie, est équivalente à la valeur 2,2788 qu'il avait calculée au point A (voir p. 178).

Peut-on faire l'inverse et rechercher la valeur p en utilisant la formule de calcul de χ^2 et les tables de probabilités ? Bien que celles-ci offrent différents degrés de précision, aucune ne permet de déterminer la valeur p aussi précisément qu'Excel, qui utilise la formule mathématique générant les tables. Supposons que l'étudiant tente de situer dans l'extrait de table fourni à la page précédente la statistique χ^2 qu'il a calculée (2,2788) : sur la ligne indiquant le degré de liberté 3, il tombe entre 2,37 et 1,42, ce qui correspond aux probabilités (en-têtes des colonnes) 0,50 et 0,70. Comme 2,2788 est plus près de 2,37, l'étudiant peut supposer que la valeur p sera légèrement supérieure à 0,50. Il ne peut pas en dire plus compte tenu du degré de précision de la table. Même en utilisant une table plus précise, il ne pourra pas obtenir mieux que le résultat (0,516 595 94) fourni par Excel (voir le point B).

5.3.2 Tests d'homogénéité et d'indépendance du khi-deux

Les tests d'homogénéité et d'indépendance du khi-deux* sont, comme le test d'ajustement du khi-deux, des tests non paramétriques qui conviennent pour des données nomi-

....
* Afin d'alléger le texte, nous ne répéterons pas des informations pertinentes d'une sous-section à l'autre. Pour appliquer correctement un test d'hypothèse donné, il faut avoir lu toutes les pages de la section 5.3 qui précèdent la sous-section présentant des particularités de ce test et en donnant un exemple d'application.

nales et pour des données numériques regroupées par classes. Ils permettent, eux aussi, de calculer la probabilité que la différence entre les résultats observés et les résultats théoriques est attribuable au hasard. Comme dans le cas précédent, il n'est pas nécessaire que la variable en jeu dans les populations d'où sont tirés les échantillons présente une distribution normale. Les tests d'homogénéité et d'indépendance du khi-deux se distinguent cependant du test d'ajustement du khi-deux par le fait qu'ils sont utilisés dans l'étude de plusieurs variables. Le test d'homogénéité se démarque du test d'indépendance dans la mesure où il oblige à fixer d'avance les tailles des sous-échantillons. L'un et l'autre utilisent les mêmes formules de calcul.

La formule du test tient compte des comparaisons entre chaque cellule ij du tableau des fréquences réelles f_0 et la cellule correspondante ij du tableau des fréquences théoriques f_t calculées, i identifiant les lignes et j identifiant les colonnes.

$$\chi^2 = \sum \frac{\left(f_{0_{ij}} - f_{t_{ij}}\right)^2}{f_{t_{ij}}}$$

La fréquence théorique pour chaque cellule du tableau est obtenue à partir du calcul de la probabilité qu'une observation choisie au hasard a les caractéristiques définies par la ligne et la colonne de la cellule. La formule de calcul de la fréquence théorique d'une cellule ij, est :

$$f_{t_{ij}} = \frac{n_i \times c_j}{T}$$

où n_i est le total des fréquences de la ligne i, c_j, le total des fréquences de la colonne j et T, le total des fréquences de toutes les lignes et de toutes les colonnes.

Le nombre de degrés de liberté est alors $dl = (l - 1)(c - 1)$, où l représente le nombre de lignes et c, le nombre de colonnes du tableau des variables réelles ou du tableau des variables théoriques. Selon l'hypothèse nulle H_0, la différence entre les fréquences observées et les fréquences théoriques est nulle pour toutes les cellules. Afin de décider du rejet ou du non-rejet de l'hypothèse nulle, on situe la statistique χ^2, calculée par le test, dans la zone de rejet ou de non-rejet, définie par la valeur critique χ^2_α. On trouve cette valeur critique dans une table de probabilités en se fondant sur le nombre de degrés de liberté et le seuil de signification α choisi.

Avec Excel, on choisit le même nom de la fonction que pour le test d'ajustement du khi-deux. En fait, TEST.KHIDEUX exécute toujours le test pour plusieurs variables (test d'homogénéité ou d'indépendance du khi-deux), le test d'ajustement du khi-deux étant un cas particulier d'un test sur plusieurs variables. Excel reconnaît s'il y a une ou plusieurs variables et calcule le nombre de degrés de liberté approprié et la valeur p. On décide du rejet ou du non-rejet de l'hypothèse nulle en comparant la valeur p avec le seuil de signification α choisi. On rejette H_0, si la valeur p est inférieure à α, on ne la rejette pas, si la valeur p lui est supérieure.

EXEMPLE D'APPLICATION DU TEST D'HOMOGÉNÉITÉ DU KHI-DEUX AVEC EXCEL

Dans le cadre d'une étude clinique, une compagnie pharmaceutique veut tester l'innocuité d'un antihistaminique, Allegra[MD] à 60 mg. L'étude porte sur des échantillons de 679 patients qui reçoivent le médicament et de 671 patients qui reçoivent un placebo. Selon l'hypothèse nulle, il n'y a pas de différence entre les résultats observés et les résultats théoriques. Si, en comparant les cellules correspondantes du tableau des observations et du tableau des fréquences théoriques calculées, on relève au moins une différence, on rejettera H_0. On choisit un seuil de signification de 0,05. Voici les résultats obtenus par l'étude* :

Fréquences des effets secondaires signalés chez 679 patients ayant reçu le médicament et chez 671 patients ayant reçu le placebo

	Placebo	Allegra[MD] 60 mg	Total
céphalées	21	21	42
nausées	7	9	16
somnolence	6	9	15
fatigue	6	7	13
total	40	46	86

On calcule les fréquences théoriques de chaque cellule. Par exemple, la fréquence de la cellule ligne$_1$ colonne$_1$ est de $(42 \times 40)/86$, alors que celle de la cellule ligne$_3$ colonne$_2$ est de $(15 \times 46)/86$. On utilise la fonction TEST.KHIDEUX d'Excel pour exécuter le test d'homogénéité du khi-deux (voir la figure 5.8●).

On obtient une valeur p de 0,916 520 2, qui est supérieure au seuil de signification α choisi ($\alpha = 0,05$), ce qui conduit au non-rejet de l'hypothèse nulle. Lors de cette étude, on n'a vraisemblablement pas constaté de différence entre les effets signalés chez les patients ayant reçu le médicament et chez ceux ayant reçu le placebo, ce qui tend à démontrer l'innocuité du médicament.

---

*   Résultats inspirés du *Compendium des produits et spécialités pharmaceutiques (CPS)*, 2002, p. 79.

● **FIGURE 5.8**
Fonction
TEST.KHIDEUX
dans Excel

	A	B	C	D	E	F	G
			F16	▼	=	=TEST.KHIDEUX(C6:D9;C16:D19)	
1		Fréquences des effets secondaires signalés					
2		chez 679 patients ayant reçu le médicament					
3		et chez 671 patients ayant reçu le placebo					
4			placebo	Allegra^MD	total		
5				60 mg			
6		céphalées	21	21	42		
7		nausées	7	9	16		
8		somnolence	6	9	15		
9		fatigue	6	7	13		
10		total	40	46	86		
11							
12							
13		Fréquences théorique correspondantes					
14			placebo	AllegraMD			
15				60 mg			
16		céphalées	19,5349	22,4651		0,9165202	
17		nausées	7,4419	8,5581			
18		somnolence	6,9767	8,0233			
19		fatigue	6,0451	6,9535			
20							

5.3.3 Tests d'hypothèses sur deux moyennes

Les tests d'hypothèses sur deux moyennes* sont des tests paramétriques qui exigent, dans le cas des échantillons < 30, que les deux variables en jeu, dans les populations dont sont issus les deux échantillons, obéissent à une distribution normale. Dans le cas où $n > 30$, on peut s'écarter sans danger des hypothèses sur la distribution de la variable au sein de la population, parce que le théorème central limite permet de réaliser un test approximatif. Comme les échantillons étudiés peuvent être petits, ces tests font appel à la distribution de Student, ou distribution t. Cette distribution est en forme de cloche, elle est symétrique et sa moyenne est égale à zéro. Bref, elle ressemble à la distribution normale centrée réduite, mais elle est plus plate et la surface se trouvant sous les queues est plus grande. Comme pour la distribution χ^2, sa forme dépend du nombre de degrés de liberté. Plus ce nombre est petit, plus la courbe de distribution est affaissée, plus il est grand, plus la courbe se redresse pour tendre à l'infini vers la forme de la distribution normale centrée réduite. On considère ces deux distributions comme équivalentes lorsque le nombre de degrés de liberté atteint 30 (voir la figure 5.9●).

Les différents tests d'hypothèses sur deux moyennes que nous allons expliquer font intervenir des formules de calcul très différentes, certaines simples, d'autres assez complexes. Comme les fonctions d'Excel permettent d'obtenir facilement la valeur p pour chacun de ces tests, nous nous limiterons à leur utilisation. Cependant, on devra vérifier rigoureusement les conditions d'application de chacun de ces tests pour éviter d'obtenir des résultats aberrants. Pour tous les tests d'hypothèses sur deux moyennes exécutés avec

....
* Afin d'alléger le texte, nous ne répéterons pas des informations pertinentes d'une sous-section à l'autre. Pour appliquer correctement un test d'hypothèse donné, il faut avoir lu toutes les pages de la section 5.3 qui précèdent la sous-section présentant des particularités de ce test et en donnant un exemple d'application.

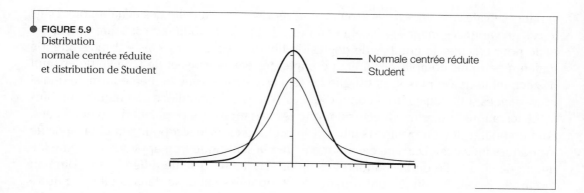

FIGURE 5.9
Distribution
normale centrée réduite
et distribution de Student

Normale centrée réduite
Student

Excel, on choisit la fonction TEST.STUDENT. Si on a besoin de plus d'informations, on travaille avec les utilitaires d'analyse *tests d'égalité des espérances*.

La première condition est de vérifier si les observations effectuées sur les deux échantillons sont appariées ou si les échantillons sont indépendants. Deux observations sont appariées si elles sont sélectionnées par paires. Par exemple, pour comparer les effets de deux détergents sur la décoloration d'un tissu, on choisit au hasard un certain nombre de serviettes de couleur rouge, en apparence identiques. On les coupe en deux triangles de surface égale, on les identifie, puis on fait une expérience de lessive prolongée en utilisant un détergent différent pour chaque ensemble de triangles. Pour réaliser une expérience semblable avec des échantillons indépendants, on aurait fait l'échantillonnage en sélectionnant au hasard un certain nombre de serviettes de couleur rouge, en apparence identiques, pour tester le premier détergent, et un autre échantillon pas nécessairement de la même taille, parmi le même lot de serviettes pour tester l'autre détergent. Les paires de frères sélectionnées pour un test visant à vérifier le temps de réflexe constituent aussi des échantillons appariés. Il faut aussi préciser que le test proposé pour comparer deux échantillons dont les observations sont appariées suppose que les populations dont ils sont issus ainsi que les différences entre les membres des paires se distribuent normalement. Le nombre de degrés de liberté dans le cas des observations appariées est $(n - 1)$, où n est le nombre de paires.

Avant d'appliquer le test proposé pour comparer deux échantillons indépendants, on doit s'assurer qu'une deuxième condition est satisfaite : il faut vérifier si les variances des deux populations dont sont issus ces échantillons sont égales. La variance est le carré de l'écart type. La plupart du temps, les variances des populations sont inconnues. On doit donc se baser sur les variances des échantillons pour décider comment appliquer le test. Si le rapport des variances des échantillons n'est pas plus grand que 3, 4 ou 5, on peut ajuster les variances par des étapes de calculs supplémentaires. Excel tient compte de cet ajustement, à condition qu'on spécifie « variances égales ». Donc, si on spécifie « variances égales », les variances des populations doivent être connues et égales ou le rapport des variances des échantillons ne doit pas être plus grand que 3, 4 ou 5. Le nombre de degrés de liberté, dans le cas des observations non appariées pour des variances égales est $(n_1 + n_2) - 2$, où n_1 et n_2 représentent la taille des échantillons. Dans le cas de variances inégales, Excel fait un test de Student modifié, c'est-à-dire que la formule pour calculer le nombre de degrés de liberté n'est plus $n_1 + n_2 - 2$, mais une formule un peu plus complexe, qui tient compte des écarts types et de la taille de chacun des échantillons. De plus, la statistique t n'est pas calculée avec la même formule que si les variances sont considérées comme égales. Pour des échantillons contenant au moins 30 observations, il n'est pas nécessaire que les variances des populations soient égales. Pour comparer deux moyennes entre elles, on utilise alors le test pour lequel on spécifie « variances inégales ». Dans ce cas, pour calculer la statistique t, on applique la même formule que si la taille de l'échantillon est inférieure à 30. La seule différence se situe au niveau de la valeur critique qui, à partir de 30 données, est prise dans la table de distribution z au lieu de la table de distribution t. La différence n'est toutefois pas très significative puisque, comme nous l'avons mentionné précédemment, les deux distributions sont considérées comme équivalentes lorsque le nombre de degrés de liberté atteint 30, ce qui est précisément le cas lorsque les échantillons comportent 30 données ou plus.

EXEMPLE D'APPLICATION DU TEST DE STUDENT AVEC EXCEL

Pour illustrer ce genre de test d'hypothèses, nous tenterons de répondre à la question posée dans l'exemple de la section 4.1.2 (voir p. 122). À première vue, la durée de l'inspiration paraissait plus courte que celle de l'expiration. Cette conclusion est-elle valable? Le test de Student permettra d'évaluer statistiquement cette affirmation. Comme les échantillons proviennent de mesures des durées d'inspirations et d'expirations au cours d'un cycle de 7 respirations, effectuées auprès d'une même personne au repos, concentrée sur sa respiration, nous en déduisons qu'il s'agit de deux échantillons dont les observations sont appariées. De plus, comme selon cette hypothèse, la durée de l'inspiration est plus courte que celle de l'expiration ($H_a : E - I > 0$), on posera comme hypothèse nulle que la durée de l'inspiration est plus grande ou égale à celle de l'expiration ($H_0 : E - I \leq 0$). Le test est donc de type unilatéral. Nous choisissons un seuil de signification de 0,01.

Avec Excel, on obtient facilement la valeur p en utilisant la fonction TEST.STUDENT. Les matrices 1 et 2 représentent la première et la deuxième série de données. Quelle que soit la série de données qu'on inclut dans la matrice 1 ou 2, Excel donne la même valeur p. En effet, la zone de probabilité correspondant à une différence d'au moins t a la même surface sous la courbe, qu'il s'agisse d'une différence plus grande ou égale à zéro ou d'une différence plus petite ou égale à zéro, puisque la courbe de distribution des différences est symétrique. On a précisé le code numérique 1 pour un test unilatéral et, ensuite, le code numérique 1 pour le type de test *échantillons appariés* (voir la figure 5.10●).

La valeur p, calculée par le test, est de 0,001 817 56. Puisque cette valeur est plus petite que le seuil de signification choisi ($\alpha = 0,01$), l'hypothèse nulle est suffisamment remise en question pour nous inciter à la rejeter. Vraisemblablement, la durée de l'inspiration est plus courte que celle de l'expiration.

FIGURE 5.10
Fonction TEST.STUDENT dans Excel

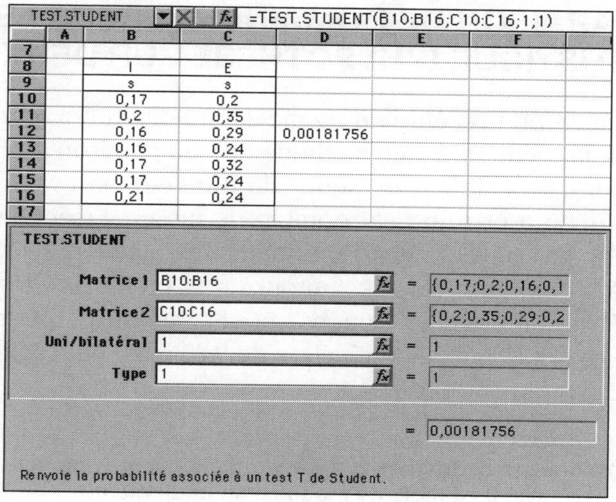
TEST.STUDENT =TEST.STUDENT(B10:B16;C10:C16;1;1)

	A	B	C	D	E	F
7						
8		I	E			
9		s	s			
10		0,17	0,2			
11		0,2	0,35			
12		0,16	0,29	0,00181756		
13		0,16	0,24			
14		0,17	0,32			
15		0,17	0,24			
16		0,21	0,24			
17						

TEST.STUDENT

Matrice1 B10:B16 = {0,17;0,2;0,16;0,1
Matrice2 C10:C16 = {0,2;0,35;0,29;0,2
Uni/bilatéral 1 = 1
Type 1 = 1

= 0,00181756

Renvoie la probabilité associée à un test T de Student.

L'usage de l'utilitaire d'analyse affiche plus d'informations. Alors que la fonction TEST.STUDENT ne donne que la valeur *p*, qu'on ne peut obtenir la statistique *t* calculée du test qu'en appliquant la fonction LOI.STUDENT.INVERSE* et qu'on doit alors faire usage de table de probabilités pour trouver la ou les valeurs critiques, l'utilitaire d'analyse *test d'égalité des espérances: observations pairées* donne plusieurs informations, dont la statistique *t* calculée par le test et les valeurs critiques t_α du test unilatéral et $t_{\alpha/2}$ du test bilatéral, ainsi que la valeur *p* du test unilatéral ou bilatéral**.

FIGURE 5.11
Outil *Utilitaire d'analyse* dans Excel

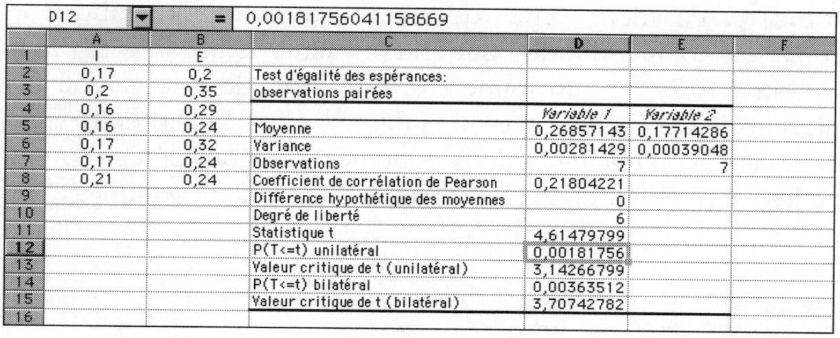
D12 = 0,00181756041158669

	A	B	C	D	E	F
1	I	E				
2	0,17	0,2	Test d'égalité des espérances:			
3	0,2	0,35	observations pairées			
4	0,16	0,29		*Variable 1*	*Variable 2*	
5	0,16	0,24	Moyenne	0,26857143	0,17714286	
6	0,17	0,32	Variance	0,00281429	0,00039048	
7	0,17	0,24	Observations	7	7	
8	0,21	0,24	Coefficient de corrélation de Pearson	0,21804221		
9			Différence hypothétique des moyennes	0		
10			Degré de liberté	6		
11			Statistique t	4,61479799		
12			P(T<=t) unilatéral	0,00181756		
13			Valeur critique de t (unilatéral)	3,14266799		
14			P(T<=t) bilatéral	0,00363512		
15			Valeur critique de t (bilatéral)	3,70742782		
16						

* Rappelons la mise en garde de la page 175 : Si on effectue un test unilatéral, on doit fournir la valeur *p* multipliée par deux dans la boîte de dialogue.

** Rappelons la mise en garde de la page 175 : Si on effectue un test d'égalité des espérances unilatéral, on doit se fonder sur l'hypothèse alternative Ha : variable 1 – variable 2 > 0.

5.4 COMPARAISON DE DEUX SÉRIES DE DONNÉES : LA COMPARAISON DE DOMAINES VERSUS LE TEST STATISTIQUE D'HYPOTHÈSE SUR DEUX MOYENNES

Lorsqu'on veut comparer deux séries de données, on doit choisir le mode de comparaison. On a proposé à la section 5.2 une méthode de comparaison de domaines définis à partir des incertitudes. Dans le cas de séries de données, on évalue différemment les incertitudes selon qu'on a pris un petit nombre de mesures (section 1.10) ou qu'on a relevé un grand nombre de données expérimentales (section 1.11). La comparaison s'effectuera entre les domaines calculés autour de la meilleure estimation de chaque série de données. Par exemple, cinq équipes ont effectué une expérience visant à comparer le volume de gaz H_2 libéré par la réaction de 0,25 mole de magnésium et de plomb avec un excès d'acide chlorhydrique.

**Volumes d'hydrogène gazeux produits par les réactions
de 0,25 mole de magnésium et de plomb
avec un excès d'acide chlorhydrique**

$V_{H_2(g)}$/Mg mL ± 0,1	$V_{H_2(g)}$/Pb mL ± 0,1
8,4	8,8
8,6	9,0
8,4	9,6
8,2	9,1
8,5	9,3

$V_{H_2(g)}$/Mg : volume d'hydrogène produit par la réaction avec le magnésium
$V_{H_2(g)}$/Pb : volume d'hydrogène produit par la réaction avec le plomb

Pour comparer ces deux séries de volumes non reproductibles, on calcule la meilleure estimation et l'incertitude pour chaque série de mesures par la méthode des extrêmes (section 1.10.2), ce qui donne (8,4 ± 0,3) mL, dans le cas du magnésium, et (9,2 ± 0,5) mL, dans le cas du plomb (voir la figure 5.12●). L'écart entre (8,4 ± 0,3) mL et 9,2 ± 0,5) mL est non significatif ; ces deux quantités sont considérées comme *égales*, car l'écart entre elles est inférieur ou égal à la somme de leurs incertitudes absolues.

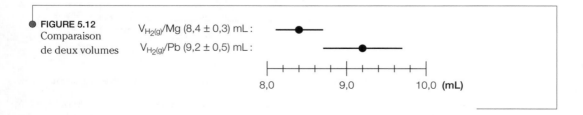

● **FIGURE 5.12**
Comparaison
de deux volumes

Cependant, comme les domaines comparés se touchent à peine, on devrait être prudent lors de l'analyse, car il se peut que les volumes soient égaux, bien que ce soit très peu probable. En fait, avec de tels résultats, il faut recommander de nouvelles mesures. Lorsque la comparaison de deux séries de données par la méthode de recoupement des domaines amène à considérer des mesures comme égales, on doit être prudent et vérifier à quel point les domaines se recoupent. Si, par contre, on en vient à considérer les mesures comme différentes, on peut l'affirmer sans crainte.

On peut aussi comparer ces deux séries de volumes en effectuant un test d'hypothèse sur deux moyennes (section 5.3.3). L'hypothèse est nulle lorsque la différence entre les moyennes est égale à zéro. On choisit un seuil de signification de 0,01. Ces deux séries de données sont des échantillons indépendants, dont les variances peuvent être ajustées (le rapport des variances des échantillons égal à 4,2 n'est pas plus grand que 3, 4 ou 5) et on effectue un test bilatéral (voir le tableau de la page précédente et la figure 5.13●).

FIGURE 5.13
Outil *Utilitaire d'analyse* dans Excel

D16	▼	=	0,00122526509062276		
	A	B	C	D	E	F
3	mL	mL				
4	± 0,1	± 0,1	Test d'égalité des espérances :			
5	8,4	8,8	deux observations de variances égales			
6	8,6	9,0		*Variable 1*	*Variable 2*	
7	8,4	9,6	Moyenne	8,42	9,16	
8	8,2	9,1	Variance	0,022	0,093	
9	8,5	9,3	Observations	5	5	
10			Variance pondérée	0,0575		
11			Différence hypothétique des moyennes	0		
12			Degré de liberté	8		
13			Statistique t	-4,8794155		
14			P(T<=t) unilatéral	0,00061263		
15			Valeur critique de t (unilatéral)	2,89646778		
16			P(T<=t) bilatéral	0,00122527		
17			Valeur critique de t (bilatéral)	3,35538061		
18						

La valeur p 0,001 étant plus petite que le seuil de signification choisi – 0,01 – on rejette l'hypothèse nulle. Les deux moyennes ne sont pas considérées comme égales. Ce résultat confirme qu'on avait raison de mettre en doute l'affirmation que les volumes sont égaux alors que les deux domaines ne se recoupent qu'en un seul point.

À l'opposé de la méthode de la comparaison des domaines, c'est lorsque le test d'hypothèse sur deux moyennes conduit au rejet de l'hypothèse nulle (moyennes considérées comme inégales) qu'on doit être prudent dans l'analyse, surtout pour des échantillons de grandes tailles. Plus les échantillons sont grands, plus le test est exigeant lorsqu'il s'agit d'accepter l'hypothèse nulle. Si on considère que les mesures sont différentes, il faut être très prudent ; par contre, si on considère qu'elles sont égales, il ne faut pas craindre de le dire. L'exercice 5.7 et sa réponse, qu'on trouve sur le disque compact, nous enseigne qu'il faut être prudent si le résultat d'un test nous amène à considérer deux moyennes comme étant différentes. Dans cet exercice, la différence entre les deux moyennes, quoique plus petite que la limite de résolution de l'instrument de mesure, semble significative selon le test d'hypothèse sur deux moyennes.

Les deux méthodes servent à comparer deux séries de données; toutefois, l'une compare des domaines et l'autre des moyennes.

5.5 ANALYSE DES RÉSULTATS

Dans la démarche scientifique, l'expérimentation nous donne des résultats. C'est en analysant ceux-ci qu'on peut vérifier la validité d'une hypothèse. Il est alors opportun de porter un jugement sur l'exactitude et la précision de ces résultats. Une vérification basée sur des résultats exacts, mais très imprécis, est souvent moins convaincante qu'une vérification basée sur des résultats à la fois exacts et précis*. L'analyse des résultats passe par celle des causes d'erreur et des causes d'incertitude.

5.5.1 Causes d'erreur

Dans l'exemple de la section 5.2.3, Juliette et Jules n'ont pas obtenu le même résultat lorsqu'ils ont mesuré la valeur de l'accélération gravitationnelle : les valeurs obtenues sont inégales, donc différentes. De plus, la valeur obtenue par Juliette est comparable à la valeur généralement acceptée, tandis que la valeur obtenue par Jules ne l'est pas. Dans le cas de Jules, il faut conclure qu'il a fait une erreur, soit dans l'expérimentation, soit dans l'interprétation des observations, soit dans l'utilisation de la théorie. Pour la mesure de g_B, les écarts significatifs peuvent résulter d'une sous-estimation de l'incertitude au moment de la prise des mesures ou de toute autre erreur expérimentale.

Quand on veut interpréter une comparaison entre deux valeurs inégales, il ne suffit pas de dire que celles-ci sont inégales, il faut aussi indiquer quelle valeur est plus grande que l'autre. Par ailleurs, un écart significatif ne provient pas toujours d'une erreur de mesure. Il peut être dû à une mauvaise comparaison entre deux ou plusieurs quantités. Ce sera le cas, par exemple, si on mesure g_A et g_B à deux endroits différents. On fait alors une erreur reliée à l'application du modèle théorique parce que la mesure de g varie non seulement d'un point à l'autre de la surface du globe mais aussi avec l'altitude.

Les causes d'erreur donnent donc lieu à une mesure trop grande ou trop petite. Par exemple, il est possible que la mesure de Jules soit trop petite à cause de la friction, puisque celle-ci diminue l'accélération. Si Jules avait obtenu une valeur trop grande, on ne pourrait invoquer la friction comme cause d'erreur pour expliquer l'écart significatif!

....
*   Voir la section 1.12, p. 44.

Il est donc important d'indiquer dans quel sens une cause d'erreur influe sur le résultat. De plus, si plusieurs causes d'erreur influent sur le résultat, il est intéressant de déterminer laquelle est la principale. Les causes d'erreur les plus faciles à détecter peuvent être des erreurs d'inattention ou des erreurs systématiques.

Les erreurs d'inattention peuvent se produire durant la manipulation (on oublie de brancher un fil ou de rincer l'électrode du pH-mètre, on mélange mal une solution, etc.) ou pendant le traitement des données (par exemple, on omet un facteur 2 dans un calcul).

Les erreurs systématiques se répètent d'une mesure à une autre. Elles peuvent être dues à un défaut de l'appareil de mesure utilisé (mauvais réglage du zéro, graduation irrégulière, etc.) ou à des approximations théoriques hasardeuses (résistance de l'air nulle, frottement négligeable, omission de la présence de l'humidité contenue dans un produit solide lors de la détermination de sa masse, etc.). On peut déceler les erreurs systématiques en utilisant d'autres méthodes de mesure ou des appareils différents. Lorsqu'on décèle de telles erreurs, on doit les corriger en modifiant la méthode expérimentale utilisée ou en raffinant la théorie.

EXEMPLE D'ERREUR SYSTÉMATIQUE CORRIGÉE

Quand on mesure l'intensité d'un courant en introduisant un ampèremètre dans un circuit électrique, la résistance de l'ampèremètre change celle du circuit. L'intensité du courant mesurée I mesuré est alors systématiquement plus petite que celle escomptée. Il est possible de corriger cette erreur en raffinant la théorie.

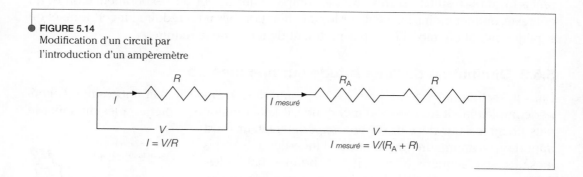

● FIGURE 5.14
Modification d'un circuit par
l'introduction d'un ampèremètre

$I = V/R$

I mesuré $= V/(R_A + R)$

On obtient après correction : $I = \dfrac{R_A + R}{R}\, I$ mesuré.

5.5.2 Causes d'incertitude

Reprenons les valeurs que Jules et Juliette ont trouvées (section 5.2.3, p. 171).

Jules $\qquad g_B = (9{,}72 \pm 0{,}02)$ m/s^2

Juliette $\qquad g_A = (9{,}9 \pm 0{,}1)$ m/s^2

Valeur généralement admise $\qquad g = (9{,}81 \pm 0{,}01)$ m/s^2.

On constate que les écarts entre la valeur généralement acceptée et les valeurs expérimentales de Jules et de Juliette (meilleures estimations) sont équivalents : 0,09 m/s^2, dans les deux cas. Cependant, comme l'incertitude absolue sur la valeur déterminée par Juliette est grande, on considère que cette valeur est égale à la valeur admise de g. Ce n'est pas le cas pour la valeur de Jules. On constate qu'une mesure moins précise a plus de chances de correspondre aux valeurs généralement acceptées. Par contre, une mesure plus précise renforce la validité de l'expérimentation.

Il est donc important d'évaluer le plus justement possible l'incertitude absolue sur une mesure (voir les sections 1.8, 1.9, 1.10, 1.11 et 1.13) et de veiller à ce que cette évaluation tienne compte des conditions expérimentales. On doit chercher à réduire au minimum les incertitudes sur chaque mesure et à les estimer le plus justement possible, en justifiant cette évaluation. Lors de l'analyse des résultats, il est important de cerner la principale cause d'incertitude (car c'est elle qui influe le plus sur la mesure) et de déterminer comment on pourrait améliorer la méthode expérimentale utilisée pour en réduire les effets. L'examen à rebours de la propagation de l'incertitude dans l'interprétation des observations permet de trouver la principale cause de l'incertitude. On est alors en mesure de proposer des améliorations pour une expérimentation future. Si la précision d'un résultat est très grande, compte tenu du but de l'expérimentation et du contexte, on met moins l'accent sur les améliorations visant à réduire l'incertitude et on explique plutôt en quoi il n'est pas pertinent de tenter de la réduire.

5.5.3 Diminution de l'incertitude sur une mesure

Dans la section précédente, nous avons montré que, même s'il était impossible d'éliminer complètement les causes d'incertitude, il fallait toujours chercher à les diminuer le plus possible. Pour devenir un bon expérimentateur, il est important d'apprendre à diminuer l'incertitude sur les mesures et d'acquérir à ce sujet de bonnes habitudes. Celles-ci sont utiles dès l'élaboration de la stratégie expérimentale et, bien entendu, durant les manipulations.

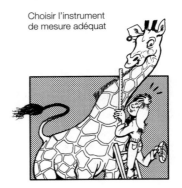

Choisir l'instrument de mesure adéquat

Comme une mesure comporte souvent plusieurs incertitudes, on doit chercher à en corriger la principale cause. Ainsi, pour mesurer le temps de chute d'une bille, il serait inutile de remplacer un chronomètre manuel précis à 0,01 s par un chronomètre manuel précis à 0,001 s, puisque la principale cause d'incertitude est le temps de réflexe de l'expérimentateur qui se situe autour de 0,1 s. Par contre, il serait plus adéquat d'utiliser un appareil à déclenchement automatique, lequel ne dépend pas de l'intervention humaine.

Dans de nombreuses expérimentations, on obtient un résultat par un calcul impliquant plusieurs paramètres. Il faut alors chercher à améliorer le paramètre qui a le plus d'effet sur l'incertitude du résultat. Pour déterminer ce paramètre, on examine à rebours la propagation de l'incertitude dans les étapes du calcul. Les trois exemples suivants illustrent bien notre propos.

EXEMPLE **1**

On veut déterminer la constante des gaz parfaits R en mesurant T, P, n et V et en calculant $R = \dfrac{PV}{nT}$.

La relation ne comportant que des produits et des quotients, il est commode d'utiliser les règles simples pour calculer l'incertitude sur R.

$$\frac{\Delta R}{\overline{R}} = \frac{\Delta P}{\overline{P}} + \frac{\Delta V}{\overline{V}} + \frac{\Delta n}{\overline{n}} + \frac{\Delta T}{\overline{T}}.$$

Si on a $\quad \dfrac{\Delta T}{\overline{T}} = 0,2\,\% \quad \dfrac{\Delta P}{\overline{P}} = 0,01\,\% \quad \dfrac{\Delta n}{\overline{n}} = 8,2\,\% \quad \dfrac{\Delta V}{\overline{V}} = 0,2\,\%,$

alors $\qquad\qquad\qquad\qquad \dfrac{\Delta R}{\overline{R}} = 8,6\%.$

On voit immédiatement que, pour augmenter la précision du résultat, il faut en priorité **améliorer la mesure de *n***, car les 8,6 % d'incertitude relative sur R viennent principalement des 8,2 % sur n. On voit aussi que chercher à augmenter la précision de P ne contribuerait pas à augmenter celle du résultat. Pour améliorer la mesure de n, il faudra trouver d'où vient Δn.

EXEMPLE **2**

On détermine le volume V d'un cylindre en mesurant r et h et en calculant $V = \pi r^2 h$.

Si on a obtenu $h = (18,4 \pm 0,1)$ cm et $r = (2,01 \pm 0,01)$ cm, **quelle mesure influe le plus sur la précision du résultat?**

- Si on utilise les règles simples pour calculer l'incertitude sur V,

ayant
$$\frac{\Delta V}{\overline{V}} = \frac{2\,\Delta r}{\overline{r}} + \frac{\Delta h}{\overline{h}},$$

on trouve
$$\frac{\Delta V}{\overline{V}} = 0,995\ \% + 0,543\ \% \approx 1,5\ \%.$$

Ici, bien que la mesure de r soit légèrement plus précise que celle de h, c'est quand même r qui influe le plus sur la précision du résultat !

- Si on utilise la différentielle,

ayant
$$\Delta V = (2\pi rh)\,\Delta r + (\pi\, r^2)\,\Delta h$$

on trouve
$$\Delta V = [(232,38)\ 0,01 + (12,69)\ 0,1]\ cm^3$$
$$= (2,324 + 1,269)\ cm^3.$$

Le terme contenant Δr est bien celui qui influe le plus sur l'incertitude de V.

EXEMPLE **3**

On détermine l'aire du cylindre de l'exemple 2 : $A = 2\pi\, r^2 + (2\pi rh)$.

Dans cet exemple, contrairement à l'exemple 1, il est plus commode d'utiliser la différentielle pour calculer ΔA. On obtient

$$\Delta A = (4\pi r + 2\pi h)\,\Delta r + (2\pi r)\,\Delta h$$
$$= (1,409 + 1,26)\ cm^2.$$

Ici, les termes contenant Δr et Δh contribuent presque à part égale à l'incertitude sur A.

Après avoir déterminé le ou les paramètres dont on doit réduire l'incertitude, il faut trouver la façon de procéder. Premièrement, pour prendre une mesure, on doit toujours se placer dans les meilleures conditions possibles : par exemple, chercher à diminuer les vibrations et les courants d'air lorsqu'on mesure la position d'un objet suspendu à un ressort, se mettre au niveau de la colonne de mercure pour diminuer l'effet de parallaxe lorsqu'on fait une lecture sur un baromètre, mesurer le diamètre d'un petit cylindre avec un pied à coulisse plutôt qu'avec une règle, utiliser la tare d'une balance pour éviter l'incertitude que donne la masse du récipient vide, etc.

De plus, lorsque l'incertitude absolue ne varie pas avec la valeur qu'on a mesurée (ΔA = constante), l'incertitude relative $\Delta A/\overline{A}$ diminue si on augmente la valeur de A. Par exemple, une burette graduée à 0,1 mL donnera des mesures de volume plus précises pour de grands volumes que pour des petits. L'incertitude relative $\Delta V / \overline{V}$ sera égale à 10 % (0,1/1,0) pour un volume de 1,0 mL ; à 1 % (0,1/10,0) pour un volume de 10,0 mL ; à 0,3 % (0,1/30,0) pour un volume de 30,0 mL. Ainsi, si on utilise une burette pour mesurer la masse volumique d'un liquide, on pèsera avec une balance précise des volumes relativement importants de liquide.

De la même façon, pour déterminer la période d'oscillation d'un pendule, on peut chronométrer dix oscillations au lieu de une seule.

5.5.4 Leçon d'histoire : influence de l'utilisation de la théorie dans l'analyse des résultats

Les premières tentatives de mesure de la vitesse du son datent de la Renaissance*. Toutefois, jusqu'en 1822, les résultats expérimentaux étaient contradictoires et les mesures demeuraient non reproductibles.

En 1822, attribuant une part du problème à l'influence du vent, François Arago et Marie Riche de Prony décident d'utiliser la méthode des coups croisés qui consiste, comme l'écrira par la suite Arago, « à produire deux sons pareils au même instant dans deux stations et à observer dans chacune d'elles le temps que le son de la station opposée emploie à y arriver : le vent produisant alors des effets contraires sur les deux vitesses, la moyenne des deux résultats doit être aussi exacte que si le vent avait été parfaitement tranquille**. »

En s'appuyant sur le modèle théorique de l'addition vectorielle des vitesses, les deux hommes ont transformé deux mesures non reproductibles en une mesure reproductible et précise. Si on considère v_1 comme étant la grandeur de la vitesse du point A au point B, et v_2 comme étant la grandeur de la vitesse en sens inverse, on peut illustrer cette situation comme à la figure 5.15●.

....
*   Voir RIVAL, 1996.
** Cité par MASSAIN, 1962, p. 249.

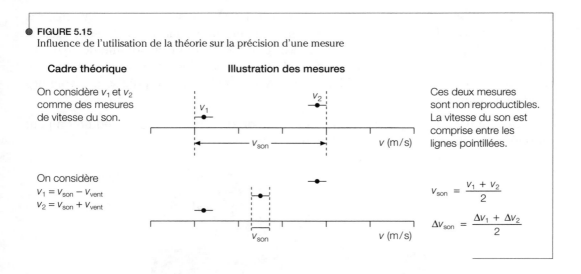

FIGURE 5.15
Influence de l'utilisation de la théorie sur la précision d'une mesure

5.6 ÉLABORATION D'UNE STRATÉGIE EXPÉRIMENTALE

Nous avons vu à la section 1.1 (p. 2), qu'une expérience scientifique se situe à l'intérieur d'une démarche en quatre temps. On doit pouvoir situer une expérience donnée à l'intérieur de ces quatre temps. Si une expérience se situe à l'étape du test de l'expérimentation, il est important de connaître la théorie ou les hypothèses qui lui sont reliées. Sur cette base, on doit tout d'abord élaborer une stratégie*. La figure 5.16● illustre les éléments à déterminer dans une stratégie expérimentale. Il faut déterminer quels seront les résultats nécessaires et par quelle manière concrète on peut les obtenir. Pour obtenir les résultats, on doit, d'une part, faire des observations (qualitatives, semi-quantitatives ou quantitatives) et, d'autre part, les interpréter.

On choisit d'abord les paramètres à observer. Le plus souvent, ce sont les variations de ces paramètres qui nous permettent d'étudier un phénomène. Si plusieurs paramètres varient dans un phénomène, on fait varier un paramètre à la fois dans l'étude de ce phénomène, sinon on risque de n'observer aucun effet résultant (les effets de plusieurs paramètres s'annulent) ou de ne pas savoir ce qui cause cet effet. Par exemple, si on étudie la vitesse d'une réaction chimique entre deux composés, et qu'on choisit d'étudier la concentration de chacun des réactifs et la température du milieu dans lequel se produit la réaction, il sera impossible de trouver le ou les responsables de la variation de la vitesse, si on fait varier deux de ces trois paramètres en même temps. De plus, lorsqu'on fait des

....

* Stratégie : art de planifier et de coordonner un ensemble d'opérations en vue d'atteindre un objectif (voir Marie-Éva De Villers, *Multidictionnaire de la langue française*, 3ᵉ édition, Éditions Québec-Amérique, Montréal, 1997.)

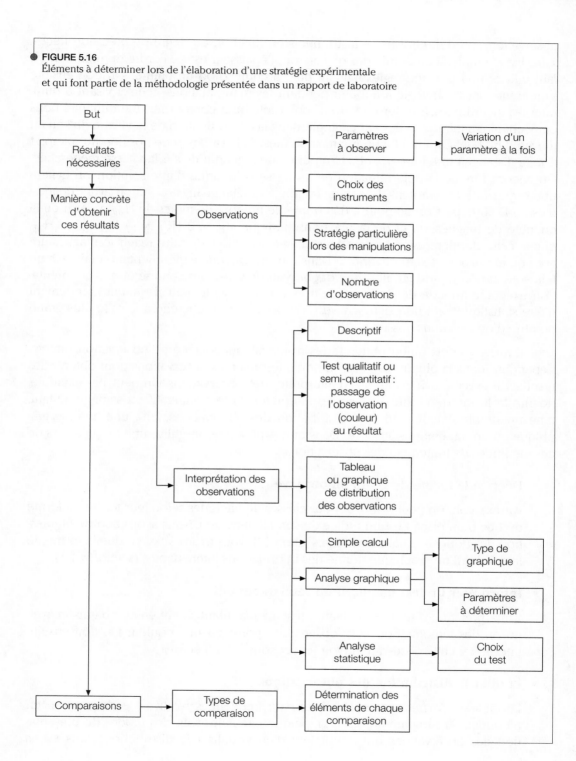

FIGURE 5.16
Éléments à déterminer lors de l'élaboration d'une stratégie expérimentale
et qui font partie de la méthodologie présentée dans un rapport de laboratoire

observations, on doit choisir ses instruments en fonction du degré de précision nécessaire. Par exemple, si on étudie des objets dont l'épaisseur est de l'ordre du millimètre, il
faut utiliser non pas une règle, mais un pied à coulisse ou un palmer. On doit ensuite
s'interroger sur la stratégie à adopter pendant les manipulations, celle-ci visant à diminuer les incertitudes, à éviter une erreur prévisible ou à contourner une difficulté nous
empêchant d'atteindre le but. Par exemple, dans la détermination de la vitesse du son au
moyen d'un haut-parleur et d'un micro, si on mesure la variation de position du micro et
non la distance entre les deux objets, on diminue l'incertitude sur la vitesse recherchée.
Ou encore, lors de la détermination de la masse volumique d'une solution, on évitera
une erreur due au gradient de concentration, en mélangeant la solution avant chaque
mesure. D'autre part, on ne pourra déterminer le nombre de moles de $H_{2(g)}$ à partir de la
quantité de magnésium et de la réaction chimique $Mg_{(s)} + 2\ HCl_{(aq)} \rightarrow MgCl_{2(aq)} + H_{2(g)}$
que si cette dernière est complète. La stratégie sera alors de faire réagir le magnésium
avec un excès d'acide chlorhydrique. Dans tous les cas, une expérimentation faite sur un
fait isolé et non reproductible serait dépourvue de sens, tout comme une expérimentation exécutée à l'aide de deux ou de trois données seulement risquerait grandement
d'être statistiquement non significative. C'est pourquoi on cherche à faire le plus grand
nombre d'observations possible.

Il arrive parfois qu'on obtienne les résultats voulus grâce à l'observation directe.
Cependant, dans la plupart des cas, on doit interpréter les observations pour obtenir des
résultats. Il existe plusieurs façons d'interpréter des observations. On peut, par exemple,
décrire la forme de ce qu'on observe, interpréter un test qualitatif ou semi-quantitatif,
faire un simple calcul, étudier la distribution des observations, faire une analyse graphique ou un traitement statistique. Dans une expérience, on utilise une ou plusieurs de
ces méthodes de traitement des observations.

- **Décrire la forme de ce qu'on observe**

  Par exemple, on peut distinguer des classes de bactéries selon leur forme. La forme
  du bec d'un oiseau est un indice de son alimentation. Nous avons abordé la question des données qualitatives à la section 1.2. Nous avons aussi vu que la forme de
  la courbe d'un graphique donne des informations intéressantes (section 4.1.1).

- **Interpréter un test qualitatif ou semi-quantitatif**

  L'interprétation d'un test qualitatif ou semi-quantitatif se fait en comparaison avec
  un ou des témoins. Souvent, l'observation porte sur une couleur. On doit ensuite
  interpréter cette observation (voir les sections 1.2, 1.3 et 5.1).

- **Étudier la distribution des observations**

  Le tableau de fréquences, le tableau de fréquences relatives, le diagramme en
  bâtonnets, l'histogramme ou le graphique circulaire sont des modes de présentation des observations qui permettent d'en visualiser la distribution. Nous avons

expliqué comment construire et présenter les tableaux de distribution des observations à la section 3.1.2, et la construction et la présentation des graphiques de distribution des observations, à la section 3.2.4.

- **Faire un simple calcul**

Parfois, on peut obtenir les résultats d'une expérimentation en effectuant de simples calculs à partir des observations que l'on a faites. Par exemple, on peut trouver la masse volumique de l'aluminium en divisant la masse d'un cylindre d'aluminium par son volume. On peut trouver la constante de temps d'une décroissance exponentielle en calculant $\dfrac{t_{1/2}}{\ln 2}$.

- **Faire une analyse graphique**

Quand on analyse un graphique, on peut lire une valeur, trouver une valeur non mesurée par interpolation ou par extrapolation, déterminer la relation entre deux variables. L'analyse de la position, de la grandeur ou de la forme de pics ou de bandes des spectres infrarouges, de résonance magnétique nucléaire (*RMN*) ou de masse nous permet de reconnaître une substance chimique.

Quand on veut se servir d'une analyse graphique pour déterminer la relation entre deux variables, on commence par choisir un ou plusieurs graphiques en fonction du modèle mathématique issu de la théorie qu'on utilise. À la section 4.4 (p. 130), nous avons montré que le choix d'un graphique dépendait de la fonction mathématique étudiée. Ainsi, pour étudier une fonction linéaire, on utilise des échelles millimétriques. Il faut, de plus, déterminer les paramètres de la courbe qu'il faudrait trouver. Par exemple, il n'est pas toujours nécessaire de trouver la pente et l'ordonnée à l'origine d'une droite. Il suffit parfois de déterminer une seule de ces valeurs pour atteindre le but d'une expérimentation.

L'analyse graphique d'une droite permet souvent de vérifier un modèle théorique. Cette vérification, basée sur l'équation d'une droite, est à la fois simple et puissante. Elle est simple, parce qu'elle est fondée sur trois conditions: avoir une droite sans point singulier et s'assurer que, d'une part, la pente, et, d'autre part, l'ordonnée à l'origine du graphique expérimental correspondent aux valeurs prédites théoriquement*. Elle est puissante parce que, grâce au changement de variable ou d'échelle (sections 4.4.1 et 4.4.2), on peut représenter par une droite plusieurs fonctions, même si, au départ, elles ne sont pas linéaires.

Finalement, grâce aux outils informatiques, l'analyse graphique devient un puissant outil permettant de déterminer la relation entre deux variables. Nous avons vu (section 4.4.3) l'utilisation de la courbe de tendance d'Excel et du coefficient de détermination R^2 ou la superposition de graphique. Pour plus de détails sur la

* Sur le disque compact, le fichier «Vérification modèle.doc» explique la stratégie à suivre.

manière de travailler avec Excel, vous pouvez aussi consulter les fichiers reliés à l'exercice 4.5 et la réponse qui s'y rapporte, donnée sur le disque compact.

- **Faire une analyse statistique**

Nous avons présenté à la section 5.3 (p. 172) quelques tests statistiques de vérification d'hypothèses fréquemment utilisés pour faire des comparaisons, qu'il s'agisse de tester la valeur d'un paramètre ou la conformité avec une théorie ou avec une loi. Lors de l'élaboration de la stratégie expérimentale, on doit choisir un test statistique qui permet d'atteindre le but de l'expérimentation. L'organigramme présenté à la figure 5.17● peut aider à faire un choix parmi les tests proposés.

FIGURE 5.17
Choix d'un test statistique de vérification d'hypothèses

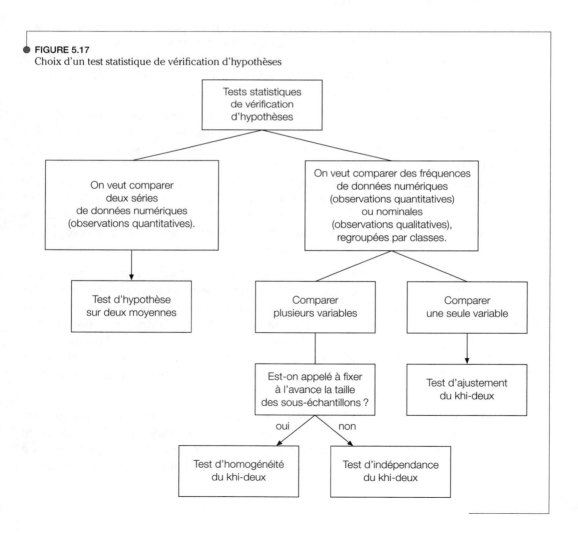

L'emploi d'une stratégie expérimentale nous demande souvent de faire des comparaisons. On doit donc pouvoir déterminer les éléments à comparer et choisir une façon de procéder. Le but de l'expérimentation, les résultats recherchés et l'interprétation des observations nous permettent d'accomplir cette tâche. Prenons, par exemple, un laboratoire portant sur un circuit électrique, dans lequel on doit déterminer si une de ses composantes est ohmique ou non. On pourrait alors comparer la forme du graphique (potentiel en fonction du courant) obtenu expérimentalement avec la forme d'une droite. En effet, si une composante de ce circuit est ohmique, ce graphique doit nécessairement représenter une droite.

Comme nous pouvons le constater, une stratégie expérimentale comporte le choix de plusieurs éléments. Il faut aussi tenir compte de contraintes d'argent, de temps, etc. L'élaboration d'une stratégie expérimentale n'est pas un processus linéaire, car la détermination d'un élément peut en modifier un autre. Dans cette optique, le schéma de la figure 5.16● doit être considéré comme un simple outil permettant d'élaborer une stratégie expérimentale, et non comme une recette à suivre obligatoirement en partant du haut vers le bas. Au chapitre suivant, nous verrons que, dans un rapport de laboratoire en bonne et due forme, l'explication de la stratégie expérimentale utilisée doit se trouver dans la section intitulée « Cadre théorique et méthodologie ».

Chapitre **6**

Rédaction
D'UN RAPPORT DE LABORATOIRE

6.1 ÉLÉMENTS D'UN RAPPORT DE LABORATOIRE

Un rapport de laboratoire complet est constitué des éléments suivants:

- Page de titre
- Parties prélaboratoires:
  - introduction
  - cadre théorique et méthodologie
  - matériel, instrumentation et manipulations
- Observations*, interprétation des observations et résultats
- Discussion et conclusion
- Médiagraphie

Dans les sections qui suivent, nous allons expliquer ces différents éléments. Pour bien les comprendre, reportez-vous à la partie correspondante de ces sections dans les exemples de rapport qu'on trouve sur le disque compact («Archimède.pdf» et «Masse volumique.pdf»). Nous tenons cependant à préciser que, dans les rapports ou articles scientifiques, les calculs ne sont pas indiqués. De plus, dans ces publications, on ne présente les données brutes que si elles sont utiles à la discussion, et les graphiques sont rarement précédés d'un tableau qui contient les coordonnées de ses points.

Le rapport dont il est question ici doit au contraire contenir toutes les observations et des exemples de calcul, car il doit répondre aux exigences liées à la formation et à l'évaluation. Cependant, si les observations contiennent un très grand nombre de données, ces dernières risquent d'alourdir le rapport. Dans ce cas, on pourrait les placer en annexe ou les porter sur une disquette ou sur un disque compact qu'on joindrait au rapport.

Il existe plusieurs présentations possibles des parties d'un rapport de laboratoire. À titre d'exemple, nous en avons présenté une sur le disque compact. Ce dernier contient l'outil «Modèle rapport.doc» qui vous aide à structurer votre rapport et à faire la mise en page automatique de la page de titre, de la table des matières et des différentes parties qu'il englobe. Si vous utilisez Word et que vous devez coller dans votre rapport des tableaux, graphiques ou figures, consultez la section 6.6 où vous trouverez quelques conseils qui vous aideront à limiter la taille de votre document.

PAGE DE TITRE

La page de titre contient le nom de l'auteur ou des auteurs par ordre alphabétique, le nom et le numéro du cours, le numéro du groupe, le titre en lettres majuscules, le nom

....
* Nous incluons dans le terme «observations» les données qualitatives, semi-quantitatives et quantitatives *(mesures)*, selon les définitions que nous avons données au chapitre 1.

du ou des professeurs auxquels le rapport est destiné, le nom de l'établissement scolaire et la date.

6.2 PARTIES PRÉLABORATOIRES

Dans les parties prélaboratoires, on note tous les renseignements que l'on possède avant de faire les lectures ou les observations.

6.2.1 Introduction

L'introduction est un texte court dans lequel on décrit brièvement le contenu du rapport. Elle permet au lecteur de savoir si le sujet du rapport l'intéresse. On la divise habituellement en trois paragraphes pour présenter le sujet, le définir et le diviser.

- *Présentation du sujet* : on situe le sujet dans son contexte et on donne un bref aperçu de l'intérêt qu'il présente (selon le cas, il peut avoir un intérêt historique, économique, écologique, scientifique, etc.). On expose les données de départ (par exemple : «On connaît la loi de la conservation de la quantité de mouvement pour un système isolé», ou : «Dans la plupart des municipalités, pour désinfecter l'eau, on y ajoute du chlore»).

- *Définition du sujet* : on énonce le but de l'expérience, en présentant clairement le problème qu'on se propose de résoudre, par exemple, vérifier une hypothèse à propos d'une question, vérifier si une situation réelle est conforme à un modèle théorique, déterminer expérimentalement une constante dans un contexte donné.

- *Division du sujet* : on explique comment on va traiter le sujet et faire l'expérience. Bien qu'il ne s'agisse que de quelques lignes et que ces informations soient exposées en détail plus loin, votre énoncé doit être explicite.

6.2.2 Cadre théorique et méthodologie

Dans la partie «Cadre théorique et méthodologie», on explique comment on se propose d'atteindre le but de l'expérimentation. Cette partie doit contenir des éléments théoriques pertinents ainsi que la stratégie expérimentale qui sera utilisée.

Il est nécessaire de présenter les éléments théoriques essentiels à la compréhension du rapport. Ces éléments doivent s'enchaîner en suivant le déroulement logique de la stratégie que l'on a établie pour atteindre le but de l'expérimentation. Cette partie est habituellement rédigée de façon impersonnelle. Si on a dû consulter un ou plusieurs ouvrages, on fait référence à chacun d'entre eux en indiquant le nom de l'auteur, l'année de publication et le numéro de la page ou des pages consultées. La référence complète apparaît dans la médiagraphie. Dans le cas d'ouvrages comme le *Handbook of Chemistry and Physics*, le *Compendium des produits et spécialités pharmaceutiques*, le *Merck Index*, etc., on indique le titre de l'ouvrage, le numéro de l'édition ou l'année de la publication et la page en question. Lorsqu'il s'agit d'une citation, on indique généralement cette information à la fin, entre parenthèses, ou on fait une note en bas de page. Souvent la présentation des citations et des références est formellement établie par l'établissement d'enseignement. Si tel est le cas, il faut respecter ces règles.

Par ailleurs, on ne doit surtout pas oublier d'expliquer la stratégie expérimentale. Essentiellement, pour expliquer cette stratégie, on présente la démarche concrète qui permettra d'obtenir les résultats expérimentaux nécessaires pour atteindre le but de l'expérimentation et les éléments de comparaison. Pour présenter cette stratégie dans les règles, il faut bien intégrer le contenu de la section 5.6 (p. 194), qui traite explicitement de ce sujet.

Dans les cas simples, il peut suffire d'énoncer les paramètres qui seront observés. Si le phénomène qu'on étudie dépend de plusieurs variables, il faut préciser quelle variable sera mesurée en fonction de quelle autre. Pour ce faire, il faut bien distinguer la variable dépendante de la variable indépendante. Ainsi, si on veut vérifier la relation $x = \frac{1}{2} a\, t^2$, on doit, comme on a plusieurs possibilités, préciser quelle variable sera utilisée (par exemple, en gardant la valeur de a constante, on peut mesurer x pour diverses valeurs de t ou encore* mesurer t pour diverses valeurs de x; on peut aussi garder la valeur de x constante et mesurer t pour diverses valeurs de a…). Si le choix d'un instrument ou la précision d'un instrument est un élément incontournable, on doit le mentionner. Dans les cas plus complexes, on doit expliquer la stratégie particulière établie pour les manipulations, qui permettra de faire les observations, mais sans aller jusqu'à expliquer les manipulations dans le détail, puisqu'elles seront décrites dans la section suivante du rapport. Par exemple, dans un laboratoire où l'on doit mesurer la période d'oscillation T d'un pendule, on peut expliquer la stratégie utilisée en précisant que, pour améliorer la précision du chronométrage manuel, il faut mesurer le temps de plusieurs oscillations. Cependant, c'est plutôt dans la section matériel, instrumentation et manipulations que l'on mentionne le fait qu'on mesure le temps pour cinq ou dix oscillations.

On explique également, dans cette partie, le ou les modes d'interprétation des observations. Il s'agit, par exemple, de décrire la forme de ce qu'on observe, d'interpréter un test qualitatif ou semi-quantitatif, de construire un tableau ou un graphique de distribution des observations, de faire un simple calcul, d'effectuer une analyse graphique ou une analyse statistique (voir la figure 5.16●, p. 195). Il faut cependant donner des explications précises, sans se contenter d'énumérer les modes d'interprétation utilisés. Par exemple, si l'interprétation comprend une analyse graphique, on doit spécifier le ou les graphiques qu'on se propose de présenter et expliquer la raison pour laquelle on a décidé de choisir ce ou ces graphiques (si le choix du graphique dépend d'un changement de variable ou d'échelle, c'est ici qu'on l'explique) et ce qu'on veut en tirer (dans le cas d'une droite, a-t-on besoin de la pente, de l'ordonnée à l'origine?). S'il s'agit d'une

....

* Avec un marqueur à étincelles, on mesure x en fonction de t; avec deux chronomètres à déclenchement optique, on mesure t en fonction de x.

analyse statistique, comme un test de vérification d'hypothèses, on énonce clairement l'hypothèse nulle H_0, ainsi que l'hypothèse alternative H_a, et on fixe le seuil de signification α.

Souvent, une illustration schématique est nécessaire à la compréhension de la théorie ou de la stratégie expérimentale. Celle-ci doit alors figurer dans la partie correspondante. Par exemple, un diagramme de forces aidera à comprendre la théorie, une clé d'identification aidera à comprendre une stratégie, et un schéma aidera à comprendre le montage, surtout s'il est complexe.

Enfin, on doit indiquer les éléments qu'on veut comparer, par exemple : la coloration obtenue à la suite d'un test qualitatif par rapport à la coloration obtenue avec le témoin ; la valeur de l'accélération mesurée par rapport à la valeur de référence ; le rendement d'une réaction par rapport au rendement attendu ; la forme d'une courbe par rapport à la forme attendue ; la concentration d'un polluant par rapport à la concentration établie par une norme ; une valeur expérimentale par rapport à la valeur calculée à partir d'un modèle ; etc. Si on veut comparer la forme d'un graphique expérimental avec une forme escomptée, il est pertinent de préciser qu'on effectuera cette comparaison en comptant les points singuliers. Si on veut comparer la pente avec une prédiction théorique tirée d'une formule, on précise cette formule. Si on indique des valeurs tirées des publications, on en donne la source, comme nous l'avons indiqué au deuxième paragraphe de la présente partie (p. 203). En résumé, cette partie du rapport comporte les éléments et les sous-éléments suivants :

- la théorie pertinente
- la stratégie expérimentale :
  - manière concrète d'obtenir les résultats expérimentaux nécessaires pour atteindre le but de l'expérimentation
    - paramètres à observer et méthode pour obtenir les observations
    - type d'interprétation des observations
  - éléments de comparaison

Lorsqu'on présente une expérience simple, on fait suivre ces éléments et sous-éléments dans l'ordre, mais dans le cas d'expériences plus complexes, comportant deux ou trois étapes, il est souvent plus simple de traiter certains de ces éléments ou de ces sous-éléments en expliquant une étape de l'expérience à la fois. Il ne s'agit pas là d'une recette mais d'une organisation logique du texte qui permet, ne l'oublions pas, d'expliquer clairement comment on se propose d'atteindre le but de l'expérimentation.

6.2.3 Matériel, instrumentation et manipulations

Dans cette partie du rapport, on présente tous les renseignements utiles permettant à un expérimentateur de reproduire l'expérience dans des conditions semblables. Certains

exigent une liste complète du matériel, d'autres demandent qu'on mentionne uniquement le matériel particulier à l'expérience, par exemple un bain thermostaté. Cependant,
on doit énumérer les instruments de mesure utilisés, sans oublier d'en indiquer, quand
c'est possible, la précision. Par ailleurs, on doit également présenter les caractéristiques
du système d'acquisition des données utilisé : marque du système, nombre de bits, sorte
de capteur, caractéristiques de l'étalonnage, fréquence d'échantillonnage, etc. Dans le
cas d'appareils, on indique la marque et le numéro de modèle, par exemple, spectrophotomètre infrarouge *Bomem* MB104.

On décrit ensuite les opérations à effectuer en laboratoire, en énumérant les directives à suivre. Si on ne veut pas recopier un texte énonçant les manipulations, parce
qu'on l'a suivi rigoureusement, on doit y faire référence. Par contre, si on a apporté des
modifications ou des précisions, on doit, en plus de se référer au texte, signaler les
opérations qui sont différentes ou plus détaillées. On indiquera, également, les manipulations qui ont permis d'accroître la justesse ou la précision des observations. Pour
les références aux ouvrages consultés, voir la
page 203. Dans le cas d'un document didactique,
on indique le nom de l'auteur, l'établissement
d'enseignement et l'année de publication. On
peut ajouter une photocopie du texte en annexe
du rapport de laboratoire, juste avant la médiagraphie.

6.3 OBSERVATIONS, INTERPRÉTATION DES OBSERVATIONS ET RÉSULTATS

La deuxième partie du rapport comprend les principaux éléments suivants :

- le ou les tableaux de mesures, de données qualitatives ou semi-quantitatives, les dessins, etc.

- la justification des incertitudes sur les mesures directes

- les graphiques, les tracés obtenus à partir d'appareils enregistreurs

- un exemple détaillé de chaque type de calcul, y compris le calcul d'incertitude ou toute autre interprétation des observations, comme l'analyse graphique, le test statistique, l'interprétation d'un spectre infrarouge, etc.

- les résultats

On place ces éléments en suivant la logique exposée dans la partie du rapport intitulée « Cadre théorique et méthodologie ».

Les observations étant souvent nombreuses, on les présente généralement sous
forme de tableau. On regroupe les observations de manière logique en tentant de réduire
autant que faire se peut le nombre de tableaux. La présentation des tableaux demande

une attention particulière, et la section 3.1 (voir p. 80) y est consacrée. Il faut concevoir les tableaux de manière à éviter toute répétition inutile et à ne pas les rendre illisibles en donnant trop d'informations. Dans certains cas, il est nécessaire, voire obligatoire, d'inclure des valeurs résultant de calculs intermédiaires alors que, dans d'autres cas, c'est inutile et même tout à fait inapproprié. Si un tableau présente des données qualitatives, il ne faut pas oublier d'y inclure les observations effectuées sur les témoins. Les observations obtenues au moyen d'un système d'acquisition de données, c'est-à-dire d'un capteur couplé à un ordinateur, ou celles résultant d'une étude statistique d'un grand nombre de sujets peuvent être très nombreuses. Elles peuvent alors être placées en annexe ou remises sur une disquette ou un disque compact, joint au rapport.

Comme nous l'avons mentionné à la section 3.1 (voir p. 80), les incertitudes sur les mesures figurent dans les tableaux. On doit justifier qualitativement et quantitativement les valeurs des incertitudes sur les mesures directes. On place cette justification sous le tableau dans lequel ces valeurs apparaissent. Évidemment, il n'est pas nécessaire de justifier les incertitudes sur les mesures indirectes, car elles découlent des incertitudes sur les mesures directes.

EXEMPLE 1

Au cours de l'enregistrement de la position d'un mobile avec un marqueur à étincelles, une étudiante estime que l'incertitude sur la position du mobile vient du fait que l'étincelle ne marque pas le papier en tombant à la verticale, qu'elle est due, de plus, à la grosseur de la tache produite par l'étincelle sur le papier et à la précision de la règle. Elle cite donc ces facteurs en évaluant quantitativement l'incertitude liée à chacun d'eux.

EXEMPLE 2

Au cours d'un titrage dont le changement de couleur est difficile à déterminer, un étudiant estime que l'incertitude sur le volume de titrant nécessaire pour atteindre le point de virage vient de la lecture sur la burette, de l'évaluation du niveau zéro et de la détermination du moment où le changement de couleur se produit. Cet étudiant va donc citer ces facteurs en évaluant quantitativement l'incertitude liée à chacun d'eux.

On donne un exemple détaillé de chaque type de calcul, y compris le calcul d'incertitude. Par exemple, si, à partir de plusieurs mesures de longueurs et de rayons, on évalue le volume de plusieurs cylindres, le calcul d'un volume $V = \pi r^2 \times l$ devient un type de calcul. On ne doit trouver qu'un seul exemple de ce calcul dans le rapport. Il en est de même pour le calcul de l'incertitude sur le volume ΔV. Les unités doivent figurer tout au long de l'exemple de calcul.

Souvent, l'analyse graphique fait partie du raisonnement mathématique. Les coordonnées de tous les points tirées d'un graphique doivent être mises en évidence de façon claire à la suite de ce graphique. Si on les utilise dans un calcul, il faut les indiquer clairement juste avant ce calcul. Si une valeur tirée d'un graphique comporte une incertitude, on doit la mentionner (pente, interpolation, extrapolation). Si une valeur est donnée par une fonction Excel ou par un modèle, il faut la reporter telle quelle, quitte à ajuster les chiffres significatifs et à rajouter les unités par la suite.

Lorsque la stratégie utilisée nécessite un autre mode d'interprétation des observations, qui doit être vérifié par le correcteur du rapport, comme l'analyse statistique ou l'interprétation d'un spectre, on doit indiquer la démarche dans le détail, au même titre qu'un exemple de calcul ou un travail d'analyse graphique.

Les résultats sont les observations obtenues, qui sont directement reliées au but de l'expérimentation. Ils méritent d'être regroupés et mis en évidence, sous forme de tableau. On les place à la fin de la section pour faciliter la discussion qui va suivre. Afin de ne pas s'écarter du sujet pendant leur analyse, on n'inclut pas dans un tableau de résultats les valeurs issues de calculs intermédiaires. Comme pour les tableaux d'observations, on regroupe les résultats de manière logique en tentant de réduire autant que faire se peut le nombre de tableaux. La façon de les construire est la même et elle fait l'objet du chapitre 3. Il arrive que des mesures directes soient des résultats lorsqu'elles permettent de vérifier si le but de l'expérimentation a été atteint. On doit alors les mettre dans le tableau des résultats et, si on veut faire une comparaison, indiquer les valeurs de référence. Par exemple, on place dans le tableau des résultats l'indice de réfraction mesuré sur un produit de synthèse ainsi que la valeur de référence de cet indice pour le composé pur, puisqu'il donne une indication sur la pureté du produit synthétisé. On place également avec les résultats les mesures directes qui déterminent les conditions expérimentales et qui sont nécessaires à l'analyse des résultats en question. Par exemple, la pression atmosphérique accompagne toujours la mesure du point d'ébullition d'une substance, car elle peut influer sur le paramètre mesuré et la valeur de référence est souvent indiquée pour une pression de 101,3 kPa. Enfin, il ne faut pas oublier les résultats du traitement des mesures qualitatives et semi-quantitatives, parce qu'ils sont également nécessaires pour vérifier si le but de l'expérimentation a été atteint et qu'ils seront analysés. Par exemple, le résultat du test au chlorure ferrique présenté dans la section 5.1 (voir la figure 5.1●, p. 169) pourrait être : présence de traces d'acide salicylique dans l'acide acétylsalicylique synthétisé. Si une expérimentation ne conduit qu'à un nombre restreint de résultats, on ne construit pas obligatoirement un tableau, mais on s'assure que ce petit nombre de résultats est bien mis en évidence avant la discussion. Par exemple, il peut s'agir d'une pente et de son incertitude ou d'une valeur p obtenue à partir d'un test statistique, accompagnée du seuil de signification α.

6.4 DISCUSSION ET CONCLUSION

La discussion est l'analyse des résultats obtenus. Ses éléments sont expliqués dans les sections 5.1 à 5.5 (voir p. 168 à 194). Il est important de bien connaître le contenu de ces sections pour rédiger la discussion. L'organigramme de la page suivante (figure 6.1●) résume les étapes à suivre pour la rédiger. La discussion comporte deux parties principales : la comparaison des résultats et la critique de la stratégie expérimentale.

Tout d'abord, on compare les résultats entre eux, ou avec des valeurs prévues selon un modèle, ou encore avec des valeurs admises se trouvant dans des ouvrages de référence* (voir la section 5.2.1, p. 170). Pour faire une comparaison de domaines, on tient compte des incertitudes en faisant appel à la notion d'écart (voir la section 5.2, p. 169). Avant d'analyser les résultats obtenus à partir d'un graphique, il faut comparer la forme de la courbe obtenue expérimentalement avec la forme escomptée (voir la section 5.1, p. 168). Une comparaison quantitative qui comporte un test statistique de vérification d'hypothèses exige qu'on rappelle l'hypothèse nulle H_0 et qu'on discute de son rejet ou de son non-rejet, en fonction de la valeur p et du seuil de signification α. On peut également faire des comparaisons qualitatives. Par exemple, on compare des tracés d'électrocardiogrammes ou des formes, des couleurs, des séquences, des proportions d'objets, etc. Lorsque le traitement des observations effectuées au cours de l'interprétation d'un test qualitatif ou semi-quantitatif comporte déjà une comparaison, on commente simplement le test.

Après une comparaison, on doit tenter d'expliquer les divergences (s'il y a lieu**), en déterminant les éléments qui pourraient expliquer l'écart significatif (voir la section 5.5.1 sur les causes d'erreur, p. 188). Si on constate que des erreurs se sont produites, on expose les causes en indiquant de quelle manière elles influent sur le résultat. On doit aussi dégager la cause d'erreur la plus importante. On peut souvent déceler des causes d'erreur significatives en consultant les notes prises au cours du déroulement de l'expérience sur les observations qualitatives. Bien que les erreurs puissent être engendrées par les manipulations, il ne faut pas oublier qu'elles proviennent aussi de la stratégie expérimentale elle-même (par exemple, un facteur qu'on néglige dans un calcul, des approximations, des instruments d'observation inadéquats, une méthode inappropriée, la constitution d'échantillons inappropriée, etc.). On ne mentionnera une erreur d'inattention que si on est certain de l'avoir commise et qu'on n'a pu reprendre la manipulation et l'éliminer. Si des résultats proviennent de données qualitatives ou semi-qualitatives, la subjectivité de l'observateur peut engendrer une erreur. Il arrive parfois que la comparaison de domaines donne des mesures égales, même si on sait qu'une erreur s'est produite. Celle-ci explique alors une partie de l'écart entre les meilleures estimations. Dans ce cas, on doit en tenir compte dans l'analyse et expliquer les résultats obtenus.

....
* Attention à l'utilisation de l'expression « valeur théorique ». Il ne peut s'agir que d'une valeur prévue selon un modèle. Presque toutes les valeurs admises se trouvant dans les ouvrages de référence, comme les *handbooks*, ont été obtenues expérimentalement ; elles ne sont donc pas des valeurs théoriques. On peut les appeler *valeurs de référence*.

** S'il n'y a pas de divergences, il est préférable d'analyser d'abord les causes d'incertitude, comme nous l'expliquerons au paragraphe suivant et de revenir ensuite à l'analyse des causes d'erreur possibles.

● **FIGURE 6.1**
Étapes permettant de déterminer les éléments d'une discussion

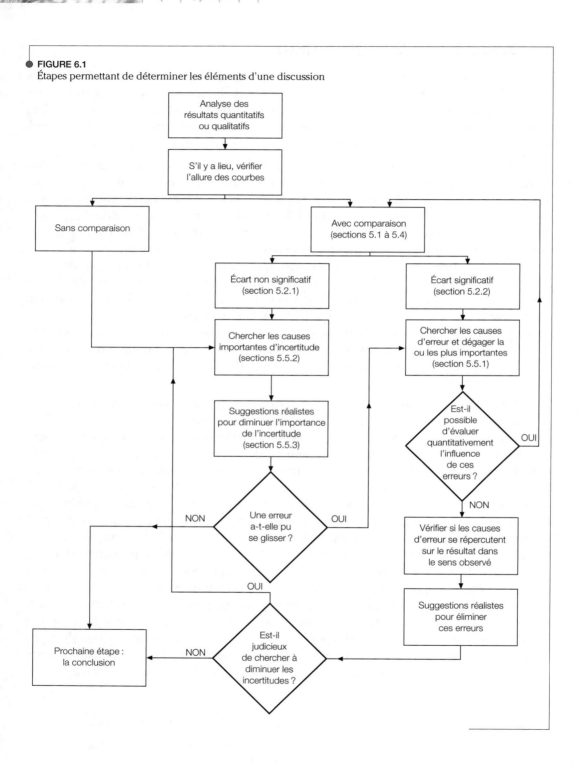

Après avoir comparé les résultats, on critique la stratégie expérimentale employée du point de vue de la précision des résultats obtenus (voir la section 5.5.2, p. 190). Dans le cas des résultats quantitatifs, l'incertitude relative donne une bonne idée de cette précision. On porte donc un jugement sur la précision des résultats (celle-ci nous satisfait-elle compte tenu du but poursuivi pendant l'expérimentation ?) ; on donne à ce sujet un ordre de grandeur en indiquant l'incertitude relative. On analyse les différentes causes d'incertitude et on spécifie la principale, celle qui influe le plus sur la précision du résultat. Au cours de cette analyse, on doit s'appuyer sur des valeurs numériques pour justifier ce qu'on avance. Dans le cas de résultats obtenus à la suite d'un test statistique, on discute plutôt de la fiabilité du test car celle-ci peut, dans certains cas, dépendre du nombre d'observations qui ont été faites.

À la suite de l'analyse, on donne des suggestions susceptibles d'améliorer l'expérimentation. Ces suggestions devraient permettre de corriger les erreurs d'observation, de manipulation ou de stratégie décrites préalablement, ou d'améliorer la précision des résultats, si cela est nécessaire (voir la section 5.5.3, p. 190). Il est inutile de proposer des améliorations qui ne sont pas liées aux lacunes importantes déjà soulevées. Seules les suggestions pertinentes doivent être indiquées.

Enfin, on tire une conclusion dans laquelle on fait ressortir l'essentiel de l'expérimentation. Si le but du laboratoire a été atteint, on en fait la démonstration en rappelant le but fixé au départ et en interprétant succinctement les résultats obtenus.

6.5 MÉDIAGRAPHIE

Dans la partie « Médiagraphie » du rapport, on indique les références complètes de tous les ouvrages dont on a tiré les éléments théoriques du laboratoire. On indique aussi la référence du protocole expérimental utilisé lorsqu'on y renvoie le lecteur, ainsi que les références des ouvrages dans lesquels on a trouvé les valeurs utilisées pour les calculs ou pour les comparaisons.

L'utilité d'une médiagraphie est de permettre à un lecteur de retrouver la source des informations utilisées dans le rapport. Il n'y a pas une façon unique de le faire (par exemple, un libraire peut avoir besoin de connaître le numéro ISBN d'un ouvrage). Cependant la manière de rédiger la médiagraphie est souvent prescrite par l'établissement d'enseignement. On doit alors suivre les règles établies. En l'absence de directives, on peut appliquer la méthode décrite ci-dessous, inspirée d'un ouvrage exposant le sujet de manière plus complète*.

On peut énumérer toutes les sources par ordre alphabétique des noms des auteurs ou faire des listes distinctes pour les ouvrages imprimés d'une part et pour les documents audiovisuels et électroniques d'autre part, chaque liste étant présentée par ordre

---

* DIONNE *et al.*, 1998.

alphabétique des noms des auteurs. Certains introduisent d'autres divisions tout en respectant dans chacune l'ordre alphabétique des noms des auteurs. S'il y a deux ou trois auteurs, on les sépare par une virgule et la conjonction «et», en plaçant le prénom devant le nom pour le ou les deux derniers. S'il y a plus de trois auteurs, on n'indique que le nom du premier, suivi d'une virgule et de l'expression «*et al*». S'il s'agit plutôt d'un ou de plusieurs directeurs d'édition, les noms sont suivis d'une virgule et de la mention «dir.». Si l'ouvrage est publié par un organisme, on écrit simplement le nom de l'organisme. Voici, pour les types de documents les plus utilisés en sciences, avec la spécification des parenthèses, des guillemets, des virgules, des italiques et des majuscules, les présentations suggérées.

Livre :
NOM DE L'AUTEUR, prénom (année de publication). *Titre du livre*, lieu de publication, maison d'édition, nombre de pages p. (Titre de la collection s'il y a lieu)

Article de périodique :
NOM DE L'AUTEUR, prénom (mois et année de publication). «Titre de l'article», *Titre du périodique*, vol. numéro du volume, n° numéro de parution, p. première page consultée-dernière page consultée.

Site Internet :
NOM DE L'AUTEUR, prénom. *Titre du site* (page consultée le date de consultation), [En ligne], adresse internet complète.

Disque compact :
NOM DE L'AUTEUR, prénom (année de publication). «Titre du document», *Titre du disque compact*, ville d'édition, maison d'édition, p. première page consultée-dernière page consultée, *disque compact*.

Document audiovisuel :
NOM DE L'AUTEUR OU DU RÉALISATEUR, prénom (année de publication). *Titre de l'œuvre*, ville ou pays de production, maison de production, format, min durée, couleur.

Document didactique :
NOM DE L'AUTEUR, prénom (année de publication). «Titre du document», Ville, établissement d'enseignement, nombre de pages.

 L'outil «Modèle rapport.doc» inclut aussi une médiagraphie qui peut être utilisée pour élaborer celle dont on a besoin.

6.6 INSERTION D'OBJETS DANS UN DOCUMENT WORD

Quand on insère un objet dans un document Word, la taille de ce dernier peut grossir démesurément, ce qui en alourdit le traitement. L'objet inséré peut-être un tableau Excel, un graphique Excel, une illustration numérisée, etc. Si un objet est inséré en tant qu'image, son format influe sur sa qualité et sur l'espace disque nécessaire. Le format « Image (GIF) » est l'un de ceux qui prennent le moins d'espace disque. Si on veut l'utiliser, on sélectionne une image, on la coupe et on demande un collage spécial. On a alors la possibilité de choisir « Image (GIF) ».

Si un tableau construit dans Excel est copié et collé dans Word avec un « Collage spécial Microsoft Excel objet », on colle alors non seulement le tableau sélectionné mais aussi le fichier Excel en entier, ce qui occupe beaucoup d'espace. Le tableau peut être transformé en image ; il suffit de le sélectionner, de le couper et de demander un « Collage spécial image ».

Il faut souvent ajuster les dimensions d'un objet après l'avoir collé dans un document Word. Si l'objet collé contient des chiffres ou des lettres, leur taille peut devenir trop petite ou trop grande. Dans Excel, on n'a pas ce problème si, à l'onglet « Police », on veille à désactiver l'ajustement automatique de l'échelle. On peut alors redimensionner un graphique sans changer la taille des caractères. Pour profiter de cette particularité dans Word, on utilise un « Collage spécial Microsoft Excel objet ». Mais on se heurte alors à un problème : la taille du document Word augmente. Pour éviter ce problème, on procède différemment selon qu'on choisit d'ajuster les dimensions du graphique dans Excel ou dans Word.

- Si on ajuste les dimensions du graphique dans Excel, on doit trouver la dimension idéale pour la page Word qui recevra l'image*. Une fois la bonne dimension trouvée, on sélectionne le graphique, on le copie et on utilise un « Collage spécial Image » pour l'insérer dans Word.

- Si on ajuste les dimensions dans Word, on peut procéder de la façon suivante :

  - On sélectionne le graphique dans Excel, on le copie et on fait ensuite un « Collage spécial Microsoft Excel objet » dans Word.

  - Dans Word, on ajuste le style d'habillage et on dimensionne le graphique correctement.

  - On sélectionne le graphique et on choisit « Edition Couper » « Edition Collage spécial Image ».

Par ailleurs, si on veut insérer un graphique pleine page en orientation « Paysage » dans un document Word, il faut utiliser la commande « Saut de section », car le rapport a

....
*   Pour savoir comment dimensionner dans Excel, voyez la section 1d du fichier « Graphiques.doc ». Cette section est intitulée « Imprimer le graphique ou l'insérer dans un document Word ».

l'orientation «Portrait». On utilise la commande «Insertion, saut de section page suivante», on colle ensuite le graphique «Collage spécial Microsoft Excel objet» dans cette nouvelle section. Par la suite, on change l'orientation du graphique à l'aide de la commande «Fichier, Mise en page, orientation Paysage». Cette commande modifiera seulement la section en question, le reste du texte n'étant pas touché. Finalement, on ajuste les dimensions du cadre pour que le graphique soit pleine page. Si on veut transformer le graphique en image (GIF), il faut diminuer légèrement la largeur du graphique avant de le transformer en (GIF), sinon il risque d'être tronqué.

LE DISQUE COMPACT:
POUR PRODUIRE AVEC SUCCÈS UN RAPPORT DE LABORATOIRE

Le disque compact qui accompagne votre *Guide* a pour but de vous aider à produire un rapport de laboratoire et à maîtriser certaines fonctions d'Excel qui vous seront utiles dans cette tâche. Vous y trouverez en outre un complément d'information sur les mathématiques de la distribution normale, des figures du *Guide* que vous pourrez animer, des exemples de rapports et des exercices accompagnés de leurs réponses. Au fil des pages du *Guide*, le pictogramme 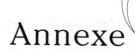 vous invite ponctuellement à consulter le disque.

La plupart des fichiers Excel (.xls) sont jumelés à des fichiers Word (.doc); si vous éprouvez un problème avec un fichier Excel, consultez son document d'accompagnement afin de voir si certaines contraintes s'appliquent. La mise en page des fichiers Word a été conçue pour la lecture à l'écran. Si vous souhaitez imprimer les documents, nous vous recommandons d'utiliser le format PDF correspondant.

La production d'un rapport de laboratoire

Pour produire un rapport de laboratoire, vous devez être capable d'accomplir certaines tâches, notamment les tâches suivantes expliquées dans le disque.

- Construire des graphiques illustrant les incertitudes des mesures (Modèles graphiques.xls, Graphiques.xls).

- Calculer la pente et l'ordonnée à l'origine d'une droite en utilisant la méthode des pentes extrêmes (Modèles graphiques.xls, Graphiques.xls).

- Illustrer des points singuliers dans un graphique en dehors du traitement de la meilleure courbe (Quelques points.xls, Figure 3.25.xls).

- Illustrer rapidement des comparaisons (Comparaisons.xls).

- Construire un histogramme (Histogramme.xls).

- Rédiger un rapport de laboratoire avec Word (Modèles rapports.doc).

Les procédures d'Excel

Pour produire un rapport de laboratoire, il est important de maîtriser certaines procédures d'Excel. Grâce au disque compact, vous apprendrez :

- Comment fabriquer des rectangles pour illustrer des mesures sur un graphique (Figures 3.6 et 3.7.xls).

- Comment fabriquer un histogramme (Étapes de construction.doc et Étapes histo.xls).

- Comment construire un graphique avec Excel (Modèles graphiques.doc).

- Comment zoomer avec Excel pour détecter un ou des points singuliers dans un graphique (Points singuliers.doc, Points singuliers.xls).

- Comment illustrer la comparaison entre des mesures (Comparaisons.doc).

- Comment construire une zone en tunnel permettant d'interpoler dans une courbe de titrage (Figure 4.11.xls).

- Comment utiliser les courbes de tendance et le coefficient de détermination R^2 pour déterminer la relation entre deux variables (Vérification modèle.doc, Relation 2 variables.doc).

Les mathématiques de la distribution normale

Le disque propose une section sur les mathématiques de la distribution normale.

- Vous visualiserez le comportement de la somme de deux gaussiennes (Figure 2.5.xls).

- Vous examinerez des exemples d'utilisation de la «somme quadratique» pour calculer la propagation des écarts types de distributions ; vous constaterez jusqu'à quel point la «somme quadratique» est sensible aux déviations par rapport à la normale (Somme quadratique.xls et ses cinq documents d'accompagnement).

- Vous vérifierez les formules utilisées à l'aide de la fonction Excel DROITEREG ; ces formules permettent, d'une part, de calculer la pente et l'ordonnée à l'origine par la méthode des moindres carrés et, d'autre part, de calculer les erreurs types sur la pente, sur l'ordonnée à l'origine et sur les variables en ordonnée (Étude stat.xls).

L'animation de figures

Plusieurs des fichiers Excel du disque compact sont interactifs : dans certains, on peut générer de nouvelles valeurs ; dans d'autres, on peut voir l'effet de la variation d'une ou de plusieurs valeurs. Cependant, trois fichiers ont été conçus spécialement pour animer des figures du *Guide*. Vous pourrez ainsi :

- Distinguer l'incertitude systématique de l'incertitude aléatoire en simulant des tirs sur une cible (Figure 1.15.xls).

- Faire varier les paramètres d'une équation et voir si la courbe correspondante s'ajuste à des mesures (Figures 4.28 à 4.30.xls).

- Faire varier la moyenne et l'écart type de deux gaussiennes et visualiser leur somme (Figure 2.5.xls).

Des exemples de rapports et des exercices avec réponses

Nous avons choisi de placer les exemples de rapport et les exercices dans le disque compact afin de ne pas alourdir le manuel et d'offrir des exemples et des exercices en plus grand nombre. Nous vous proposons donc :

- Deux exemples de rapport (Archimède.pdf et Masse volumique.pdf).

- Des exercices avec réponses détaillées, accompagnés de plusieurs fichiers Excel (Exercices.doc et Réponses.doc accompagnés de dix fichiers Excel).

Médiagraphie

Livres

ASSOCIATION DES PHARMACIENS DU CANADA (2002). *Compendium des produits et spécialités pharmaceutiques*, Toronto, 2318 p.

CHANG, Raymond et Luc PAPILLON (2002). *Chimie fondamentale*, 2e éd., Montréal, Chenelière-McGraw-Hill, 361 p.

CHEVALIER, Raymond, *et al.* (1978). *Éléments de métrologie*, Ste-Foy, Les Éditions Laliberté Inc., 171 p.

DIONNE, Bernard, *et al.* (1998). *Pour réussir – guide méthodologique pour les études et la recherche – Sciences de la nature,* Laval, Éditions Études Vivantes, 290 p.

FEYERABEND, Paul (1979). *Contre la méthode*, Paris, Seuil, 350 p.

FLORENT, Jacques et Éric MATHIVET, dir. (1995). *Encyclopédie des sciences de la nature*, Paris, Larousse, 702 p.

FOURNIER, Marie-Claude et Monique DENYER (1997). *Lecture et commentaire de schémas*, Bruxelles, DeBoeck Duculot, 110 p.

HILL, John W., *et al.* (2002). *Chimie générale*, Saint-Laurent, Éditions du Renouveau Pédagogique inc., 550 p.

LAHAIE, René, Luc PAPILLON et Pierre VALIQUETTE (1976). *Éléments de chimie expérimentale*, Montréal, Éditions HRW, 534 p.

MASSAIN, R. (1962). *Physique et physiciens*, Paris, Éditions Magnard, 397 p.

MEYER, Stuart L. (1975). *Data analysis for scientists and engineers*, New York, John Wiley & Sons Inc., 513 p.

OMNÈS, Roland (1994). *Philosophie de la science contemporaine*, Paris, Gallimard, 426 p. (Collection folio essais)

PÉRARD, Albert et Jean TERRIEN (1947). *Les mesures physiques*, Paris, PUF, 128 p. (Que sais-je? n° 244)

POPPER, Karl (1973). *La logique de la découverte scientifique*, Paris, Payot, 480 p.

RIVAL, M. (1996). *Les grandes expériences scientifiques*, Paris, Seuil, 203 p. (collection Points Sciences)

SPRADLEY, Joseph L. (mai 1990). « Meter Stick Mechanics », *Physics Teacher*, vol. 28, n° 5, p. 312-314.

TAYLOR, John R. (2000). *Incertitudes et analyse des erreurs dans les mesures physiques*, Paris, Dunod, 315 p.

TREMBLAY, L. M., et Y. CHASSÉ (1970). *Introduction à la méthode expérimentale*, Montréal, CEC, 116 p.

WEAST, Robert C., Melvin J. ASTLE et William H. BEYER, dir. (1986-1987). *Handbook of Chemistry and Physics*, 67e éd., Boca Raton, CRC Press Inc.

Disque compact

DORF, Richard C., dir. (1998). « Measurement Errors and Accuracy », *The Engineering Handbook*, Boca Raton, CRC Press LLC, document n° 138, CD.

Index